# dtv

*Reihe Hanser*

Als siebter Sohn eines siebten Sohnes der Zaubererfamilie Heap müsste Septimus Heap eigentlich über ungeheure magische Kräfte verfügen. Doch er stirbt gleich nach der Geburt. Am selben Tag nimmt die Familie Heap ein kleines Findelkind bei sich auf. Und bald danach ändert sich ihr aller Leben. Die Königin wird ermordet, und der bösartige Usurpator DomDaniel übt ein Schreckensregime aus. In diese düsteren Zeiten könnte nur eine Person einen Lichtstrahl bringen: die verschollene Tochter der toten Königin. DomDaniels Spionen entgeht nicht, dass Jenna, die kleine Tochter der Heaps, ihren älteren Brüdern so gar nicht ähnlich sieht ... Und sie beginnen eine gnadenlose Jagd. Glücklicherweise steht die Außergewöhnliche Zauberin Marcia Overstrand auf Jennas Seite, ebenso wie Zelda, die Weiße Hexe, die flinke Botenratte Stanley und der flapsige Sumpf-Boggart. Aber wer ist eigentlich der zutiefst verstörte Junge 412, der unfreiwillig in die Flucht der Heaps verwickelt wird?

*Angie Sage*, in London geboren, lebt als freiberufliche Illustratorin und Autorin in Cornwall. Sie studierte Grafikdesign und Illustration an der Art School in Leicester. ›Septiums Heap – Magyk‹ ist der erste von sieben Romanen über den Zauberer Septimus Heap und seine Freunde.

Angie Sage

# SEPTIMUS HEAP

## MAGYK

Aus dem Englischen von
Reiner Pfleiderer

Mit Illustrationen von
Mark Zug

dtv

Ausführliche Informationen über
unsere Autoren und Bücher
www.reihehanser.de


Die Septimus-Heap-Saga in der *Reihe Hanser*:
Septimus Heap. Magyk (dtv 62327)
Septimus Heap. Flyte (dtv 62371)
Septimus Heap. Physic (dtv 62431)
Septimus Heap. Queste (dtv 62471)
Septimus Heap. Syren (dtv 62540)
Septimus Heap. Darke (dtv 62550)
Septimus Heap. Fyre (dtv 62617)

10. Auflage 2016
2007 dtv Verlagsgesellschaft mbH & Co. KG, München
© 2005 by Angie Sage
© Illustrationen Mark Zug 2005
© der deutschsprachigen Ausgabe: Carl Hanser Verlag
München 2005
Originaltitel: ›Septimus Heap, Book One: Magyk‹
(Katherine Tegen Books, New York)
Published by arrangement with *HarperCollins Children's Books,*
a division of HarperCollins Publishers, Inc.
Umschlaggestaltung: Mark Zug
Satz: Filmsatz Schröter GmbH, München
Druck und Bindung: Druckerei C.H.Beck, Nördlingen
Gedruckt auf säurefreiem, chlorfrei gebleichtem Papier
Printed in Germany · ISBN 978-3-423-62327-8

*Für Lois, die am Anfang dabei war,*
*und für Laurie, die mich auf die Idee*
*mit den Magogs gebracht hat.*

## ★ 1 ★

## EIN BÜNDEL IM SCHNEE

Zum Schutz vor dem Schnee zog Silas Heap seinen Umhang enger. Er hatte einen langen Fußmarsch durch den Wald hinter sich und war völlig durchgefroren. In seinen Taschen steckten die Kräuter, die ihm die Medizinfrau Galen für seinen jüngsten Sohn Septimus mitgegeben hatte. Septimus war am Morgen auf die Welt gekommen.

Silas näherte sich der Burg. Zwischen den Bäumen konnte er bereits die flackernden Lichter der Kerzen sehen, die man in die Fenster der schmalen hohen Häuser stellte. Dicht aneinander gereiht lagen die Häuser hinter der Außenmauer. Heute war die längste Nacht des Jahres, und die Kerzen würden bis zum Morgengrauen brennen, um die Dunkelheit zu bannen. Silas liebte diesen Weg zur Burg. Bei Tage hatte er im Wald keine Angst und erfreute sich an dem beschaulichen Spaziergang auf dem schmalen Pfad, der sich kilometerweit durch dichtes Gehölz schlängelte. Nun hatte er fast den Saum des Waldes erreicht. Die hohen Bäume traten zurück, und als der Abstieg ins Tal begann, sah er die Burg ausgebreitet zu seinen Füßen liegen. Die alte Schutzmauer verlief dicht am Ufer des breiten, gewundenen Flusses und umfasste im Zickzack die ineinander verschachtelten Häuser. Alle Häuser waren in leuchtenden Farben gestrichen, und diejenigen, die nach Westen blickten, sahen aus, als stünden sie in Flammen, als ihre Fenster die letzten Strahlen der Wintersonne einfingen.

Ursprünglich war die Burg ein kleines Dorf gewesen. Wegen der Nähe zum Wald hatten die Bewohner eine hohe Mauer errichtet, um sich vor Wolverinen, Hexen und Hexenmeistern zu schützen, die nichts dabei fanden, ihnen Schafe und Hühner und gelegentlich auch ein Kind zu stehlen. Da immer mehr Häuser gebaut wurden, erweiterten sie die Mauer und hoben einen tiefen Burggraben aus, damit sich jeder sicher fühlen konnte.

Bald lockte die Burg Handwerker aus anderen Dörfern an. Sie wuchs und gedieh, bis irgendwann der Platz knapp wurde und jemand beschloss, die Anwanden zu bauen. Die Anwanden, in denen Silas mit seiner Frau Sarah und seinen Söhnen wohnte, waren ein riesiges Gebäude aus Stein, das sich fünf Kilometer weit am Flussufer entlangzog und dann wieder zur Burg zurückkehrte. Es war ein wahres Labyrinth aus vielen verschlungenen Korridoren und Räumen, erfüllt von geschäftigem Treiben, mit kleinen Fabriken, Schulen und unzähligen Geschäften, Wohnungen, winzigen Dachgärten und sogar einem Theater. Überall herrschte drangvolle Enge, doch die Bewohner störte das nicht im Geringsten. Man hatte immer Gesellschaft und vor allem jemanden, der mit den Kindern spielte.

Silas beschleunigte seine Schritte, als die Wintersonne hinter den Mauern der Burg versank. Er musste am Nordtor sein, ehe es bei Einbruch der Nacht geschlossen und die Zugbrücke hochgezogen wurde.

In diesem Augenblick spürte Silas etwas. Ganz in der Nähe. Etwas, das lebte, aber nur gerade so. Er nahm den schwachen Herzschlag eines Menschen wahr. Er blieb stehen. Als Gewöhnlicher Zauberer besaß er die Gabe, Dinge zu spüren. Da er aber kein besonders guter Gewöhnlicher Zauberer war, musste er sich angestrengt konzentrieren. Er stand reglos da. Rings um ihn fiel Schnee in dicken Flocken und bedeckte bereits seine Fußstapfen. Und dann hörte er es – ein Schniefen, ein Wimmern, ein leises Atmen? Er war sich nicht sicher, doch das genügte.

Unter einem Busch am Wegrand lag ein Bündel. Silas hob es auf, und zu seinem Erstaunen blickte er in die ernsten Augen eines kleinen Kindes. Er wiegte es in den Armen und fragte sich, wieso es in der kältesten Nacht des Jahres hier im Schnee lag. Es fror, obwohl es fest in eine dicke Wolldecke gewickelt war. Seine Lippen waren blau vor Kälte, und Schnee bestäubte seine Wimpern. Seine dunkelvioletten Augen sahen ihn aufmerksam an, und Silas hatte das ungute Gefühl, dass es in seinem kurzen Leben bereits Dinge gesehen hatte, die kein Kind sehen sollte.

Er dachte an seine Sarah, die es mit Septimus und den Jungen zu Hause warm und gemütlich hatte, und sagte sich, dass sie einfach Platz schaffen mussten für ein zusätzliches Kind. Er schob das Bündel behutsam unter seinen blauen Zaubererumhang und lief, es an sich drückend, zum Burgtor. Er erreichte die Zugbrücke in dem Augenblick, als Gringe, der Torwächter, nach dem Brückenjungen rufen wollte, damit er sie hochzog.

»Das war knapp«, knurrte Gringe. »Aber ihr Zauberer seid sowieso komische Leute. Ist mir schleierhaft, was ihr an so einem Tag draußen verloren habt.«

»Ach?« Silas wollte möglichst schnell an Gringe vorbei, aber zuerst musste er das Brückengeld bezahlen. Er fasste in die Hosentasche und drückte dem Wärter einen Silberpenny in die Hand.

»Vielen Dank, Gringe. Gute Nacht.«

Gringe beäugte den Penny wie einen ekligen Käfer. »Marcia Overstrand hat vorhin eine halbe Krone springen lassen. Aber die hat eben Klasse, jetzt, wo sie Außergewöhnliche Zauberin ist.«

»Was?« Silas blieb fast die Luft weg.

»Jawohl, Klasse hat sie.«

Gringe trat beiseite, um Platz zu machen, und Silas schlüpfte vorbei. Am liebsten hätte er gefragt, wieso Marcia Overstrand plötzlich Außergewöhnliche Zauberin war, doch das Bündel unter seinem warmen Umhang begann sich zu regen, und eine innere Stimme sagte ihm, dass es besser war, wenn Gringe nichts von dem Kind erfuhr.

Als er in den Tunnel einbog, der zu den Anwanden führte, trat eine hohe, in Lila gekleidete Gestalt aus dem Dunkel und versperrte ihm den Weg.

»Marcia!«, stieß er hervor. »Was um alles in der …«

»Erzähle keiner Menschenseele, dass du sie gefunden hast. Sie ist deine leibliche Tochter. Verstanden?«

Silas nickte verdutzt, und bevor er dazu kam, etwas zu sagen, war Marcia in einer schimmernden lila Wolke verschwunden. Völlig verdattert legte Silas den restlichen Weg durch die Ramblings zurück. Wer war dieses Kind? Was hatte Marcia mit ihm zu tun? Wieso war Marcia plötzlich Außergewöhnliche Zauberin? Und als die große rote Tür vor ihm auftauchte, die in das bereits überfüllte Zimmer der Familie Heap führte, kam ihm eine weitere, dringlichere Frage in den Sinn: Was würde Sarah dazu sagen, dass sie noch ein Kind versorgen sollte?

Silas blieb keine Zeit, darüber nachzudenken. In dem Augenblick, als er die Tür erreichte, flog sie auf. Eine dicke Frau in der dunkelblauen Tracht einer Oberhebamme stürmte heraus und rannte ihn beinahe über den Haufen. Auch sie trug ein Bündel, nur war ihr Bündel von oben bis unten in Binden gewickelt, und sie trug es unter dem Arm wie ein Paket, das sie schleunigst zur Post bringen musste.

»Tot!«, krächzte die Oberhebamme mit rotem Kopf. Sie stieß Silas zur Seite und lief den Korridor hinunter. Im Zimmer schrie Sarah.

Beklommenen Herzens ging Silas hinein. Sarah lag im Bett, umringt von sechs kleinen Jungen, alle kreidebleich und verstört.

»Sie hat ihn mitgenommen«, rief Sarah verzweifelt. »Septimus ist tot, und sie hat ihn mitgenommen.«

In diesem Augenblick breitete sich von dem Bündel, das Silas noch unter seinem Umhang versteckt hielt, eine feuchte Wärme aus. Er wollte etwas sagen, doch er fand nicht die richtigen Worte, und so zog er einfach das Bündel unter dem Umhang hervor und legte es Sarah in die Arme.

Sarah Heap brach in Tränen aus.

# ★ 2 ★

## SARAH UND SILAS

Das Findelkind wurde in die Familie Heap aufgenommen und nach Silas' Mutter Jenna genannt.

Nicko, der jüngste Sohn, war erst zwei, als Jenna zu ihnen kam, und hatte seinen Bruder Septimus bald vergessen. Auch die älteren Brüder vergaßen ihn mit der Zeit. Sie liebten ihre kleine Schwester und brachten vom Zauberunterricht in der Schule allerlei Schätze für sie mit.

Sarah und Silas konnten Septimus natürlich nicht vergessen. Silas machte sich Vorwürfe, weil er Sarah allein gelassen hatte, um von der Medizinfrau Kräuter für das Neugeborene zu holen. Sarah wiederum gab sich an allem die Schuld. Sie hatte nur verschwommene Erinnerungen an jenen schrecklichen Tag, aber sie wusste noch, dass sie vergeblich versucht hatte, ihrem Kind wieder Leben einzuhauchen. Und sie wusste noch, wie die Oberhebamme ihren kleinen Septimus von Kopf bis Fuß in Binden gewickelt hatte, dann zur Tür gestürmt war und über die Schulter gerufen hatte: »Tot!«

Daran erinnerte sie sich genau.

Bald jedoch liebte Sarah ihr kleines Mädchen ebenso sehr, wie sie ihren Septimus geliebt hatte. Eine Zeit lang fürchtete sie, es könnte jemand kommen und ihr auch Jenna wegnehmen, doch Monate gingen ins Land, und Jenna wuchs zu einem pausbäckigen, glucksenden Baby heran, und Sarah wurde ruhiger und vergaß ihre Angst beinahe.

Bis zu jenem Tag, an dem Sally Mullin, ihre beste Freundin, atemlos in der Tür stand. Sally Mullin gehörte zu jenen Menschen, die immer wussten, was in der Burg gerade geschah. Sie war eine kleine geschäftige Frau mit rotbraunem strähnigem Haar, das ständig unter ihrer etwas schmuddligen Kochmütze hervorquoll. Sie hatte ein freundliches rundes Gesicht, ein wenig feist vom übermäßigen Kuchenverzehr, und ihre Kleidung war meist mit Mehl bestäubt.

Sally betrieb auf der schwimmenden Landungsbrücke unten am Fluss ein kleines Café. Auf dem Schild über der Tür stand:

SALLY MULLINS TEE- UND BIERSTUBE
SAUBERE FREMDENZIMMER
GESINDEL UNERWÜNSCHT

In Sally Mullins Café gab es keine Geheimnisse. Nichts, was auf dem Wasserweg in die Burg kam, ob Mensch oder Ding, blieb unbemerkt oder unkommentiert, und die meisten Leute zogen es vor, mit dem Boot zu kommen. Bis auf Silas mieden alle die dunklen Wege in den Wäldern rings um die Burg, in denen Fleisch fressende Bäume lauerten und des Nachts noch immer gefährliche Wolverinen umherstreiften. Außerdem hausten dort Wendronhexen, die stets knapp bei Kasse und dafür berüchtigt waren, dass sie unvorsichtigen Reisenden Fallen stellten und sie bis aufs Hemd ausplünderten.

Sally Mullins gut besuchtes Café war eine dämpfige Hütte, die auf Pfählen bedenklich über dem Wasser thronte. Boote jeder Art und Größe machten an der Landungsbrücke fest, und die unterschiedlichsten Menschen und Tiere wankten heraus. Die meisten erholten sich bei Sally von der Fahrt und erzählten bei mindestens einem Krug Bier und einem Stück Gerstenkuchen den neuesten Klatsch. Und jeder in der Burg, der ein halbes Stündchen erübrigen konnte und einen knurrenden Magen hatte, fand sich bald auf dem ausgetretenen Pfad wieder, der, an der Müllkippe Schönblick vorbei und an der Landungsbrücke entlang, zu Sally Mullins Tee- und Bierstube führte.

Sally hatte sich vorgenommen, Sarah einmal in der Woche zu besuchen und sie über alles auf dem Laufenden zu halten. Mit ihren sieben Kindern war Sarah stark eingespannt, und soweit Sally es beurteilen konnte, rührte ihr Mann, Silas Heap, kaum einen Finger. Gewöhnlich erzählte sie von Leuten, die Sarah gar nicht kannte und wohl auch nie kennen lernen würde. Trotzdem freute sich Sarah auf ihre Besuche, denn sie erfuhr gern, was um sie herum vorging. Doch was Sally diesmal zu berichten hatte, war anders. Es war ernster als der übliche Alltagsklatsch, und diesmal betraf es auch Sarah.

Und zum ersten Mal überhaupt wusste Sarah mehr darüber als Sally.

Sally rauschte herein und schloss verschwörerisch die Tür.

»Ich bringe schlimme Neuigkeiten«, flüsterte sie.

Sarah hörte nur mit halbem Ohr hin. Sie versuchte gerade, Jenna das Gesicht abzuputzen und alles abzuwischen, was das Kind beim Frühstück sonst noch bekleckert hatte, *und* gleichzeitig hinter dem neuen Wolfshundwelpen herzuräumen.

»Hallo, Sally«, sagte sie. »Hier ist ein sauberer Stuhl. Komm, setz dich. Eine Tasse Tee?«

»Ja, danke. Sarah, du wirst es nicht glauben!«

»Was denn?«, fragte Sarah. Wahrscheinlich hatte sich im Café wieder jemand danebenbenommen.

»Die Königin! Die Königin ist tot!«

»Was?«, stieß Sarah hervor. Sie hob Jenna aus ihrem Stuhl, trug sie zu ihrem Babykorb in der Ecke und legte sie hinein. Schlechte Nachrichten sollte man von kleinen Kindern fern halten.

»Tot«, wiederholte Sally traurig.

»Nein!«, stöhnte Sarah. »Das glaube ich nicht. Nach der Geburt ihres Kindes ging es ihr nur nicht besonders, das ist alles. Deshalb hat man sie seither nicht mehr gesehen.«

»Das haben die Gardewächter behauptet, nicht wahr?«, fragte Sally.

»Ja, schon«, gab Sarah zu und goss Tee ein. »Aber als ihre Leibwächter müssen sie es doch wissen. Obwohl mir unbegreiflich ist, wie die Königin eine solche Schurkenbande plötzlich zu ihrer Leibwache machen kann.«

Sally hob die Tasse, die Sarah ihr hingestellt hatte. »Danke. Hmmm, köstlich. Aber du hast Recht …« Sie senkte die Stimme und schaute sich um, als könnte ein Gardewächter in der Ecke lehnen, was freilich nicht heißt, dass sie ihn bei der Unordnung im Zimmer auch tatsächlich entdeckt hätte. »Sie *sind* eine Schurkenbande. Sie waren es ja, die sie ermordet haben.«

»Ermordet? Sie ist ermordet worden?«, rief Sarah aus.

»Pst! Also das war so …« Sally rückte mit ihrem Stuhl näher. »Man erzählt sich, und ich habe es aus erster Hand …«

»Aus erster Hand?«, fragte Sarah mit einem gequälten Lächeln.

»Von Madam Marcia persönlich«, erwiderte Sally mit triumphierendem Blick, lehnte sich zurück und verschränkte die Arme.

»Was? Seit wann verkehrst du mit der Außergewöhnlichen Zauberin? Hat sie auf eine Tasse Tee bei dir vorbeigeschaut?«

»Sie nicht. Aber Terry Tarsal. Er war oben im Zaubererturm und hat ein Paar ziemlich ausgefallene Schuhe abgeliefert, eine Sonderanfertigung für Madam Marcia. Zuerst hat er über ihren Schuhgeschmack gelästert und sich darüber ausgelassen, wie sehr er Schlangen verabscheut, aber dann hat er von einem Gespräch zwischen Marcia und einer anderen Zauberin berichtet, das er zufällig mit angehört hat. Die andere war Endor, glaube ich, die kleine Dicke. Jedenfalls haben sie gesagt, dass die Königin erschossen worden sei! Von einem Meuchelmörder der Gardewächter.«

Sarah traute ihren Ohren nicht. »Wann?«, hauchte sie.

»Das ist ja das Schlimme«, zischte Sally aufgeregt. »Sie soll an dem Tag erschossen worden sein, an dem das Baby zur Welt gekommen ist. Vor sechs Monaten, und wir waren völlig ahnungslos.

Es ist schrecklich ... einfach schrecklich. Und Alther haben sie auch erschossen. Deshalb ist Marcia ...«

»Alther ist *tot*?«, stieß Sarah hervor. »Ich kann es nicht glauben. Ich kann es einfach nicht ... Wir dachten, er hätte sich zur Ruhe gesetzt. Silas war vor Jahren sein Lehrling. Er war so ein netter Mann ...«

»Tatsächlich?«, erwiderte Sally ungeduldig, denn sie brannte darauf, weiterzuerzählen. »Aber das ist noch nicht alles. Terry glaubt nämlich, dass Marcia die Prinzessin gerettet und irgendwohin gebracht hat. Endor und Marcia haben sich gefragt, was wohl aus ihr geworden ist. Sie verstummten natürlich sofort, als sie Terry bemerkten. Marcia ist anscheinend sehr grob zu ihm gewesen, sagt er. Und hinterher fühlte er sich etwas sonderbar. Er glaubt, dass sie ihn mit einem Vergesslichkeitszauber belegen wollte, aber er ist hinter eine Säule geflitzt, als er sie murmeln sah, deshalb hat der Zauber nicht richtig funktioniert. Terry ist ziemlich aufgebracht, denn er kann sich nicht mehr entsinnen, ob sie die Schuhe bezahlt hat oder nicht.«

Sally Mullin legte eine Pause ein, schöpfte Atem und trank einen großen Schluck Tee. »Die arme kleine Prinzessin. Gott stehe ihr bei. Wo sie jetzt wohl sein mag? Wahrscheinlich siecht sie in irgendeinem dunklen Loch dahin. Im Gegensatz zu deinem Engelchen da drüben ... Wie geht es ihr?«

»Oh, es geht ihr prächtig«, antwortete Sarah. Normalerweise hätte sie jetzt ausführlich über Jennas Schnupfen und ihren neuesten Zahn berichtet, und darüber, dass sie schon aufrecht sitzen und selbst ihren Becher halten konnte. Doch in diesem Augenblick wollte sie von Jenna lieber ablenken. Sechs Monate lang hatte sie sich gefragt, wer ihre kleine Tochter in Wirklichkeit war. Jetzt wusste sie es.

Jenna war, so dachte Sarah, ja, sie konnte eigentlich niemand anders sein als ... die kleine Prinzessin.

Ausnahmsweise einmal war Sarah froh, als sich Sally Mullin von ihr verabschiedete. Sie sah ihr nach, als sie durch den Korridor davoneilte, und kaum hatte sie die Tür wieder geschlossen, stieß sie einen Seufzer der Erleichterung aus. Dann lief sie zu Jennas Korb.

Sie hob Jenna heraus und hielt sie in den Armen. Jenna lächelte sie an und grapschte nach dem Talisman an ihrem Halsband.

»Na, kleine Prinzessin«, murmelte Sarah. »Ich wusste immer, dass du etwas Besonderes bist, aber ich hätte mir nie träumen lassen, dass du unsere Prinzessin bist.« Die dunkelvioletten Augen begegneten ihrem Blick und sahen sie so ernst an, als wollten sie sagen: So, jetzt weißt du's.

Sarah legte Jenna behutsam in den Korb zurück. Der Kopf schwirrte ihr, und ihre Hände zitterten, als sie sich noch eine Tasse Tee einschenkte. Sie konnte kaum glauben, was sie erfahren hatte. Die Königin tot. Alther tot. Und ihre Jenna die Thronerbin. Die Prinzessin. Was war nur geschehen?

Den restlichen Nachmittag über saß sie bei Jenna, bei Prinzessin Jenna, sah sie an und malte sich voller Sorge aus, was geschah, wenn jemand herausfand, wer sie war. Wo steckte Silas? Nie war er da, wenn man ihn brauchte.

Silas vergnügte sich mit seinen Söhnen beim Angeln.

In der Flussbiegung gleich hinter den Anwanden gab es einen kleinen Sandstrand. Dort zeigte Silas den beiden Jüngsten, Nicko und Jo-Jo, wie sie ihre Marmeladegläser an einen Stock binden und dann ins Wasser hängen mussten. Jo-Jo hatte bereits drei winzige Fische gefangen, aber Nicko ließ seine jedes Mal fallen und verlor allmählich die Geduld.

Silas nahm Nicko auf den Arm und ging mit ihm zu Erik und Edd, den fünfjährigen Zwillingen. Erik ließ die Füße ins warme, klare Wasser baumeln und träumte vergnügt vor sich hin. Edd stocherte mit einem Stock unter einem Stein nach einem Tier. Es war ein großer Wasserkäfer. Nicko heulte los und klammerte sich fest an den Hals seines Vaters.

Sam war fast sieben und ein ernsthafter Angler. Zu seinem letzten Geburtstag hatte er eine richtige Angelrute bekommen, und auf einem Stein neben ihm lagen zwei kleine silberne Fische. Er war gerade dabei, einen dritten einzuholen. Nicko quietschte vor Aufregung.

»Bring ihn weg, Dad«, meckerte Sam. »Er erschreckt die Fische.«

Silas schlich mit Nicko auf Zehenspitzen davon und setzte sich neben Simon, seinen ältesten Sohn. Simon hielt in der einen Hand eine Angelrute und in der anderen ein Buch. Er wollte später mal Außergewöhnlicher Zauberer werden und las deshalb fleißig in den alten Zauberbüchern seines Vaters. Heute hatte er sich *Der perfekte Fischbeschwörer* vorgenommen, wie Silas bemerkte.

Silas erwartete, dass alle seine Söhne irgendeine Art von Zauberer wurden. Das lag in der Familie. Seine Tante war eine berühmte Weiße Hexe, und sein Vater und sein Onkel waren Gestaltwandler gewesen. Allerdings hoffte Silas nicht, dass seine Söhne diese ganz besondere Laufbahn einschlugen, denn erfolgreiche Gestaltwandler wurden mit zunehmendem Alter immer instabiler und konnten ihre eigene Gestalt mitunter nicht länger als ein paar Minuten am Stück behalten. Sein Vater war schließlich als Baum im Wald verschwunden, aber niemand wusste, welcher Baum er war. Dies war einer der Gründe, warum Silas so gern im Wald spazieren ging. Häufig richtete er das Wort an einen zerzausten Baum in der Hoffnung, er könnte sein Vater sein.

Sarah Heap stammte aus einer Familie von Zauberern und Hexen. Als junges Mädchen hatte sie bei Galen, der Medizinfrau im Wald, die Kräuterheilkunde erlernt, und dabei war ihr eines Tages Silas begegnet. Silas hatte sich auf der Suche nach seinem Vater im Wald verirrt und war traurig, und Sarah brachte ihn zu Galen. Galen erklärte ihm, dass sein Vater vor vielen Jahren als Baum seine wahre Bestimmung gefunden habe und nun glücklich sei. Und als Silas am Feuer der Medizinfrau neben Sarah saß, merkte er, dass auch er zum ersten Mal in seinem Leben wirklich glücklich war.

Als Sarah alles gelernt hatte, was es über Heilkräuter und ihre Anwendung zu wissen gab, nahm sie von Galen herzlichen Abschied und zog zu Silas in die Anwanden. Und dort wohnten sie noch heute, obwohl sich immer mehr Kinder in dem Zimmer drängten. Silas hatte seine Lehre leichten Herzens abgebrochen und nahm jetzt Gelegenheitsarbeiten als Gewöhnlicher Zauberer an, um Geld für die Familie zu verdienen. Und Sarah braute auf dem Küchentisch Kräutertinkturen, wenn sie mal eine freie Minute hatte, was jedoch nur selten vorkam.

Als Silas und die Jungen an jenem Abend die Treppe am Strand hinaufsteigen wollten, um in die Anwanden zurückzukehren, versperrte ihnen einen großer, von Kopf bis Fuß schwarz gekleideter Gardewächter den Weg.

»Halt!«, bellte er. Nicko begann zu heulen.

Silas blieb stehen und ermahnte die Jungen, brav zu sein.

»Papiere!«, brüllte der Wächter. »Wo sind eure Papiere?«

Silas sah ihn verdutzt an. »Was für Papiere?«, fragte er ruhig, denn er wollte keine Scherereien. Er musste die sechs müden Jungen nach Hause bringen, das Abendessen wartete.

»Eure Papiere, ihr Zauberergesindel«, feixte der Wächter. »Unbefugten ohne die erforderlichen Papiere ist das Betreten des Strandes verboten.«

Silas war empört. Wären die Jungs nicht gewesen, hätte er einen Streit angefangen, doch er hatte bemerkt, dass der Wächter eine Pistole trug.

»Verzeihung«, sagte er, »das wusste ich nicht.«

Der Wächter musterte sie von oben bis unten, als überlege er, was er tun solle, doch glücklicherweise gab es noch mehr Leute, die er schikanieren konnte.

»Mach, dass du wegkommst, und lass dich mit deiner Brut nie wieder hier blicken«, raunzte der Wächter. »Bleibt, wo ihr hingehört.«

Silas scheuchte die verstörten Jungs die Treppe hinauf und

brachte sie in die sicheren Anwanden zurück. Sam ließ seine Fische fallen und schluchzte los.

»Schon gut«, tröstete ihn Silas, »ist doch alles wieder in Ordnung.« Aber er hatte das untrügliche Gefühl, dass überhaupt nichts in Ordnung war. Was ging hier vor?

»Dad«, fragte Simon, »warum hat er uns Zauberergesindel genannt? Zauberer sind doch die Besten, oder nicht?«

»Aber ja«, antwortete Silas zerstreut, »die Besten.« Das Dumme war nur, dass man als Zauberer nicht verbergen konnte, was man war. Alle Zauberer, und nur Zauberer, hatten sie. Silas hatte sie, Sarah hatte sie, und alle seine Söhne bis auf Nicko und Jo-Jo hatten sie. Und wenn Nicko und Jo-Jo erst den Zauberunterricht in der Schule besuchten, würden auch sie welche bekommen. Langsam, aber sicher, bis es kein Vertun mehr gab, färbten sich die Augen eines Zaubererkindes grün, wenn es zaubern lernte. Bisher war man darauf immer stolz gewesen. Jetzt plötzlich konnte es gefährlich werden.

Am Abend, als die Kinder endlich schliefen, berieten sich Silas und Sarah noch bis tief in die Nacht. Sie sprachen über ihre Prinzessin, ihre Zauberersöhne und über die Veränderungen in der Burg. Sie überlegten, ob sie in die Marram-Marschen fliehen oder in den Wald zu Galen ziehen sollten. Als der Morgen graute und auch sie endlich in Schlaf sanken, hatten sie beschlossen, das zu tun, was die Heaps immer taten. Sich durchzuwursteln und auf das Beste zu hoffen.

In den folgenden neuneinhalb Jahren verhielten sich Silas und Sarah ruhig. Sie verschlossen und verriegelten ihre Tür, sprachen nur mit Nachbarn und Menschen, denen sie vertrauten, und als der Zauberunterricht in der Schule verboten wurde, brachten sie ihren Kindern das Zaubern abends zu Hause bei.

So kam es, dass neuneinhalb Jahre später alle Mitglieder der Familie Heap leuchtend grüne Augen hatten. Alle bis auf eines.

# ★ 3 ★

## DER OBERSTE WÄCHTER

Es war sechs Uhr in der Frühe und noch dunkel und auf den Tag
genau zehn Jahre her, dass Silas das Bündel gefunden hatte.
Am Ende von Korridor 223, hinter der schwarzen Tür mit der
Nummer 16, die von der Nummerierungspatrouille aufgestempelt
worden war, schlief die Familie Heap friedlich. Jenna lag zusammengerollt in ihrer kuscheligen kleinen Bettkiste, die ihr Silas aus
Treibholz vom Fluss gezimmert hatte. Das Bett war sauber in einen
großen Schrank eingebaut, und der stand in einem großen Zimmer,
das tatsächlich der einzige Raum war, den die Heaps besaßen.

Jenna liebte ihr Schrankbett. Sarah hatte ihr aus Stoffresten bunte Vorhänge genäht, die sie vorziehen konnte, wenn ihr kalt war
oder ihre Brüder zu viel Lärm machten. Am besten gefiel ihr das
kleine Fenster in der Wand über dem Kopfkissen. Es ging auf den

Fluss hinaus. Wenn sie nicht schlafen konnte, blickte sie stundenlang aufs Wasser und beobachtete die vielen unterschiedlichen Boote, die zur Burg fuhren oder von der Burg kamen, und manchmal, in klaren mondlosen Nächten, zählte sie gern die Sterne, bis sie einschlief.

Das große Zimmer war der Raum, in dem die Heaps wohnten, kochten, aßen, zankten und (manchmal) ihre Hausaufgaben machten. Die Unordnung war groß, denn in den zwanzig Jahren, die Sarah und Silas nun schon zusammen hier lebten, hatte sich einiges angesammelt: Angeln und Rollen, Schuhe und Socken, Seile und Rattenfallen, Taschen und Bettzeug, Netze und Strickzeug, Kleider, Kochtöpfe und Bücher, Bücher, Bücher und nochmals Bücher.

Wenn sich jemand in der törichten Hoffnung, irgendwo eine Sitzgelegenheit zu entdecken, im Zimmer umsah, war die Wahrscheinlichkeit groß, dass ihm ein Buch zuvorgekommen war. Bücher, wohin das Auge blickte. In durchgebogenen Regalen, in Kartons oder in Beuteln, die von der Decke baumelten. Bücher stützten den Tisch und stapelten sich zu bedenklich hohen Türmen, die jeden Augenblick einzustürzen drohten. Es gab Märchenbücher, Kräuterbücher und Kochbücher, Bücher über Schiffe und übers Angeln, doch in der Hauptsache waren es Zauberbücher, hunderte Zauberbücher, die Silas vor ein paar Jahren, als die Magie verboten worden war, heimlich aus der Schule gerettet hatte.

Mitten im Zimmer stand ein großer Herd, von dem sich ein Ofenrohr zum Dach hinaufschlängelte. Im Augenblick glommen darin noch die Überreste eines Feuers, und darum herum schliefen die sechs Heap-Buben und ein großer Hund in einem wirren Knäuel aus Kissen und Decken.

Auch Sarah und Silas schliefen. Sie lagen in einer kleinen Dachkammer, um die Silas ihr Heim vor ein paar Jahren erweitert hatte. Er hatte einfach ein Loch in die Decke gehauen, nachdem ihm Sarah eröffnet hatte, dass sie nicht länger mit sechs halbwüchsigen Jungen in einem einzigen Zimmer leben könne.

Aus dem Meer der Unordnung in dem großen Zimmer erhob sich eine kleine Insel der Ordnung, ein langer und ziemlich wackliger Tisch, den ein sauberes weißes Tischtuch bedeckte. Darauf standen neun Teller und Becher, und der kleine Stuhl am Kopfende war mit Winterbeeren und Blättern geschmückt. Davor auf dem Tisch lag, liebevoll in buntes Papier eingeschlagen und mit einem roten Band verschnürt, ein kleines Geschenk für Jenna zu ihrem zehnten Geburtstag.

In diesen letzten Nachtstunden blieb alles still, und die Familie Heap schlief friedlich weiter, bis am Morgen die Wintersonne aufgehen sollte.

Am anderen Ende der Burg, im Palast der Wächter, schlief niemand mehr, ob friedlich oder nicht.

Der Oberste Wächter war aus dem Bett geholt worden und hatte mithilfe des Nachtdieners bereits seine schwarze, pelzbesetzte Uniform und seinen schweren, schwarz-goldenen Mantel angelegt. Nun wies er den Nachtdiener an, wie er seine bestickten Seidenschuhe zu schnüren hatte, und setzte sich behutsam eine schöne Krone auf. Der Oberste Wächter zeigte sich nie ohne diese Krone, die seit jenem Tag, als sie der Königin vom Kopf gefallen und scheppernd auf den Steinfliesen aufgeschlagen war, eine Delle hatte. Sie saß schief auf seinem leicht spitz zulaufenden, kahlen Schädel, doch der Nachtdiener, der noch neu und furchtsam war, scheute sich, es ihm zu sagen.

Mit raschen Schritten durchmaß der Oberste Wächter den Korridor zum Thronsaal. Er war ein kleiner, rattenähnlicher Mann mit blassen, beinahe farblosen Augen und einem kunstvollen Ziegenbart, dessen Pflege ihm zur lieben Gewohnheit geworden war und Stunden in Anspruch nahm. Er versank beinahe in seinem weiten, schwer mit militärischen Orden behangenen Mantel, und die schief sitzende und etwas weiblich wirkende Krone verlieh seiner Erscheinung etwas Lächerliches. Aber hättet ihr, liebe Leser, ihn an jenem Morgen gesehen, ihr hättet nicht gelacht. Ihr hättet euch in eine dunkle Ecke verkrochen und gehofft, er würde euch nicht bemerken, denn der Oberste Wächter machte ein bedrohliches Gesicht.

Der Nachtdiener half ihm, auf dem reich verzierten Thron Platz zu nehmen. Dann wurde er mit ungeduldiger Geste weggeschickt. Dankbar huschte er aus dem Thronsaal, denn seine Schicht ging bald zu Ende.

Im Thronsaal war es morgendlich kühl. Der Oberste Wächter saß mit unbewegter Miene auf dem Thron, doch seine kurzen hastigen Atemstöße sandten Dampfwolken in die kalte Luft und verrieten seine Erregung.

Er brauchte nicht lange zu warten, bis eiligen Schrittes eine groß gewachsene junge Frau eintrat, die den schmucklosen schwarzen

Umhang und die dunkelrote Uniform einer Meuchelmörderin trug. Sie verbeugte sich so tief, dass ihre langen Schlitzärmel den Fußboden streiften.

»Euer Gnaden«, sagte sie mit leiser Stimme, »das Königsbalg ist gefunden.«

Der Oberste Wächter setzte sich auf und musterte die Mörderin mit seinen blassen Augen.

»Bist du sicher?«, fragte er mit drohendem Ton. »Diesmal darf kein Fehler passieren.«

»Unsere Spionin hatte schon seit langem ein Kind im Verdacht, Euer Gnaden. Sie hält es für eine Fremde in seiner Familie. Gestern nun hat unsere Spionin herausgefunden, dass das Kind das richtige Alter hat.«

»Wie alt ist es genau?«

»Auf den Tag genau zehn Jahre alt, Euer Gnaden.«

»Tatsächlich?« Der Oberste Wächter lehnte sich im Thron zurück und sann über den Bericht der Mörderin nach.

»Ich habe ein Bild des Kindes, Euer Gnaden. Es soll seiner Mutter, der früheren Königin, sehr ähnlich sehen.« Die Mörderin zog ein Blatt Papier aus der Uniformjacke. Es war die von kundiger Hand angefertigte Zeichnung eines jungen Mädchens mit dunkelvioletten Augen und langen dunklen Haaren. Der Oberste Wächter nahm die Zeichnung. Es stimmte. Das Mädchen sah der toten Königin tatsächlich sehr ähnlich. Er fasste einen raschen Entschluss und schnippte mit seinen knochigen Fingern.

Die Mörderin neigte den Kopf. »Euer Gnaden?«

»Heute Nacht. Um Mitternacht suchst du ... wo ist es?«

»Raum 16, Korridor 223, Euer Gnaden.«

»Familienname?«

»Heap, Euer Gnaden.«

»Aha. Nimm die Silberpistole. Wie viele Mitglieder zählt die Familie?«

»Neun, Euer Gnaden, das Kind mitgerechnet.«

»Also neun Kugeln, falls sie Schwierigkeiten machen. Eine silberne für das Kind. Und bring es zu mir. Ich möchte einen Beweis.«

Die junge Frau war erbleicht. Es war ihre erste und einzige Bewährungsprobe. Meuchelmörder bekamen keine zweite Chance.

»Zu Befehl, Euer Gnaden.« Sie verneigte sich kurz und entfernte sich mit zitternden Händen.

In einer ruhigen Ecke des Thronsaals erhob sich der Geist Alther Mellas von der kalten Steinbank, auf der er gesessen hatte. Er stöhnte und reckte seine alten Geisterglieder, dann raffte er seinen verschossenen lila Umhang, schnaufte kräftig durch und spazierte durch die dicke Mauer des Thronsaals.

Draußen fand er sich, zwanzig Meter über dem Boden schwebend, in der kalten Morgenluft wieder. Statt sich gemessenen Schrittes zu entfernen, wie es sich für einen Geist seines Alters und Rangs eigentlich ziemte, breitete er die Arme wie Flügel aus und segelte elegant durch den rieselnden Schnee.

Fliegen war so ziemlich das Einzige, was Alther am Geisterdasein gefiel. Seit er ein Geist war, hatte er seine lähmende Höhenangst verloren und viele aufregende Stunden damit zugebracht, an seinen akrobatischen Flugkunststücken zu feilen. Sonst aber bot das Dasein als Geist nur wenig Annehmlichkeiten, und in dem

Thronsaal zu sitzen, in dem er einer geworden war – und in dem er nach seinem Ableben deshalb ein ganzes Jahr und einen Tag hatte verbringen müssen –, gehörte zu den unerquicklichsten Seiten. Doch es musste sein. Im Thronsaal erfuhr Alther, was die Wächter im Schilde führten, sodass er Marcia über ihre Pläne auf dem Laufenden halten konnte. Mit seiner Hilfe war es ihr gelungen, den Wächtern stets einen Schritt voraus zu sein und Jenna zu beschützen. Bis jetzt.

Aus seinem Versteck oben in den fernen Ödlanden hatte DomDaniel nach Jenna gefahndet, seit sein erster Meuchelmörder vor zehn Jahren nur halbe Arbeit geleistet hatte. Nach der Ermordung der Königin hatte er seinen Abgesandten, den Obersten Wächter, zusammen mit seinen Gefolgsleuten, den Wächtern, und einer Armee von Gardewächtern losgeschickt, um die Burg einzunehmen und die junge Prinzessin oder das Königsbalg, wie er sie verächtlich nannte, zur Strecke zu bringen. Es waren für ihn zehn lange und enttäuschende Jahre gewesen, denn Alther Mella hatte alle Versuche, die Prinzessin zu finden, vereitelt.

DomDaniel war freilich ahnungslos, dass sein einstiger Lehrling immer noch eifrig damit beschäftigt war, seine Pläne zu durchkreuzen. Wegen seiner Verbindung zu den dunklen Mächten konnte er keinen von den Geistern in der Burg sehen, daher wusste er nicht, dass sie und Alther überhaupt existierten. Er gab dieser Nervensäge Marcia Overstrand die Schuld daran, dass er die Prinzessin nicht finden konnte, und seine Ungeduld wuchs. Doch ohne dass er es ahnte, war ihm unlängst ein glücklicher Zufall zu Hilfe gekommen.

Nach der Einnahme der Burg hatte der Oberste Wächter als eine seiner ersten Maßnahmen alle Frauen aus dem Gerichtsgebäude verbannt und die Damentoilette, die nun nicht mehr gebraucht wurde, zum Besprechungsraum umfunktioniert. Letzten Monat war es bitterkalt gewesen. Durch den höhlenartigen Sitzungssaal pfiff ein kalter Wind und verwandelte die Füße in Eiszapfen. Deshalb hatte der Wächterrat seine Beratungen in die ehemalige Damentoilette verlegt, die den großen Vorteil hatte, dass ein Holzofen darin stand.

Und so kam es, dass die Wächter, ohne es zu ahnen, zur Abwechslung mal Alther Mella einen Schritt voraus waren. Als Geist konnte er nur Orte aufsuchen, an denen er zu seinen Lebzeiten gewesen war, und als wohlerzogener junger Zauberer hatte er selbstverständlich niemals einen Fuß in eine Damentoilette gesetzt. Das Einzige, was er tun konnte, war, sich draußen herumzudrücken und zu warten, so wie er es damals getan hatte, als er noch lebte und der Richterin Alice Nettles den Hof machte.

An einem besonders kalten Spätnachmittag ein paar Wochen zuvor hatte er zum ersten Mal beobachtet, wie die Mitglieder des Wächterrats in die Damentoilette umzogen. Die schwere Tür, auf der noch in verblichenen goldenen Lettern DAMEN stand, schlug hinter ihnen zu, und er schwebte draußen und horchte angestrengt an der Tür. Doch es war verlorene Mühe. Er hörte nicht, wie der Rat beschloss, seine allerbeste Spionin, eine gewisse Linda Lane, die Kräuterheilkunde als Hobby betrieb, in Zimmer 17, Korridor 223, einzuquartieren. Gleich neben den Heaps.

Daher ahnten weder Alther noch die Heaps nicht im Geringsten, dass ihre neue Nachbarin eine Spionin war. Und eine sehr gute obendrein.

Als Alther Mella jetzt durch die Winternacht flog und darüber nachsann, wie er die Prinzessin retten konnte, drehte er gedankenverloren zwei nahezu perfekte Doppeloopings, ehe er im Sturzflug durch das Schneetreiben düste und die goldene Pyramide ansteuerte, die den Zauberturm bekrönte.

Er landete elegant auf den Füßen und verharrte einen Augenblick im perfekten Gleichgewicht auf den Zehenspitzen. Dann streckte er die Arme in die Höhe und drehte sich um die eigene Achse, schneller und immer schneller, bis er langsam im Dach versank und sich in den Raum darunter bohrte. Leider verschätzte er sich bei der Landung und plumpste durch den Baldachin von Marcia Overstrands Himmelbett.

Erschrocken fuhr Marcia hoch. Alther lag ausgestreckt auf ihrem Kissen und lächelte verlegen.

»Verzeihung, Marcia. Wie ungalant von mir. Na, wenigstens hast du keine Lockenwickler im Haar.«

»Ich muss schon bitten, Alther, meine Locken sind echt«, entgegnete Marcia pikiert.

Alther machte ein ernstes Gesicht und wurde noch durchscheinender als gewöhnlich.

»Ich fürchte«, sagte er mit schwerer Stimme, »die Sache eilt, Marcia.«

# ★ 4 ★

## MARCIA OVERSTRAND

Marcia Overstrand durchmaß ihr Turmzimmer, an das ein Ankleideraum grenzte, riss die schwere lila Tür auf, die auf den Treppenabsatz führte, und betrachtete sich in dem verstellbaren Spiegel.

»Minus acht-Komma-drei Prozent!«, befahl sie dem Spiegel, der eine ängstliche Natur war und jeden Morgen mit Bangen dem Augenblick entgegensah, da Marcias Tür aufflog. Im Lauf der Jahre hatte er gelernt, das Poltern ihrer Schritte auf den Holzdielen zu deuten, und heute hatte ihn das Poltern nervös gemacht. Sehr nervös. Er muckste sich nicht, und in seinem Eifer, Marcia zufrieden zu stellen, machte er sie um 83 Prozent dünner, sodass sie wie eine lila Gespensterheuschrecke aussah.

»Idiot!«, fuhr sie ihn an.

Der Spiegel rechnete noch einmal nach. Mathematik am frühen Morgen war ihm ein Gräuel, und er hegte den Verdacht, dass sie ihm absichtlich so fiese Zahlen zum Prozentrechnen gab. Warum ließ sie sich nicht um 5 Prozent dünner machen? Das war eine schöne runde Zahl. Oder, noch besser, um 10 Prozent? Mit 10 Prozent rechnete der Spiegel gern. Das beherrschte er aus dem Effeff.

Marcia lächelte ihr Spiegelbild an. Sie sah gut aus.

Sie trug die Winteruniform der Außergewöhnlichen Zauberin. Und die Uniform stand ihr. Der lila Doppelumhang aus Seide war mit sehr weichem, indigoblauem Angorafell gefüttert. Er wallte elegant von ihren breiten Schultern und schmiegte sich artig um ihre spitzen Füße. Marcias Füße waren spitz, weil sie eine Schwäche für spitze Schuhe hatte und sie sich eigens anfertigen ließ. Sie waren aus Schlangenleder, genauer gesagt, aus der abgestreiften Haut der lila Python, die der Schuhmacher Terry Tarsal nur für sie in seinem Garten hielt. Terry Tarsal verabscheute Schlangen und war davon überzeugt, dass Marcia absichtlich Schlangenleder bestellte. Damit könnte er durchaus Recht gehabt haben. Marcias lila Pythonschuhe schimmerten in dem Licht, das der Spiegel reflektierte, und das Gold und Platin an ihrem Gürtel, dem Gürtel der Außergewöhnlichen Zauberin, blitzten eindrucksvoll. Um den Hals trug sie das Echnaton-Amulett, Sinnbild und Quelle der Macht der Außergewöhnlichen Zauberer.

Marcia war zufrieden. Heute musste sie eindrucksvoll aussehen. Eindrucksvoll und nur ein klein wenig Furcht einflößend. Na ja, ziemlich Furcht einflößend, wenn nötig. Sie hoffte, dass es nicht nötig sein würde.

Marcia war sich nicht sicher, ob sie Furcht einflößend aussehen konnte. Sie schnitt ein paar Grimassen vor dem Spiegel, der heimlich erschauerte, aber keine vermochte sie zu überzeugen. Was Marcia nicht wusste: Die meisten Leute fanden, dass sie sich sehr gut darauf verstand, den Leuten Angst zu machen, ja, dass sie auf dem Gebiet ein absolutes Naturtalent war.

Marcia schnippte mit den Fingern. »Von hinten!«, bellte sie.

Der Spiegel präsentierte ihre rückwärtige Ansicht.

»Von der Seite!«

Der Spiegel zeigte sie von links und rechts.

Und dann war sie fort. Zwei Stufen auf einmal nehmend die Treppe hinunter in die Küche, wo der Herd, der sie kommen hörte, in helle Panik geriet. Verzweifelt versuchte er, sich selbst zu entzünden, bevor sie durch die Tür rauschte.

Es gelang ihm nicht, und Marcia war das ganze Frühstück über schlecht gelaunt.

Marcia ließ das Frühstücksgeschirr stehen, damit es sich selbst abwusch, und stürzte zu der lila Tür hinaus, die in ihre Gemächer führte. Mit einem leisen, ehrfürchtigen Klacken schnappte die Tür hinter ihr zu, als sie auf die silberne Wendeltreppe sprang.

»Abwärts«, befahl sie, und die Treppe setzte sich in Bewegung. Sie drehte sich wie ein riesiger Korkenzieher und beförderte Marcia langsam durch den hohen Turm nach unten, vorbei an einer schier endlosen Zahl von Etagen und Türen, hinter denen eine wunderliche Gesellschaft von Zauberern wohnte. Aus den Räumen ertönten Zaubersprüche, die eingeübt, und Beschwörungsformeln, die heruntergeleiert wurden, dazu das allgemeine Geplauder von Zauberern beim Frühstück. Der Duft von Toast und Speck und Haferbrei vermischte sich befremdlich mit den Weihrauchwolken, die aus der Eingangshalle heraufstiegen, und als die Wendeltreppe sachte zum Stehen kam und Marcia ausstieg, schwindelte ihr der Kopf, und sie war froh, an die frische Luft zu kommen. Eilends schritt sie durch die Halle zu der massiven Silbertür, die den Eingang zum Zaubererturm versperrte. Sie sprach das Kennwort, die Tür schwang auf, und im nächsten Augenblick trat sie durch den silbernen Torbogen in die klirrende Kälte eines verschneiten Wintermorgens.

Auf der steilen Treppe setzte sie ihre Füße in den dünnen spitzen Schuhen vorsichtig in den knirschenden Schnee, und als sie unten ankam, erwischte sie den Wachposten dabei, wie er gelangweilt Schneebälle nach einer streunenden Katze warf. Ein Schneeball landete mit einem dumpfen Knall auf ihrem lila Seidenumhang.

»Lass das!«, herrschte Marcia ihn an und klopfte den Schnee ab.

Der Posten zuckte zusammen und stand stramm. Er sah zu Tode erschrocken aus. Marcia funkelte den elfenhaften Jungen an. Er trug die vorgeschriebene Wachuniform, eine ziemlich alberne, rotweiß gestreifte Jacke aus dünner Baumwolle mit lila Rüschen an den Ärmeln, dazu einen großen gelben Schlapphut, weiße Strumpfhosen und hellgelbe Stiefel, und in seiner unbehandschuhten linken Hand, die blau war vor Kälte, hielt er eine schwere Pike.

Marcia hatte beim Obersten Wächter protestiert, als die ersten Wachposten am Zaubererturm aufzogen. Besten Dank, hatte sie ihm mitgeteilt, aber Zauberer benötigten keine Aufpasser, sie könnten wunderbar auf sich selber aufpassen. Doch er hatte selbstgefällig gegrinst und ihr höflich versichert, dass die Wachen zu ihrer Sicherheit da seien. Marcia hegte den Verdacht, dass er sie nur aufgestellt hatte, um das Kommen und Gehen der Zauberer zu überwachen und sie obendrein zum Gespött der Leute zu machen.

Marcia sah sich den Schneeballwerfer genauer an. Der Hut war ihm viel zu groß. Er war nach unten gerutscht und saß auf den Ohren, die praktischerweise genau an der richtigen Stelle abstanden und so verhinderten, dass er ihm über die Augen herunterfiel. Der Hut verlieh seinem schmalen, verhärmten Gesicht eine ungesunde gelbliche Farbe. Seine dunkelgrauen Augen spähten verdattert darunter hervor, als er erkannte, wen sein Schneeball getroffen hatte.

Marcia fand ihn für einen Soldaten sehr klein.

»Wie alt bist du?«, fragte sie vorwurfsvoll.

Der Posten errötete. Noch nie hatte ihn jemand wie Marcia eines Blickes gewürdigt, geschweige denn angesprochen.

»Z-zehn, Madam.«

»Warum bist du dann nicht in der Schule?«, fragte sie.

Der Posten warf sich in die Brust. »Ich brauche keine Schule, Madam. Ich bin in der Jungarmee. Wir sind der Stolz von heute und die Krieger von morgen.«

»Ist dir nicht kalt?«, erkundigte sich Marcia unerwartet.

»N-nein. Wir lernen, nicht zu frieren.« Er hatte blaue Lippen und zitterte beim Sprechen.

»Hm!«, machte Marcia, wandte sich von dem Jungen ab, der noch vier Stunden Wache vor sich hatte, und stapfte durch den Schnee von dannen.

Marcia hastete über den Hof vor dem Zaubererturm und schlüpfte durch eine Seitenpforte, die auf einen ruhigen, schneebedeckten Fußpfad führte.

Auf den Tag genau vor zehn Jahren war sie Außergewöhnliche Zauberin geworden, und als sie jetzt dem Pfad folgte, reisten ihre Gedanken zurück in die Vergangenheit. Sie dachte an ihre Zeit als mittellose, viel versprechende junge Zauberin. Damals las sie alles, was sie über Zauberei finden konnte, und träumte davon, eines Tages beim Außergewöhnlichen Zauberer Alther Mella in die Lehre zu gehen, was nur sehr wenigen vergönnt war. Es waren glückliche Jahre. Sie wohnte in einem kleinen Zimmer in den Anwanden zwischen vielen anderen angehenden Zauberern, von denen sich die meisten mit einer Lehre bei einem Gewöhnlichen Zauberer begnügten. Marcia war anders. Sie wusste, was sie wollte, und sie wollte das Beste. Dennoch konnte sie ihr Glück kaum fassen, als sie die Chance bekam, Alther Mellas Lehrling zu werden. Eine Lehre bei ihm war zwar keine Garantie dafür, dass sie irgendwann selbst Außergewöhnliche Zauberin wurde. Doch es war ein weiterer Schritt, der sie ihrem Traum ein Stück näher brachte. Und so verbrachte sie die nächsten sieben Jahre und einen Tag als Althers Lehrling im Zaubererturm.

Marcia lächelte in sich hinein. Alther Mella war ein wunderbarer Zauberer gewesen. Seine Kurse machten Spaß. Er verlor nie die Geduld, wenn mal ein Zauber misslang, und hatte immer einen neuen Witz auf Lager. Und er war ein sehr mächtiger Zauberer. Wie gut er war, hatte sie erst richtig begriffen, als sie selbst Außergewöhnliche Zauberin wurde. Vor allem aber war Alther ein wunderbarer Mensch gewesen. Ihr Lächeln erstarb, als sie an die Umstände dachte, unter denen sie seine Nachfolge angetreten hatte. Sie rief sich den letzten Tag im Leben Alther Mellas ins Gedächtnis, jenen Tag, den die Wächter heute den Tag Eins nannten.

Gedankenversunken stieg Marcia die schmale Treppe zu dem breiten, überdachten Wehrgang hinauf, der direkt innen an der Ringmauer entlanglief. Es war der kürzeste Weg zum Ostend, wie die Anwanden neuerdings hießen, und genau dort wollte sie heute hin. Der Wehrgang durfte eigentlich nur von den bewaffneten Wächterpatrouillen benutzt werden, doch Marcia wusste, dass niemand die Außergewöhnliche Zauberin daran hindern würde, nicht einmal in diesen Zeiten. Statt also durch unzählige kleine und mitunter überfüllte Korridore zu kriechen, wie sie es vor vielen Jahren getan hatte, flitzte sie durch den Wehrgang, bis sie etwa eine halbe Stunde später eine Tür erblickte, die sie sofort wieder erkannte.

Sie holte tief Luft. Hier ist es, sagte sie sich.

Sie nahm die Treppe, die vom Wehrgang hinabführte, und stand vor der Tür. Sie wollte sich gerade dagegen lehnen und ihr einen Stoß geben, als die Tür über ihren Anblick erschrak und aufsprang. Marcia flog hinein und prallte gegen die ziemlich glitschige Wand gegenüber. Die Tür knallte zu, und Marcia stockte der Atem. Im Gang war es dunkel und feucht, und es roch nach gekochtem Kohl, Katzenpisse und Moder. Sie hatte die Anwanden ganz anders in Erinnerung. Damals, als sie noch hier gewohnt hatte, war es in den Gängen warm und sauber gewesen. In regelmäßigen Abständen an der Wand angebrachte Schilffackeln hatten für Licht gesorgt, und die stolzen Bewohner hatten jeden Tag gefegt.

Marcia hoffte, dass sie den Weg zum Zimmer von Silas und Sarah Heap noch fand. In ihrer Lehrzeit war sie oft an ihrer Tür vorbeigekommen. Sie hatte sich immer beeilt und gehofft, dass Silas sie nicht sah und hereinbat. An den Lärm erinnerte sie sich am lebhaftesten, an den Radau der vielen kleinen Jungs, die schrien, tobten, rauften und taten, was kleine Jungs eben so tun, obwohl Marcia nicht genau wusste, was kleine Jungs so taten, da sie Kindern nach Möglichkeit lieber aus dem Weg ging.

Marcia wurde nervös, als sie allein durch die düsteren dunklen Gänge ging, und fragte sich, wie ihr erster Besuch bei Silas seit über zehn Jahren wohl verlaufen würde. Was sie den Heaps zu sagen hatte, würde ihr nicht leicht über die Lippen gehen, und sie fragte sich sogar, ob Silas ihr überhaupt glauben würde. Er war halsstarrig und brauste leicht auf, und sie wusste, dass er sie nicht besonders gut leiden konnte. Mit solchen Gedanken im Kopf eilte sie zielstrebig durch die Gänge, ohne nach links und rechts zu schauen.

Hätte sie sich die Mühe gemacht, nach links und rechts zu schauen, hätte sie sich über die Reaktion der Leute gewundert. Es war acht Uhr in der Frühe, Stoßzeit, wie Silas Heap zu sagen pflegte. Hunderte Menschen mit blassen Gesichtern machten sich auf den Weg zur Arbeit. Sie blinzelten mit schläfrigen Augen in die Dunkelheit und waren wegen der feuchten Kälte fest in ihre dünnen, billigen Mäntel gewickelt. Wer konnte, mied die Korridore auf der Nordseite während der Stoßzeit. Der Menschenstrom trug einen fort, oft an der gewünschten Abzweigung vorbei, bis man es irgendwie schaffte, sich durch das Gewühle zu zwängen und in den Strom einzutauchen, der sich in die entgegengesetzte Richtung wälzte. Während des Stoßverkehrs war die Luft immer von Klagen erfüllt:

»Lasst mich hier raus, bitte!«

»Hören Sie doch auf, so zu drängeln!«

»Ich muss hier abbiegen! Ich muss hier abbiegen!«

Doch Marcia hatte den Stoßverkehr versiegen lassen. Dazu war kein Zauber nötig – bei ihrem bloßen Anblick blieb jeder wie angewurzelt stehen. Die meisten Leute auf der Nordseite hatten die Außergewöhnliche Zauberin noch nie gesehen. Und wenn jemand sie schon einmal gesehen hatte, dann bei einem Tagesausflug ins Besucherzentrum des Zaubererturms, wo er sich womöglich den ganzen Tag im Hof herumgedrückt hatte, nur um einen Blick von ihr zu erhaschen. Dass sie aber mitten unter ihnen durch die Korridore auf der Nordseite spazierte, das war unglaublich.

Die Leute hielten den Atem an und wichen zur Seite, drückten sich in dunkle Türeingänge oder schlüpften in Seitengassen. Manche murmelten einfache Zaubersprüche vor sich hin. Andere erstarrten und blieben regungslos stehen wie ein Kaninchen in grellem Licht eines Scheinwerfers. Sie glotzten Marcia an, als sei sie von einem anderen Stern, und das hätte sie trotz aller Gemeinsamkeiten durchaus sein können.

Marcia nahm davon überhaupt keine Notiz. Nach zehn Jahren als Außergewöhnliche Zauberin war sie dem wirklichen Leben entrückt, und so schockiert sie auch beim ersten Mal auch gewesen sein mochte, mittlerweile hatte sie sich daran gewöhnt, dass man ihr Platz machte, sich verbeugte und um sie herum ehrfürchtig tuschelte.

Marcia bog vom Hauptkorridor ab und eilte durch einen schmalen Gang, der zum Zimmer der Familie Heap führte. Unterwegs war ihr aufgefallen, dass die Gänge jetzt Nummern hatten, welche die ulkigen Namen von früher wie Windige Ecke oder Verkehrte Gasse ersetzten.

Früher lautete die Adresse der Heaps: große rote Tür, Hin-und-Zurück-Straße, in den Anwanden.

Jetzt lautete sie anscheinend: Raum 16, Korridor 223, Nordseite. Es war klar, welche Marcia besser gefiel.

Sie gelangte zur Tür der Heaps, die erst vor ein paar Tagen von der Malerpatrouille vorschriftsmäßig schwarz gestrichen worden war. Das laute, durch die Tür dringende Stimmengewirr verriet ihr, dass die Heaps beim Frühstück saßen. Sie holte ein paar Mal tief Luft.

Sie konnte den Augenblick nicht länger hinausschieben.

# ⋆ 5 ⋆

## BEI DEN HEAPS

Öffne dich«, befahl Marcia der schwarzen Tür der Heaps. Da die Tür aber Silas Heap gehörte, tat sie nichts dergleichen. Im Gegenteil, Marcia glaubte zu sehen, wie sie die Angeln fester anzog und den Riegel verstärkte. Und so war sie gezwungen – sie, Madam Marcia Overstrand, die Außergewöhnliche Zauberin –, so laut sie nur konnte an die Tür zu pochen. Niemand öffnete. Sie versuchte es noch einmal, trommelte mit beiden Fäusten dagegen, doch noch immer öffnete niemand. Just in dem Augenblick, als sie erwog, der Tür einen kräftigen Fußtritt zu versetzen (und es ihr heimzuzahlen), wurde sie von innen geöffnet. Vor ihr stand Silas Heap.

»Ja?«, fragte er schroff, als sei sie nichts weiter als ein lästiger Vertreter.

Für einen kurzen Augenblick verschlug es Marcia die Sprache. Sie spähte an Silas vorbei in das Zimmer, das so aussah, als habe kürzlich eine Bombe eingeschlagen, und nun aus irgendeinem

Grund von Jungen wimmelte. Die Jungen wuselten um ein kleines dunkelhaariges Mädchen herum, das an einem Tisch saß, den ein überraschend sauberes weißes Tischtuch bedeckte. Das Mädchen hielt ein kleines Geschenk in der Hand, das in leuchtend buntes Papier eingepackt und mit einem roten Band verschnürt war, und stieß lachend ein paar Jungen zurück, die so taten, als wollten sie danach schnappen. Doch nacheinander blickten das Mädchen und alle Jungen zur Tür, und im Zimmer der Heaps wurde es ungewohnt still.

»Guten Morgen, Silas Heap«, grüßte Marcia eine Spur zu huldvoll. »Und auch Ihnen einen guten Morgen, Sarah Heap. Und, äh, natürlich allen kleinen Heaps.«

Die kleinen Heaps, von denen die meisten ganz und gar nicht mehr klein waren, sagten nichts. Aber sechs hellgrüne Augenpaare und ein dunkelviolettes Augenpaar musterten Marcia Overstrand von Kopf bis Fuß. Marcia wurde unsicher. Hatte sie einen Fleck auf der Nase? Stand eine Haarsträhne lächerlich in die Höhe? Steckte ihr womöglich Spinat zwischen den Zähnen?

Marcia fiel ein, dass sie gar keinen Spinat zum Frühstück gegessen hatte. Mach schon, sagte sie sich. Du bist hier die Chefin. Also wandte sie sich an Silas, der sie so ansah, als hoffe er, dass sie bald wieder gehen würde.

»Ich sagte Guten Morgen, Silas Heap«, wiederholte sie gereizt.

»Das war ja nicht zu überhören, Marcia«, erwiderte Silas. »Und was führt dich nach all den Jahren hierher?«

Marcia kam gleich zur Sache. »Ich bin wegen der Prinzessin hier.«

»Was?«, fragte Silas.

»Du hast mich genau verstanden«, raunzte Marcia, die sich ungern an der Nase herumführen ließ, schon gar nicht von Silas Heap.

»Wir haben hier keine Prinzessin, Marcia«, entgegnete Silas. »Das ist doch wohl offensichtlich.«

Marcia schaute sich um. Es stimmte, hier würde niemand eine Prinzessin vermuten. In ihrem ganzen Leben hatte sie noch nie eine solche Unordnung gesehen.

Mitten in dem Durcheinander stand Sarah Heap am Herd, in dem ein frisches Feuer brannte. Sie hatte gerade Haferbrei zum Geburtstagsfrühstück gekocht, als Marcia in ihr Heim und ihr Leben geplatzt war. Jetzt hielt sie wie versteinert den Topf mit dem Brei in der Hand und starrte Marcia an. Etwas in ihrem Blick verriet Marcia, dass sie ahnte, was jetzt kam. Das wird nicht einfach, sagte sich Marcia und beschloss, auf die harte Tour zu verzichten und noch einmal von vorn anzufangen.

»Darf ich mich setzen, Silas ... Sarah?«, fragte sie.

Sarah nickte. Silas machte ein finsteres Gesicht. Keiner von beiden sprach ein Wort.

Silas blickte zu Sarah. Sie war ganz weiß im Gesicht und zitterte. Sie setzte sich, nahm das Geburtstagskind auf den Schoß und zog es an sich. Silas wünschte sich mehr als alles andere, dass Marcia wieder ging und sie in Ruhe ließ, doch er wusste, dass sie sich anhören mussten, was sie ihnen zu sagen hatte. Er seufzte schwer und sagte: »Nicko, hol Marcia einen Stuhl.«

»Danke, Nicko«, sagte Marcia und ließ sich vorsichtig auf einem von Silas' selbst gezimmerten Stühlen nieder. Der strubbelige Nicko grinste sie schief an und gesellte sich wieder zu seinen Brüdern, die sich schützend um Sarah gestellt hatten.

Marcia ließ den Blick über die Heaps wandern und staunte, wie ähnlich sie sich sahen. Alle, selbst Sarah und Silas, hatten das gleiche lockige strohblonde Haar, und natürlich hatten sie alle die durchdringend grünen Zaubereraugen. Und mitten unter ihnen saß, mit glatten schwarzen Haaren und dunkelvioletten Augen, die Prinzessin. Marcia seufzte in sich hinein. Für sie sah ein Baby wie das andere aus. Sie hatte überhaupt nicht bedacht, wie sehr sich die Prinzessin äußerlich von den Heaps unterscheiden würde, wenn sie älter wurde. Kein Wunder, dass die Spionin sie entdeckt hatte.

Silas Heap hockte sich auf eine umgedrehte Kiste. »Nun, Marcia, was führt dich zu uns?«, fragte er.

Marcia hatte einen ganz trockenen Mund. »Könnte ich ein Glas Wasser haben?«, fragte sie.

Jenna rutschte von Sarahs Schoß, kam zu Marcia herüber und hielt ihr einen fleckigen Holzbecher hin, der oben am Rand voller Bissspuren war.

»Hier, Sie können mein Wasser haben. Es macht mir nichts aus.« Jenna betrachtete Marcia mit bewunderndem Blick. Sie hatte noch nie eine Frau gesehen, die so lila, so elegante, so saubere und so kostbare Kleider trug, und ganz gewiss noch nie eine Frau mit so spitzen Schuhen.

Marcia beäugte den Becher argwöhnisch, rief sich aber in Erinnerung, wer ihn ihr gegeben hatte, und sagte: »Danke, Prinzessin. Äh, darf ich dich Jenna nennen?«

Jenna antwortete nicht. Sie war zu sehr damit beschäftigt, Marcias lila Schuhe zu bestaunen.

»Antworte Madam Marcia, mein Schatz«, sagte Sarah Heap.

»Oh ja, bitte, Madam Marcia«, sagte Jenna verwirrt, aber höflich.

»Danke, Jenna. Es ist schön, dich nach all der Zeit wieder zu sehen. Und bitte, nenn mich einfach Marcia«, sagte Marcia, die ständig daran denken musste, wie ähnlich Jenna ihrer Mutter sah.

Jenna schlüpfte wieder an Sarahs Seite, und Marcia zwang sich, ein Schlückchen Wasser aus dem zernagten Becher zu trinken.

»Raus damit, Marcia«, sagte Silas von seiner umgedrehten Kiste. »Was ist los? Anscheinend sind wir hier mal wieder die Letzten, die was erfahren.«

»Silas, wisst ihr, du und Sarah, wer ... äh ... wer Jenna ist?«, fragte Marcia.

»Klar wissen wir das. Jenna ist unsere Tochter«, sagte Silas störrisch.

»Aber ihr habt es erraten, nicht?«, sagte Marcia und richtete ihren Blick auf Sarah.

»Ja«, antwortete Sarah ruhig.

»Dann werdet ihr verstehen, wenn ich euch sage, dass sie hier nicht mehr sicher ist. Ich muss sie mitnehmen. Auf der Stelle«, sagte Marcia eindringlich.

»Nein!«, schrie Jenna. »Nein!« Sie kletterte auf Sarahs Schoß zurück. Sarah schlang die Arme um sie.

Silas brauste auf. »Marcia, nur weil du die Außergewöhnliche Zauberin bist, bildest du dir ein, du könntest einfach hier hereinspazieren und mir nichts, dir nichts unser Leben durcheinander bringen. Du wirst Jenna natürlich *nicht* mitnehmen. Sie gehört zu uns. Sie ist unsere einzige Tochter. Sie ist hier absolut sicher, und sie bleibt bei uns.«

»Silas«, seufzte Marcia, »sie ist bei euch nicht sicher. Jedenfalls nicht mehr. Sie ist entdeckt worden. Ihr habt eine Spionin in der Nachbarschaft. Linda Lane.«

»Linda?«, stieß Sarah hervor. »Eine Spionin? Das glaube ich nicht.«

»Meinst du diese nervtötende alte Quasselstrippe«, fragte Silas, »die ständig hier herumsitzt, von Pillen und Tränken plappert und die Kinder zeichnet?«

»Silas!«, protestierte Sarah, »sei nicht so grob.«

»Ich werde noch viel gröber zu ihr sein«, erwiderte Silas, »wenn sie wirklich eine Spionin ist.«

»Das steht außer Zweifel, Silas«, sagte Marcia. »Linda Lane ist ganz bestimmt eine Spionin. Und ihre Zeichnungen haben dem Obersten Wächter mit Sicherheit gute Dienste geleistet.«

Silas stöhnte.

Marcia nutzte ihren Vorteil aus. »Hör zu, Silas. Ich will nur das Beste für Jenna. Du musst mir vertrauen.«

Silas schnaubte verächtlich. »Warum um alles in der Welt sollte ich dir vertrauen, Marcia?«

»Weil ich dir die Prinzessin anvertraut habe. Und dafür vertraust du jetzt mir. Was vor zehn Jahren geschehen ist, darf nicht noch einmal geschehen.«

»Du vergisst«, giftete Silas, »dass wir keine Ahnung haben, was vor zehn Jahren geschehen ist. Niemand hat es für nötig gehalten, es uns zu sagen.«

Marcia seufzte. »Wie hätte ich es euch sagen können? Für die Prinzessin, ich meine, für Jenna, war es besser, dass ihr nicht Bescheid wusstet.«

Bei der neuerlichen Erwähnung des Wortes »Prinzessin« schaute Jenna zu Sarah auf.

»Madam Marcia hat mich vorhin schon so genannt«, flüsterte sie. »Bin das wirklich ich?«

»Ja, mein Schatz«, flüsterte Sarah zurück, dann sah sie Marcia in die Augen und sagte: »Ich glaube, wir alle sollten erfahren, was vor zehn Jahren geschehen ist, Madam Marcia.«

Marcia schaute auf ihre Uhr. Viel Zeit blieb ihr nicht. Sie holte tief Luft.

»Ich hatte damals gerade meine Abschlussprüfung abgelegt und war zu Alther gegangen, um mich bei ihm zu bedanken. Ich war kaum dort, da stürzte ein Bote herein und meldete, dass die Königin eine Tochter zur Welt gebracht habe. Wir waren außer uns vor Freude – endlich hatten wir eine Thronerbin.

Der Bote bestellte Alther in den Palast, wo er die Willkommenszeremonie für die kleine Prinzessin abhalten sollte. Ich begleitete ihn und half beim Tragen der schweren Bücher, Tränke und Zaubermittel, die er benötigte. Und um ihn daran zu erinnern, in welcher Reihenfolge alles zu tun war, denn der gute Alther wurde mit den Jahren etwas vergesslich.

Im Palast angekommen, wurden wir in den Thronsaal zur Königin geführt. Sie sah so glücklich aus – so glücklich! Sie saß auf dem

Thron, hielt ihre neugeborene Tochter im Arm und begrüßte uns mit den Worten: ›Ist sie nicht wunderschön?‹ Es waren die letzten Worte unserer Königin.«

»Nein«, murmelte Sarah vor sich hin.

»Im selben Augenblick stürzte ein Mann in einer sonderbaren schwarz-roten Uniform in den Saal. Heute weiß ich natürlich, dass er die Uniform eines Meuchelmörders trug, aber damals wusste ich nichts dergleichen. Ich hielt ihn für einen Boten, aber ich sah der Königin am Gesicht an, dass sie keinen erwartete. Dann bemerkte ich die lange silberne Pistole in seiner Hand und bekam große Angst. Ich blickte zu Alther, aber der blätterte in seinen Büchern und hatte nichts mitbekommen. Dann … alles war irgendwie so unwirklich … musste ich mit ansehen, wie der Soldat ganz langsam und bedächtig die Pistole hob, auf die Königin richtete und schoss. Alles war so schrecklich still, als die silberne Kugel das Herz der Königin durchschlug und hinter ihr in die Wand fuhr. Die kleine Prinzessin schrie und entglitt den Armen der toten Mutter. Ich sprang vor und fing sie auf.«

Jenna war erbleicht und versuchte, das Gehörte zu begreifen. »War das ich, Mum?«, fragte sie Sarah mit leiser Stimme. »War ich die kleine Prinzessin?«

Sarah nickte langsam.

Mit leicht zitternder Stimme fuhr Marcia fort. »Es war schrecklich! Alther sprach bereits einen Schutzschildzauber, als ein zweiter Schuss fiel. Getroffen wirbelte Alther herum und stürzte zu Boden. Ich sprach den Zauber für ihn zu Ende, und für ein paar Augenblicke waren wir drei sicher. Wieder feuerte der Mörder –

diesmal auf die Prinzessin und mich –, doch die Kugel prallte an dem unsichtbaren Schild ab, flog direkt zu ihm zurück und traf ihn am Bein. Er brach zusammen, behielt die Pistole aber in der Hand. Er lag einfach nur da, starrte uns an und wartete darauf, dass der Zauber erlosch, denn jeder Zauber muss irgendwann erlöschen.

Alther lag im Sterben. Er nahm das Amulett ab und gab es mir. Ich wollte es nicht. Ich war mir sicher, dass ich ihn retten könnte, aber Alther wusste es besser. Ganz ruhig sagte er mir, dass seine Stunde gekommen sei. Er lächelte und dann ... dann starb er.«

Im Zimmer war es still. Keiner rührte sich. Selbst Silas blickte zu Boden. Marcia erzählte mit leiser Stimme weiter.

»Ich ... ich war fassungslos. Ich band mir das Amulett um den Hals und hob die kleine Prinzessin auf. Sie weinte, oder vielmehr, wir beide weinten. Dann rannte ich los. Ich rannte so schnell, dass der Meuchelmörder gar nicht dazu kam, noch einmal abzufeuern.

Ich floh in den Zaubererturm. Ich wusste nicht, wo ich sonst hin sollte. Ich berichtete den anderen Zauberern, was geschehen war, und bat um ihren Schutz, den sie mir auch gewährten. Den ganzen Nachmittag überlegten wir, was wir mit der Prinzessin tun sollten. Wir wussten, dass sie nicht lange im Turm bleiben konnte. Wir konnten die Prinzessin nicht ewig schützen. Außerdem war sie ein Neugeborenes und brauchte eine Mutter. Und da dachte ich an Sie, Sarah.«

Sarah blickte überrascht.

»Alther hatte oft von Ihnen und Silas gesprochen. Ich wusste, dass Sie gerade einen Jungen zur Welt gebracht hatten. Im Turm war er *das* Gesprächsthema, der siebte Sohn des siebten Sohns. Ich hatte keine Ahnung, dass er gestorben war. Es tat mir sehr Leid, als ich davon erfuhr. Aber ich war mir sicher, dass Sie die Prinzessin lieben und glücklich machen würden. Und so beschlossen wir, dass Sie sie bekommen sollten.

Aber ich konnte nicht einfach in die Anwanden gehen und sie Ihnen geben. Es hätte mich jemand sehen können. Also schmuggelte ich die Prinzessin am späten Nachmittag aus der Burg und legte sie so in den Schnee, dass du sie finden musstest, Silas. Und das war's. Mehr konnte ich nicht tun.

Nachdem mich Gringe so nervös gemacht hatte, dass ich ihm eine halbe Krone gab, versteckte ich mich im Schatten und wartete auf deine Rückkehr. An der Art, wie du deinen Umhang zugehalten hast und wie du gegangen bist, so als wolltest du etwas Kostbares schützen, habe ich sofort gemerkt, dass du die Prinzessin gefunden hattest, und weißt du noch, was ich zu dir gesagt habe? ›Erzähle keiner Menschenseele, dass du sie gefunden hast. Sie ist deine leibliche Tochter. Verstanden?‹«

Eine bedrückende Stille herrschte im Zimmer. Silas starrte immer noch vor sich hin, Sarah saß reglos mit Jenna da, und die Jungen blickten wie vom Donner gerührt. Marcia erhob sich leise und zog einen kleinen roten Samtbeutel aus einer Tasche ihres Gewandes. Dann stakste sie durchs Zimmer, wobei sie Acht gab, dass sie nicht irgendwo drauftrat, insbesondere nicht auf den großen und nicht allzu sauberen Wolf, der, wie sie eben erst bemerkt hatte, mitten in einem Haufen Decken schlief.

Die Heaps sahen gebannt zu, wie sie feierlich zu Jenna und Sarah ging, vor ihnen stehen blieb und niederkniete. Die Jungen wichen ehrerbietig zur Seite.

Jenna machte große Augen, als Marcia den Samtbeutel öffnete und ein kleines goldenes Diadem herausnahm.

»Prinzessin«, sagte Marcia, »dies Kleinod hat deiner Mutter gehört und ist nun dein rechtmäßiges Eigentum.« Sie setzte ihr das Diadem auf die Stirn. Es passte perfekt.

Silas brach den Bann. »So, jetzt hast du's hinter dir, Marcia«, sagte er verärgert. »Jetzt ist die Katze endlich aus dem Sack.«

Marcia stand auf und klopfte sich den Staub vom Mantel. Und während sie noch klopfte, kam zu ihrer Überraschung der Geist Alther Mellas durch die Wand geschwebt und ließ sich neben Sarah Heap nieder.

»Ah, da ist Alther«, sagte Silas. »Dem wird die Sache nicht gefallen, das kann ich dir sagen.«

»Guten Tag, Silas, Sarah. Seid mir gegrüßt, meine jungen Zauberer.« Die Heap-Jungen grinsten. Die Leute gaben ihnen viele Namen, aber nur Alther nannte sie Zauberer.

»Und guten Tag, meine kleine Prinzessin«, sagte Alther, der Jenna schon immer so genannt hatte. Jetzt wusste sie, warum.

»Guten Tag, Onkel Alther«, sagte Jenna, die gleich viel glücklicher war, wenn der alte Geist neben ihr schwebte.

»Ich wusste ja gar nicht, dass Alther auch zu euch kommt«, sagte Marcia leicht beleidigt, obwohl sie erleichtert war, ihn zu sehen.

»Na ja, immerhin war ich zuerst bei ihm Lehrling«, gab Silas barsch zurück, »bevor du dich dazwischengedrängt hast.«

»Ich mich dazwischengedrängt? Du hast aufgegeben. Du hast

Alther förmlich angefleht, dich aus der Lehre zu entlassen. Du hast gesagt, du wolltest lieber den Jungen Gutenachtgeschichten vorlesen, als in einem Turm zu hocken und deine Nase in alte verstaubte Zauberbücher zu stecken.« Marcia funkelte ihn zornig an. »Manchmal bist du wirklich unmöglich, Silas.«

»Kinder, hört auf zu streiten«, sagte Alther lächelnd. »Ich habe euch beide gleich gern. Alle meine Lehrlinge sind etwas Besonderes.«

Alther Mellas Geist schimmerte leicht in der Hitze des Feuers. Er trug den Umhang des Außergewöhnlichen Zauberers. Es waren noch Blutflecken darauf, was Marcia jedes Mal aus der Fassung brachte, wenn sie ihn sah. Althers langes weißes Haar war sorgfältig zu einem Pferdeschwanz gebunden, und sein Bart war sauber gestutzt. Zu seinen Lebzeiten waren seine Haare und sein Bart immer ziemlich ungepflegt gewesen – anscheinend waren sie so schnell gewachsen, dass er nie hinterherkam. Aber seit er ein Geist war, hatte er keine Probleme mehr damit. Er hatte sie sich vor zehn Jahren geschnitten, und genauso waren sie bis heute geblieben. Seine grünen Augen funkelten vielleicht nicht mehr ganz so wie zu seinen Lebzeiten, aber sie blickten immer noch so durchdringend wie früher. Und der Anblick der Familie Heap stimmte ihn traurig. Nichts würde so bleiben, wie es war.

»Sag es ihr, Alther«, forderte Silas. »Sag ihr, dass sie unsere Jenna nicht bekommt. Prinzessin hin oder her, sie bekommt sie nicht.«

»Das würde ich liebend gern tun, Silas, aber ich kann nicht«, sagte Alther mit ernstem Gesicht. »Ihr seid entdeckt. Eine Meuchelmörderin ist auf dem Weg. Um Mitternacht wird sie mit einer Silberkugel hier sein. Ihr wisst, was das bedeutet ...«

Sarah schlug die Hände vors Gesicht. »Nein«, hauchte sie.

»Doch«, sagte Alther. Er zitterte, und seine Hand wanderte zu dem kleinen runden Einschussloch direkt unter seinem Herzen.

»Was sollen wir denn tun?«, fragte Sarah ganz ruhig, ohne sich zu rühren.

»Marcia bringt Jenna in den Zaubererturm«, antwortete Alther. »Dort ist sie vorläufig sicher. Dann müssen wir uns überlegen, was wir als Nächstes tun.« Er sah Sarah an. »Du musst mit Silas und den Jungen fortgehen. Irgendwohin, wo ihr sicher seid und wo man euch nicht findet.«

Sarah erbleichte, doch ihre Stimme blieb fest. »Wir gehen in den Wald, zu Galen.«

Marcia blickte abermals auf die Uhr. Die Zeit drängte.

»Ich muss die Prinzessin jetzt wegbringen«, sagte sie. »Ich muss vor dem Wachwechsel zurück sein.«

»Ich will aber nicht«, wisperte Jenna. »Ich muss doch nicht, oder, Onkel Alther? Ich möchte mit zu Galen. Ich möchte mit den anderen mit. Ich möchte nicht allein bleiben.« Ihre Unterlippe bebte, und Tränen stiegen ihr in die Augen. Sie klammerte sich an Sarah.

»Du wirst nicht allein sein«, sagte Alther sanft. »Marcia wird doch bei dir sein.«

Jenna sah nicht so aus, als sei ihr das ein Trost.

»Meine kleine Prinzessin«, setzte Alther hinzu, »Marcia hat Recht. Du musst mit ihr gehen. Nur sie kann dir den Schutz geben, den du brauchst.«

Jenna schien noch immer nicht überzeugt.

»Jenna«, sagte er ernst, »du bist die Thronerbin, und zum Wohle der Burg musst du in sichere Obhut, damit du eines Tages Königin werden kannst. Du musst mit Marcia gehen. Bitte!«

Jennas Hand wanderte zu dem goldenen Diadem, das ihr Marcia aufgesetzt hatte. Tief in ihrem Innern begann sie sich schon etwas anders zu fühlen.

»Also gut«, sagte sie leise. »Ich gehe mit ihr.«

# ⋆ 6 ⋆

## FLUCHT IN DEN TURM

Jenna wusste nicht, wie ihr geschah. Sie hatte kaum Zeit, allen einen Abschiedskuss zu geben, da breitete Marcia schon ihren lila Umhang über sie und sagte, sie solle dicht neben ihr bleiben und nicht den Mut verlieren. Dann öffnete sich die große schwarze Tür der Heaps unter unwilligem Quietschen, und Jenna verließ das einzige Zuhause, das sie je gekannt hatte.

Wahrscheinlich war es gut, dass sie unter Marcias Umhang die verstörten Gesichter der sechs Jungen und die verzweifelten Mienen von Sarah und Silas nicht sehen konnte. Gleich darauf bog der vierbeinige lila Mantel am Ende von Korridor 223 um die Ecke und entschwand ihren Blicken.

Marcia schlug den weiten Weg zum Zaubererturm ein. Sie wollte nicht riskieren, mit Jenna draußen gesehen zu werden, und die dunklen gewundenen Korridore auf der Nordseite erschienen ihr sicherer als die Abkürzung, die sie am frühen Morgen genommen hatte. Sie schritt so ausladend dahin, dass Jenna rennen musste, um mit ihr Schritt zu halten. Zum Glück trug Jenna nur einen kleinen Rucksack mit ein paar Schätzen bei sich, die sie an zu Hause erinnerten. Nur leider hatte sie in der Eile ihr Geburtstagsgeschenk vergessen.

Der Vormittag war mittlerweile weit fortgeschritten, und es herrschte kein Berufsverkehr mehr. Zu Marcias großer Erleichterung waren die feuchten Gänge, durch die sie mit Jenna huschte, nahezu menschenleer, und von ihren früheren Ausflügen zum Zaubererturm wusste sie noch genau, welche Abzweigungen sie nehmen musste.

Jenna konnte unter dem dicken Umhang nur sehr wenig sehen, und so heftete sie ihren Blick auf die beiden Fußpaare unter ihr, auf ihre eigenen kleinen Füße in den schmuddeligen Stiefeln und auf Marcias lange spitze Füße, die in ihrem lila Pythonleder über die grauen Steinplatten schritten. Bald achtete sie überhaupt nicht mehr auf ihre eigenen Stiefel, sondern beobachtete nur noch gebannt, wie die spitzen lila Pythons vor ihr durch die kilometerlangen, nicht enden wollenden Gänge tanzten, links rechts, links rechts, links rechts.

So eilte das seltsame Paar unbemerkt durch die Burg. Vorbei an den schweren raunenden Türen, hinter denen sich die Werkstätten verbargen und die Bewohner der Nordseite Tag für Tag viele Stunden damit zubrachten, Stiefel, Kleider, Boote, Betten, Sättel, Kerzen und Seile herzustellen, Bier zu brauen, Brot zu backen und neuerdings auch Gewehre, Uniformen und Ketten zu fertigen. Vorbei an den kalten Klassenzimmern, in denen gelangweilte Kinder ihre Dreizehnerreihen herunterleierten, und vorbei an den leeren, widerhallenden Lagerräumen, aus denen die Wächterarmee unlängst für ihren Eigenbedarf nahezu alle Wintervorräte fortgeschafft hatte.

Schließlich trat Marcia in den schmalen Torweg, der in den Hof des Zaubererturms führte. Jenna hielt in der kalten Luft den Atem an und spähte unter dem Umhang hervor.

Sie erschrak.

Vor ihr ragte der Zaubererturm empor, so hoch, dass die goldene Pyramide, die ihn bekrönte, halb in einer tief hängenden Wolke verschwand. Das Silber des Turms glitzerte in der Wintersonne so grell, dass ihr die Augen schmerzten. Die lila Glasscheiben in den vielen hundert kleinen Fenstern glänzten geheimnisvoll dunkel, warfen das Licht zurück und hüteten die dort verborgenen Geheimnisse. Blauer Dunst schimmerte rings um den Turm und ließ seine Ränder verschwimmen, sodass nicht zu erkennen war, wo der Turm aufhörte und der Himmel anfing. Auch die Luft war anders. Sie roch merkwürdig süß nach Magie und altem Weihrauch. Und wie Jenna so dastand, zu keinem Schritt mehr fähig, spürte sie um sich herum die Echos alter Zauberformeln und Beschwörungen, auch wenn sie zu leise waren, um gehört zu werden.

Zum ersten Mal, seit sie von zu Hause fort war, bekam sie Angst.

Marcia nahm sie beruhigend in den Arm, denn sie wusste noch, wie es war, wenn man den Turm zum ersten Mal sah. Schrecklich.

»Komm weiter, wir sind gleich da«, murmelte sie aufmunternd, und zusammen schlitterten und rutschten sie über den verschneiten Hof zu der großen Marmortreppe, die zu dem silbrig schimmernden Eingang hinaufführte. Marcia war so damit beschäftigt, das Gleichgewicht zu halten, dass ihr erst am Fuß der Treppe auffiel, dass gar keine Wache mehr da war. Verwirrt sah sie auf ihre Uhr. Wachwechsel war eigentlich erst in fünfzehn Minuten. Wo steckte der junge Schneeballwerfer, den sie heute Morgen gescholten hatte?

Sie schaute sich um. Hier stimmte etwas nicht. Der Wächter war nicht da. Und doch war er noch da. Er war, wie sie jäh erkannte, zwischen dem Hier und dem Nichthier.

Er war dem Tode nahe.

Unvermittelt sprang Marcia zu einem kleinen Schneehaufen neben dem Torweg, sodass Jenna unter dem Umhang hervorpurzelte.

»Grab!«, zischte Marcia und buddelte im Schnee. »Er ist hier. Erfroren.«

Unter dem Haufen lag der schmächtige weiße Körper des Wächters. Er hatte sich zu einer Kugel zusammengerollt, und seine dünne Baumwolluniform war vom Schnee durchnässt und klebte an ihm. Die bunten Farben der merkwürdigen Uniform wirkten knallig im kalten Licht der Wintersonne. Jenna schauderte beim Anblick des Jungen, aber nicht weil sie fror, sondern weil ihr eine ferne, sprachlose Erinnerung durch den Kopf geschossen war.

Marcia wischte dem Jungen vorsichtig den Schnee von den blauen Lippen. Gleichzeitig legte ihm Jenna die Hand auf seinen spindeldürren weißen Arm. Sie hatte noch nie etwas so Kaltes gespürt. Bestimmt war er schon tot.

Marcia beugte sich über das Gesicht des Jungen und murmelte etwas. Sie hielt inne und lauschte mit besorgter Miene. Dann murmelte sie wieder einige Worte, noch eindringlicher diesmal. »Erwache, Jüngling, erwache.« Sie verharrte einen Augenblick, dann blies sie ihm langsam über das Gesicht. Der Atem quoll endlos lange aus ihrem Mund hervor, immer länger und länger. Eine warme rosa Wolke hüllte Mund und Nase des Jungen ein, und langsam, ganz langsam wich das grässliche Blau einer lebendigen Röte. Der Junge rührte sich nicht, doch seine Brust hob und senkte sich kaum merklich. Er atmete wieder.

»Schnell!«, raunte Marcia Jenna zu. »Er stirbt, wenn wir ihn hier liegen lassen. Wir müssen ihn reinbringen.« Marcia hob den Jungen hoch und trug ihn die breite Marmortreppe empor. Als sie oben ankamen, schwang die massive silberne Tür des Turms geräuschlos vor ihnen auf. Jenna holte tief Luft und folgte Marcia ins Innere.

# ★ 7 ★

## DER ZAUBERERTURM

Erst als die Tür der Zaubererturms hinter Jenna zugefallen war und sie unversehens in der riesigen goldenen Eingangshalle stand, wurde ihr bewusst, wie sehr sich ihr Leben verändert hatte. Ein solches Bauwerk hatte sie noch nie gesehen, nicht einmal im Traum. Und ihr war klar, dass die meisten anderen Menschen in der Burg so etwas auch nie zu sehen bekommen würden. Sie war anders als die Menschen, die sie zurückgelassen hatte.

Überwältigt stand sie in der großen kreisrunden Halle und bestaunte die unbekannten Kostbarkeiten, die sie umgaben. An den goldenen Wänden flimmerten flüchtige Bilder mythischer Geschöpfe, Symbole und fremder Länder. Die Luft war warm und roch nach Weihrauch. Und sie war von einem leisen gleichmäßigen Summen erfüllt, dem Geräusch der Alltagszauber, die den Turm in Betrieb hielten. Der Boden unter Jennas Füßen bewegte sich, als sei er aus Sand. Er hatte hundert verschiedene Farben. Sie tanzten um ihre Stiefel und schrieben die Worte *Willkommen, Prinzessin*. Dann, als sie überrascht hinsah, färbten sich die Buchstaben rot. *Beeil dich!*

Jenna schaute zu Marcia auf, die leicht wankte, als sie mit dem Wächter auf den Armen eine silberne Wendeltreppe betrat.

»Mach schon«, rief Marcia ungeduldig. Jenna rannte zu ihr, setzte den Fuß auf die unterste Stufe und machte Anstalten, die Treppe hinaufzusteigen.

»Nein, bleib einfach stehen, wo du bist«, erklärte Marcia. »Den Rest erledigt die Treppe.«

»Los!«, befahl sie laut, und zu Jennas Erstaunen setzte sich die Wendeltreppe in Bewegung. Zuerst drehte sie sich ganz langsam, doch bald nahm sie Tempo auf, wirbelte immer schneller und schneller im Turm nach oben, bis sie das oberste Stockwerk erreicht hatten. Marcia stieg aus, und Jenna folgte ihr benommen, ehe die Treppe gleich darauf wieder nach unten wirbelte, weil ein anderer Zauberer sie gerufen hatte.

Marcias große lila Wohnungstür war bereits für sie aufgesprungen, und das Feuer im Kamin ließ eilends Flammen emporschießen. Ein Sofa rückte von selbst an den Kamin, und zwei Kissen und eine Decke segelten durch die Luft und landeten ordentlich auf den Polstern, ohne dass Marcia ein Wort zu verlieren brauchte.

Jenna half ihr, den Jungen aufs Sofa zu legen. Er sah schlecht aus. Er war käseweiß, hatte die Augen zu und schlotterte am ganzen Leib.

»Schüttelfrost ist ein gutes Zeichen«, bemerkte Marcia und schnippte mit den Fingern. »Runter mit den nassen Sachen.«

Die lächerliche Wachuniform flog vom Körper des Jungen und sackte auf dem Boden zu einem knallbunten nassen Haufen zusammen.

»Du bist Abfall«, sagte Marcia zu ihr. Die Uniform raffte sich zusammen und flatterte tropfend hinüber zum Müllschlucker, stürzte sich hinein und verschwand.

Marcia grinste. »Die wären wir los. Jetzt trockene Kleider an.«

Ein warmer Schlafanzug hüllte den Jungen ein, und sein Zittern ließ nach.

»Gut«, befand Marcia. »Komm, wir setzen uns eine Weile zu ihm, bis ihm warm ist. Er kommt wieder auf die Beine.«

Jenna ließ sich auf dem Teppich neben dem Feuer nieder, und bald erschienen zwei dampfende Becher mit heißer Milch. Marcia setzte sich neben sie. Auf einmal fühlte sich Jenna befangen. Die *Außergewöhnliche Zauberin* saß neben ihr auf dem Fußboden, genau wie sonst Nicko. Was sollte sie sagen? Ihr fiel überhaupt nichts ein, nur dass sie kalte Füße hatte, aber es war ihr peinlich, die Stiefel auszuziehen.

»Zieh doch die Stiefel aus«, sagte Marcia. »Die sind ja ganz durchnässt.«

Jenna schnürte sie auf und zog sie aus.

»Du liebe Güte«, rief Marcia missbilligend. »Wie sehen denn deine Strümpfe aus?«

Jenna errötete. Die Strümpfe hatten früher Nicko gehört, und davor bereits Edd. Oder war es Erik gewesen? Jedenfalls waren sie an vielen Stellen gestopft und ein paar Nummern zu groß.

Jenna trocknete ihre Füße am Feuer und wackelte mit den Zehen.

»Möchtest du ein neues Paar Strümpfe?«, fragte Marcia.

Jenna nickte schüchtern. Ein paar dicke warme lila Strümpfe erschienen an ihren Füßen.

»Aber die alten behalten wir«, sagte Marcia. »Reinigen und zusammenlegen«, befahl sie ihnen. Die Strümpfe taten wie geheißen. Sie schüttelten den Schmutz ab, der sich auf der Kaminplatte zu einem klebrigen Haufen türmte, dann falteten sie sich säuberlich zusammen und legten sich neben Jenna ans Feuer. Jenna lächelte. Sie war froh, dass Marcia Sarahs beste Stopfarbeit nicht als Abfall bezeichnet hatte.

Der Winternachmittag verging, und die Dämmerung brach an. Der junge Wachsoldat hatte endlich aufgehört zu zittern und schlief jetzt friedlich. Jenna rekelte sich vor dem Kamin und las in einem Zauberbilderbuch Marcias, da klopfte es aufgeregt an die Tür.

»Schnell, Marcia«, rief eine Stimme ungeduldig von draußen. »Mach auf. Ich bin's!«

»Das ist Dad!«, rief Jenna.

»Um Himmels willen, mach endlich die Tür auf«, rief die ungeduldige Stimme.

Marcia wob rasch einen Transparenzzauber. Zu ihrem Verdruss standen tatsächlich Silas und Nicko draußen. Und sie waren nicht allein. Neben ihnen hockte, mit hechelnder Zunge und voll gesabbertem Fell, der Wolf mit einem getüpfelten Halstuch.

Marcia musste sie wohl oder übel hereinlassen.

»Öffnen!«, befahl sie der Tür.

»Hallo, Jen«, grinste Nicko. Er trat vorsichtig auf Marcias edlen Seidenteppich, dicht gefolgt von Silas und dem Wolf, der aufgeregt mit dem Schwanz wedelte und Marcias heiß geliebte Sammlung von zerbrechlichen Zaubertöpfen klirrend zu Boden schickte.

»Nicko! Dad!« Jenna warf sich Silas in die Arme, als hätte sie ihn seit Monaten nicht gesehen. »Wo ist Mum? Geht es ihr gut?«

»Keine Sorge«, antwortete Silas. »Sie ist mit den Jungen zu Galen. Nicko und ich sind nur vorbeigekommen, um dir das hier zu geben.« Er kramte in seinen tiefen Hosentaschen. »Sekunde. Hier irgendwo habe ich es.«

»Hast du noch alle Tassen im Schrank?«, blaffte Marcia. »Was fällt dir ein, hierher zu kommen? Und halte mir gefälligst diesen ekelhaften Wolf vom Leib.«

Der Wolf sabberte gerade fleißig Marcias Pythonschuhe voll.

»Das ist kein Wolf«, erklärte Silas. »Er ist ein abessinischer Wolfshund und stammt von den Maghul-Maghi-Wolfshunden ab. Er heißt Maximilian. Aber wenn du nett zu ihm bist, könnte ich dir unter Umständen gestatten, ihn einfach nur Maxie zu nennen.«

»Nett!«, stotterte Marcia, der es fast die Sprache verschlug.

»Ich habe mir gedacht, wir könnten hier übernachten«, fuhr Silas fort, kippte den Inhalt eines schmuddeligen Beutels auf Marcias Ouija-Tisch aus Elfenbein und Jade und durchwühlte den Haufen. »Es ist schon zu dunkel, um in den Wald zu gehen.«

»Übernachten? *Hier?*«

»Dad! Sieh dir meine Strümpfe an, Dad«, rief Jenna und wackelte mit den Zehen in der Luft.

»Hm, sehr hübsch, mein Schatz«, sagte Silas. Er kramte wieder in seinen Hosentaschen. »Wo habe ich es nur? Ich weiß, dass ich es eingesteckt habe ...«

»Und wie findest du meine Strümpfe, Nicko?«

»Ziemlich lila«, antwortete Nicko. »Mir ist eiskalt.«

Jenna führte ihn zum Kamin. Sie deutete auf den jungen Wachsoldaten. »Wir warten darauf, dass er aufwacht. Er lag erfroren im Schnee, und Marcia hat ihn gerettet. Sie hat ihn wieder zum Atmen gebracht.«

Nicko pfiff beeindruckt. »He«, sagte er, »ich glaube, er wacht auf.«

Der junge Soldat schlug die Augen auf und starrte Jenna und Nicko an. Er sah zu Tode erschrocken aus. Jenna streichelte ihm den geschorenen Kopf. Er war stoppelig und noch immer etwas kalt.

»Du bist in Sicherheit«, sagte sie zu ihm. »Du bist bei uns. Ich bin Jenna, und das ist Nicko. Wie heißt du?«

»Junge 412«, murmelte der Wächter.

»Junge vier eins zwei ...?«, wiederholte Jenna verdutzt. »Aber das ist doch eine Nummer. Niemand hat eine Nummer als Namen.«

Der Junge starrte sie nur an. Dann schloss er die Augen und fiel wieder in Schlaf.

»Ja, komisch«, sagte Nicko. »Dad hat gesagt, dass sie in der Jungarmee einfach nur Nummern haben. Zwei von denen standen eben draußen. Aber Dad hat so getan, als seien wir Gardisten. Und er wusste noch die Parole von früher.«

»Guter alter Dad«, sagte sie und fügte nachdenklich hinzu: »Aber vermutlich ist er gar nicht mein Vater. Und du bist nicht mein Bruder ...«

»Red keinen Mist, natürlich sind wir es«, sagte Nicko schroff. »Egal was passiert, du dumme Prinzessin.«

»Vermutlich«, sagte Jenna.

»*Ganz bestimmt*«, sagte Nicko.

Silas hatte ihr Gespräch mitbekommen. »Ich bleibe immer dein Vater, und Mum bleibt immer deine Mutter. Nur dass du jetzt noch eine erste Mutter hast.«

»War sie wirklich eine Königin?«, fragte Jenna.

»Ja. *Die* Königin. Unsere Königin. Bevor diese Wächter kamen.« Silas machte ein nachdenkliches Gesicht, und dann hellte sich seine Miene auf, als sei ihm eine Erleuchtung gekommen. Er nahm seinen dicken Wollhut ab. Da steckte es, in seiner Huttasche. Wo denn sonst.

»Ich hab's gefunden!«, rief er triumphierend. »Dein Geburtstagsgeschenk. Herzlichen Glückwunsch zum Geburtstag, mein Schatz.« Er überreichte Jenna das Geschenk, das sie zurückgelassen hatte.

Es war klein und trotzdem überraschend schwer. Jenna riss das bunte Papier weg, und ein kleiner blauer Beutel mit einer Kordel zum Zuziehen kam zum Vorschein. Atemlos vor Erregung zog sie die Kordel auf.

»Oh«, sagte sie und konnte die Enttäuschung in ihrer Stimme

nicht verbergen. »Ein Kieselstein. Aber es ist ein schöner Kiesel-stein, Dad. Wirklich. Danke.« Sie nahm den glatten grauen Stein und legte ihn in ihre Handfläche.

Silas hob Jenna auf seinen Schoß. »Das ist kein Kieselstein«, erklärte er ihr. »Das ist ein Steintier. Kitzel ihn mal unterm Kinn.«

Jenna wusste nicht recht, wo das Kinn war, kitzelte den Stein aber trotzdem. Langsam öffnete er seine kleinen schwarzen Augen und sah sie an, dann streckte er vier Stummelbeine von sich, rap-pelte sich auf und spazierte über ihre Hand.

»Oh, Dad, ist der süß!«, entfuhr es ihr.

»Wir haben uns gedacht, dass er dir gefallen würde. Ich habe den Zauber aus dem Laden für Wandersteine. Aber gib ihm nicht zu viel zu fressen, sonst wird er sehr schwer und träge. Und er braucht jeden Tag Auslauf.«

»Ich werde ihn Petroc nennen«, sagte Jenna. »Petroc Trelaw-ney.«

Petroc Trelawney sah so erfreut aus, wie ein Stein nur konnte, was bedeutete, dass er so ziemlich dasselbe Gesicht machte wie zu-vor. Er zog die Beine ein, schloss die Augen und schlief wieder ein. Jenna steckte ihn in ihre Tasche, damit er es warm hatte.

Unterdessen zernagte Maxie eifrig das Geschenkpapier und spritzte Sabber auf Nickos Hals.

»He, verschwinde, du Triefeimer! Los, Platz«, rief Nicko und versuchte, Maxie auf den Boden zu ziehen. Doch der Wolfshund wollte sich nicht hinlegen. Er starrte an die Wand, wo ein großes Gemälde hing, das Marcia in dem Kleid zeigte, das sie bei ihrer Lehrlingsabschlussfeier getragen hatte.

Maxie winselte leise.

Nicko tätschelte ihn. »Gruseliges Bild, was?«, raunte er dem Hund zu, der zaghaft mit dem Schwanz wedelte und gleich darauf ein Jaulen anstimmte, als Alther Mella aus dem Bild erschien.

Maxie hatte sich nie an Althers plötzliches Auftauchen gewöhnt. Winselnd schob er den Kopf unter die Decke von Junge 412. Seine kalte Schnauze riss den Jungen aus dem Schlaf. Er fuhr hoch und blickte sich um wie ein verschrecktes Kaninchen. Was er sah, gefiel ihm nicht. Sein schlimmster Albtraum war wahr geworden.

Jeden Moment konnte der Kommandeur der Jungarmee hereinschneien, um nach ihm zu sehen, und dann bekam er Ärger. Großen Ärger. Kollaboration mit dem Feind – so nannten sie es, wenn man mit Zauberern sprach. Und er war gleich mit zweien zusammen. Und einem alten Zauberergeist, wie es aussah. Ganz zu schweigen von den beiden verrückten Kindern – das eine trug eine Art Krone und das andere hatte diese verräterischen grünen Zaubereraugen. Und dann noch der eklige Köter. Außerdem hatten sie ihm die Uniform ausgezogen und ihn in Zivilkleidung gesteckt. Er konnte als Spion erschossen werden. Er stöhnte und vergrub das Gesicht in den Händen.

Jenna legte ihm den Arm um die Schultern. »Alles in Ordnung«, flüsterte sie. »Wir kümmern uns um dich.«

Alther war aufgeregt. »Diese Linda! Sie hat ihnen verraten, wohin ihr gegangen seid. Sie sind auf dem Weg hierher. Sie schicken die Meuchelmörderin.«

»Oh nein!«, rief Marcia. »Ich verschließe mit einem Zauber die Haupteingänge.«

»Zu spät«, keuchte Alther. »Sie ist bereits drin.«

»Wie ist sie denn hereingekommen?«

»Jemand hat die Tür offen gelassen«, antwortete Alther.

»Silas, du Hornochse!«, schimpfte Marcia.

»Na schön«, sagte Silas und wandte sich zur Tür. »Dann verschwinden wir eben wieder. Aber Jenna nehmen wir mit. Bei dir ist sie offensichtlich nicht sicher, Marcia.«

»Was?«, kreischte Marcia aufgebracht. »Sie ist nirgendwo sicher, du Dummkopf!«

»Nenn mich nicht einen Dummkopf«, stotterte Silas. »Ich bin genauso intelligent wie du, Marcia. Nur weil ich ein Gewöhnlicher ...«

»Hört auf!«, brüllte Alther. »Wir haben jetzt keine Zeit zum Streiten. Du lieber Himmel, sie kommt die Treppe herauf.«

Alle erstarrten vor Entsetzen und lauschten. Vor der Tür war es still. Viel zu still. Bis auf das Säuseln der gleichmäßig sich drehenden Wendeltreppe, die einen Fahrgast langsam durch den Zaubererturm nach oben beförderte.

Jenna stand die Angst ins Gesicht geschrieben. Nicko legte den Arm um sie. »Ich beschütze dich«, sagte er. »Mit mir kann dir nichts passieren.«

Plötzlich legte Maxie die Ohren an und stieß ein Heulen aus, das einem das Blut in den Adern gefrieren ließ. Allen standen die Haare zu Berge.

Knacks! Die Tür zersplitterte.

Gegen das Licht hob sich die Silhouette der Meuchelmörderin ab. Ihr Gesicht war blass. Sie blickte in die Runde, und ihr Blick war eisig. Sie suchte ihr Opfer, die Prinzessin. In ihrer rechten Hand blitzte eine silberne Pistole. Er war dieselbe, die Marcia vor zehn Jahren im Thronsaal gesehen hatte.

Die Mörderin trat vor.

»Ihr seid verhaftet«, sagte sie drohend. »Ihr braucht nichts zu sagen. Man wird euch von hier wegbringen und …«

Junge 412 erhob sich zitternd. Seine Befürchtungen bewahrheiteten sich – sie waren gekommen, um ihn zu holen. Langsam ging er auf die Mörderin zu. Sie musterte ihn kalt.

»Aus dem Weg, Bürschchen«, fauchte sie, holte aus und schlug ihn zu Boden.

»Nein, nicht!«, schrie Jenna und rannte hin. Junge 412 lag ausgestreckt auf dem Boden. Sie kniete sich neben ihn, um nachzusehen, ob er verletzt war, da wurde sie von der Mörderin gepackt.

Jenna fuhr herum. »Lass mich los!«, schrie sie.

»Halt still, Königsbalg«, höhnte die Mörderin. »Mich schickt jemand, der dich sehen will. Aber er will dich tot sehen.«

Die Mörderin richtete die Pistole auf Jennas Kopf.

*Zack!*

Ein Feuerblitz schoss aus Marcias ausgestreckter Hand hervor. Er warf die Mörderin um, und Jenna entwand sich ihrem Griff.

»Umgürten und beschützen!«, schrie Marcia. Eine leuchtende weiße Wand aus Licht wuchs aus dem Boden. Das Licht umgab Jenna wie ein glühender Schild und schirmte sie gegen die bewusstlose Mörderin ab.

Marcia riss die Klappe des Müllschluckers auf.

»Das ist der einzige Weg nach draußen«, sagte sie. »Silas, spring du als Erster. Und versuch auf dem Weg nach unten, einen Reinigungszauber wirken zu lassen.«

»*Was?*«

»Bist du taub? Los, rein mit dir!«, bellte Marcia und schubste ihn mit einem kräftigen Stoß in die offene Luke des Müllschluckers. Ein Schrei, und er war verschwunden.

Jenna riss Junge 412 hoch. »Los«, sagte sie und stieß ihn mit dem Kopf voran in den Schacht. Dann sprang sie selbst hinterher, gefolgt von Nicko, Marcia und einem übererregten Wolfshund.

# ★8★

## IM MÜLLSCHLUCKER

Beim Sprung in den Müllschlucker hatte Jenna so große Angst vor der Meuchelmörderin, dass sie gar nicht dazu kam, sich vor dem Schacht zu fürchten. Doch als sie hilflos in die pechschwarze Tiefe purzelte, geriet sie in Panik.

Das Innere des Müllschluckers war kalt und rutschig wie Eis. Es bestand aus glatt poliertem schwarzem Schiefer, den die Maurermeister, die den Zaubererturm vor vielen Jahrhunderten gebaut hatten, fugenlos geschnitten und zusammengefügt hatten. Das Gefälle war steil, so steil, dass Jenna keine Kontrolle darüber hatte, wohin sie fiel, und so purzelte sie mal hierhin, mal dorthin, rollte von einer Seite auf die andere.

Doch das Schlimmste war die Dunkelheit.

Tiefe, undurchdringliche Nacht umgab sie. Sie bedrängte Jenna von allen Seiten, und so sehr sie ihre Augen auch anstrengte, sie konnte nichts, aber auch gar nichts erkennen. Nicht das Geringste. Sie dachte, sie sei blind geworden.

Aber hören konnte sie noch. Und hinter sich vernahm sie das rasch näher kommende Zischen von feuchtem Wolfshundfell.

Maxie, der Wolfshund, hatte einen Riesenspaß. Ihm gefiel dieses Spiel. Er war ein wenig überrascht gewesen, als er in den Müllschlucker sprang und dort kein Silas mit einem Ball auf ihn wartete. Und er war noch überraschter, als seine Pfoten den Dienst versagten. Er tastete kurz umher, um den Grund dafür zu finden. Dann prallte er mit der Schnauze gegen den Nacken der gruseligen Frau. Sie hatte irgendetwas Köstliches in ihrem Haar. Gerade als er versuchte, daran zu lecken, bekam er von ihr einen heftigen Stoß verpasst und landete auf dem Rücken.

Aber jetzt war Maxie glücklich. Mit der Schnauze voraus, die Pfoten dicht am Leib, verwandelte er sich in einen stromlinienförmigen Streifen Fell und überholte sie alle. Zuerst Nicko, der ihn am Schwanz packte, dann aber wieder losließ. Dann Jenna, die ihm etwas ins Ohr schrie. Dann Junge 412, der sich zu einer Kugel zusammengerollt hatte. Und schließlich seinen Herrn, Silas. Er überholte Silas nur ungern, denn Silas war der Rudelchef, und er, Maxie, durfte eigentlich nicht die Führung übernehmen. Doch er konnte nichts dafür – in einem Schwall von kaltem Eintopf und Karottenschalen rauschte er an Silas vorbei in die Tiefe.

Der Müllschlucker schlängelte sich durch den Zaubererturm wie eine riesige, hinter dicken Mauern verborgene Rutsche. Zwischen den Stockwerken führte sie steil nach unten und nahm nicht nur Maxie, Silas, Junge 412, Jenna, Nicko und Marcia mit auf die Reise, sondern auch die Reste aller Mittagessen, die von den Zauberern heute in den Müllschlucker gekippt worden waren. Der Zaubererturm hatte einundzwanzig Stockwerke. Die beiden obersten Etagen bewohnte die Außergewöhnliche Zauberin, und jeder Stock darunter beherbergte zwei Zaubererwohnungen. Da kamen viele Mittagessen zusammen. Ein Schlaraffenland für einen Wolfshund, und Maxie fraß bei der Schussfahrt durch den Turm so viel Abfall, dass es für den ganzen Tag reichte.

Jenna kam es wie eine Ewigkeit vor, doch in Wahrheit waren es nur zwei Minuten und fünfzehn Sekunden. Dann wurde das beinahe senkrechte Gefälle flacher, und ihre Geschwindigkeit verlangsamte sich auf ein erträgliches Maß. Sie konnte es nicht wissen, aber mittlerweile hatte sie den Zaubererturm verlassen und setzte die Reise unter der Erde fort, dem Kellergeschoss des Wächtergerichtsgebäudes entgegen. Es war immer noch stockdunkel und frostig kalt im Müllschlucker, und sie fühlte sich sehr einsam. Sie spitzte die Ohren und horchte, ob von den anderen etwas zu hören war, doch jeder wusste, wie wichtig es war, still zu sein, und so wagte keiner zu rufen. Jenna glaubte, das Rauschen von Marcias Umhang hinter sich zu hören, doch seit Maxie vorbeigeflitzt war, hatte sie von den anderen kein Lebenszeichen mehr empfangen. Der Gedanke, für immer allein im Dunkeln zu bleiben, ergriff von ihr Besitz, und sie geriet abermals in Panik. Doch genau in dem Augenblick, als sie glaubte, schreien zu müssen, fiel aus einer Küche weit über ihr ein schmaler Lichtstrahl herab, und sie erhaschte einen Blick auf Junge 412, der sich nicht weit vor ihr zu einer Kugel zusammengerollt hatte. Sein Anblick gab ihr wieder Mut, und sie fühlte mit dem schmächtigen jungen Wächter im Schlafanzug.

Junge 412 war nicht in der Verfassung, mit jemandem Mitleid zu empfinden, am wenigsten mit sich selbst. Er hatte sich instinktiv zusammengerollt, als ihn das verrückte Mädchen mit dem goldenen Diadem in den Abgrund gestoßen hatte, und auf der gesamten Höllenfahrt durch den Turm war er im Müllschlucker von einer Seite auf die andere gerasselt wie eine Murmel in einer Abflussrinne. Er war bestimmt überall grün und blau, aber er war nicht mehr so verängstigt wie vorhin nach dem Aufwachen, als er sich in der Gesellschaft zweier Zauberer, eines Zaubererjungen und eines Zaubergeists wieder gefunden hatte. Sein Verstand begann wieder zu arbeiten, als die Rutsche flacher und er selbst langsamer wurde. Die wenigen klaren Gedanken, die er fassen konnte, führten zu dem Ergebnis, dass das Ganze eine Prüfung war. Bei der Jungarmee gab es häufig Prüfungen. Unangekündigte Prüfungen, die schrecklich waren. Meist wurde man mitten in der Nacht überrumpelt, wenn man gerade eingeschlafen war und das schmale kalte Bett einigermaßen angewärmt hatte. Aber dies musste eine große Prüfung sein. Eine Prüfung auf Leben und Tod. Junge 412 biss die Zähne zusammen. Er wusste es nicht mit Bestimmtheit, aber er hatte das ungute Gefühl, dass es diesmal ums Ganze ging. Doch worum es auch ging, er konnte nicht viel tun. Also schloss er fest die Augen und kullerte weiter.

Die Rutsche führte immer weiter abwärts. Sie schwenkte links um die Ecke und schlüpfte unter der Kanzlei des Wächterrats durch, bog dann rechts in Richtung Armeeamt ab und führte geradeaus bis zu der Stelle, wo sie sich durch die dicken Mauern der Küche unter dem Palast bohrte. Hier war die Schweinerei am größten.

Die Küchenmädchen waren noch mit dem Aufräumen nach dem Mittagsbankett des Obersten Wächters beschäftigt, und aus den Luken über dem Müllschlucker, die sich mit beängstigender Häufigkeit öffneten, prasselten die Reste des Festmahls auf sie nieder. Selbst Maxie, der bisher gar nicht genug kriegen konnte, fand es jetzt unangenehm, insbesondere als ein fest gewordener Reispudding mitten auf seiner Nase landete. Das Küchenmädchen, das den Pudding weggekippt hatte, erhaschte einen Blick auf Maxie und hatte danach wochenlang Albträume von Wölfen im Müllschlucker.

Auch für Marcia war es ein Albtraum. Sie wickelte sich fest in ihren lila Seidenumhang, dessen Pelzfutter mit Vanillesoße überzogen war, duckte sich unter einem Rosenkohlhagel und übte schon mal den Sekunden-Schnellreinigungszauber, damit sie ihn sofort sprechen konnte, wenn sie dem Müllschlucker entstieg.

Schließlich ließen sie die Küchen hinter sich, und im Müllschlucker wurde es etwas sauberer. Jenna seufzte erleichtert, doch schon im nächsten Augenblick stockte ihr wieder der Atem. Die Rutsche tauchte mit jähem Gefälle unter der Burgmauer durch und strebte ihrem Endziel entgegen, der Müllkippe am Fluss.

Silas erholte sich als Erster von der unerwarteten Tempoverschärfung und vermutete, dass sie sich dem Ende der Reise näherten. Er spähte in die Dunkelheit und versuchte, das Licht am Ende des Tunnels auszumachen, doch er konnte nicht das Geringste erkennen. Er wusste, dass die Sonne mittlerweile untergegangen war, hatte aber gehofft, dass nach Mondaufgang etwas Licht hereinfallen würde. Und dann geschah etwas Unerwartetes. Es stieß gegen etwas Festes und kam zum Stehen. Gegen etwas Weiches und Glitschiges, das widerlich roch. Maxie.

Silas war noch mit der Frage beschäftigt, wieso Maxie den Müllschlucker blockierte, als in rascher Folge Junge 412, Jenna, Nicko und Marcia von hinten in ihn hineinrauschten. Da dämmerte Silas, dass nicht nur Maxie glitschig war und widerlich stank, sondern sie alle.

»Dad?«, drang Jennas Stimme ängstlich aus dem Dunkel. »Bist du das, Dad?«

»Ja, mein Schatz«, flüsterte Silas.

»Wo sind wir, Dad?«, fragte Nicko heiser. Er hasste den Müllschlucker. Bis zu seinem Sprung durch die Klappe hatte er keine Ahnung gehabt, dass er zu Platzangst neigte. Was für eine schreckliche Art, es herauszufinden! Er hatte es geschafft, seine Angst zu überwinden, indem er sich sagte, dass sie wenigstens in Bewegung waren und bald wieder draußen sein würden. Doch jetzt waren sie zum Stehen gekommen. Und sie waren nicht draußen.

Sie saßen fest.

In der Falle.

Nicko wollte sich aufsetzen, stieß jedoch mit dem Kopf gegen den kalten Schiefer über ihm. Er streckte die Arme zur Seite. Sie berührten die eisglatten Seiten der Rutsche, ehe er die Ellbogen ganz durchgedrückt hatte. Er merkte, wie sein Atem immer schneller ging. Er musste ganz schnell hier heraus, sonst drehte er durch.

»Warum halten wir?«, zischte Marcia.

»Das Rohr ist verstopft«, flüsterte Silas, der an Maxie vorbei nach vorn getastet hatte. Offenbar waren sie in einem großen Abfallhaufen gerutscht, der den Weg versperrte.

»Verflixt!«, knurrte Marcia.

»Dad, ich will hier raus«, stöhnte Nicko.

»Nicko?«, flüsterte Silas. »Bist du in Ordnung?«

»Nein ...«

»Das ist die Rattentür!«, sagte Marcia triumphierend. »Ein Gitter, das die Ratten vom Müllschlucker fern halten soll. Es wurde letzte Woche eingesetzt, nachdem Endor in ihrem Eintopf eine Ratte gefunden hatte. Mach es auf, Silas.«

»Ich komm nicht ran. Der viele Müll ist im Weg.«

»Hättest du einen Reinigungszauber gesprochen, wie ich dir gesagt habe, wäre jetzt keiner da!«

»Marcia«, zischte Silas, »wenn man dem Tod ins Auge blickt, gibt es wichtigere Dinge als Putzen.«

»*Dad*«, stöhnte Nicko verzweifelt.

»Dann tu ich es eben«, knurrte Marcia. Sie schnippte mit den Fingern und murmelte etwas. Ein gedämpftes Klirren war zu vernehmen, als die Rattentür aufsprang, und dann ein Zischen, als der Abfall sich freundlicherweise selbst aus dem Müllschlucker beförderte und hinunter auf die Müllkippe fiel.

Sie waren frei.

Der Vollmond, der über den Fluss heraufstieg, warf sein klares weißes Licht in die dunkle Röhre und wies den sechs müden und geschundenen Reisenden den Weg zu dem Ort, nach dem sie sich so gesehnt hatten.

Zur Müllkippe Schönblick.

# ★ 9 ★

## SALLY MULLINS CAFÉ

Es war ein ganz normaler ruhiger Winterabend in Sally Mullins Café. Eine Mischung aus Stammgästen und Reisenden saß an den großen Holztischen, die um einen kleinen Ofen standen, und ein stetes Stimmengemurmel erfüllte den Raum. Sally hatte soeben ihre Runde gemacht, an den Tischen gescherzt, ofenfrischen Gerstenkuchen angeboten und die Öllampen aufgefüllt, die den ganzen trüben Winternachmittag über gebrannt hatten. Jetzt stand sie wieder am Schanktisch und zapfte für die Nordhändler, die vorhin eingetreten waren, fünf Krüge Springo Spezial Ale.

Als sie zu den Kaufleuten hinüberschaute, bemerkte sie zu ihrer Überraschung, dass der schwermütige Ausdruck auf ihren Gesichtern, für den die Nordhändler bekannt waren, einem breiten Grinsen Platz gemacht hatte. Sie schmunzelte. Sie war stolz darauf, ein fröhliches Café zu führen, und wenn sie fünf Trauerklöße zum Lachen bringen konnte, noch ehe sie ihren ersten Krug Springo Spezial getrunken hatten, dann machte sie etwas richtig.

Sie trug die vollen Krüge zum Fenstertisch und stellte sie flink vor die Kaufleute hin, ohne einen Tropfen zu verschütten. Doch die Männer schenkten ihr keine Beachtung. Sie wischten mit ihren schmutzigen Ärmeln die beschlagene Scheibe und spähten in die Dunkelheit hinaus. Einer deutete auf etwas da draußen, und alle brachen in schallendes Gelächter aus.

Ihre Heiterkeit steckte das ganze Café an. Andere kamen ans Fenster und lugten hinaus, bis sich schließlich alle Gäste an der langen Fensterfront auf der Rückseite drängten.

Sally Mullin blickte nach draußen, um festzustellen, was der Grund für die Heiterkeit war.

Die Kinnlade fiel ihr herunter.

Auf der städtischen Müllkippe tanzte im hellen Vollmondlicht Madam Marcia Overstrand, die Außergewöhnliche Zauberin. Wie eine Verrückte.

Nein, dachte Sally, das ist doch nicht möglich.

Sie spähte noch einmal durch die verschmierte Scheibe. Sie traute ihre Augen nicht, aber es war tatsächlich Madam Marcia mit drei Kindern – drei *Kindern*? Jeder wusste, dass Madam Marcia Kinder nicht ausstehen konnte. Außerdem war noch ein Wolf bei ihr, und ein Mann, der ihr irgendwie bekannt vorkam. Aber wer war er?

Dann erkannte sie ihn. Es war Sarahs nichtsnutziger Ehemann. Silas »Was-du-heute-kannst-besorgen-das-verschiebe-ruhig-auf-morgen« Heap.

Was um alles in der Welt hatte Silas Heap mit Marcia Overstrand zu schaffen? Und mit den drei Kindern? Noch dazu auf der Müll-kippe. Ob Sarah davon wusste?

Sie würde es bald erfahren.

Als gute Freundin Sarah Heaps hielt es Sally für ihre Pflicht, der Sache auf den Grund zu gehen. Sie wies den Spüljungen an, die Stellung zu halten, und eilte hinaus ins Mondlicht.

Polternd rannte sie über den Holzsteg des schwimmenden Cafés und dann den verschneiten Hang zum Müllplatz hinauf. Im Laufen zog sie den unvermeidlichen Schluss.

Silas Heap wollte mit Marcia Overstrand durchbrennen.

Es passte alles zusammen. Sarah hatte oft darüber geklagt, dass Silas von Marcia geradezu besessen sei. Seit er seine Lehre bei Alt-her Mella abgebrochen hatte und durch Marcia ersetzt worden war, hatte er ihren erstaunlichen Aufstieg mit einer Mischung aus Ab-scheu und Faszination verfolgt und sich dabei immer vorgestellt, dass er jetzt an ihrer Stelle sein könnte. Und nach ihrer Beförde-rung zur Außergewöhnlichen Zauberin vor zehn Jahren war es noch schlimmer geworden.

Völlig besessen davon, was Marcia tue, hatte Sarah gesagt.

Aber natürlich war Sarah daran nicht ganz unschuldig, dach-te Sally, die mittlerweile am Fuß des hohen Müllbergs angelangt war. Jeder konnte sehen, dass das kleine Mädchen nicht Silas' Toch-ter war. Sie sah ganz anders aus als alle anderen. Und einmal, als Sally ganz taktvoll versucht hatte, das Gespräch auf Jennas Vater zu bringen, hatte Sarah sofort das Thema gewechselt. Oh ja, bei den Heaps war seit Jahren etwas im Gang. Aber das war keine Entschuldigung für das, was Silas jetzt tat. Überhaupt keine

Entschuldigung, dachte Sally empört und stapfte den Müllberg hinauf.

Die verdreckten Gestalten hatten sich an den Abstieg gemacht und kamen direkt auf sie zu. Sally winkte, doch sie schienen sie nicht zu bemerken. Sie wirkten geistesabwesend und taumelten leicht, als sei ihnen schwindlig. Nun, da sie näher kamen, konnte Sally sehen, dass sie sich bei den Personen nicht geirrt hatte.

»*Silas Heap!*«, schrie sie zornig.

Die fünf erschraken und starrten sie an.

»Pst!«, zischten fünf Stimmen so laut, wie sie zu zischen wagten.

»Von wegen pst!«, rief Sally. »Was fällt Ihnen ein, Silas Heap? Ihre Frau verlassen wegen dieses … Flittchens.« Sally drohte Marcia mit dem Zeigefinger.

»Flittchen?« Marcia schnappte nach Luft.

»Und auch noch diese armen Kinder mitnehmen«, sagte Sally zu Silas. »Wie können Sie nur?«

Silas watete durch den Müll zu Sally. »Wovon reden Sie eigentlich?«, fragte er. »Und würden Sie bitte *leiser* sein!«

»Pst!«, machten drei Stimmen hinter ihm.

Sally beruhigte sich.

»Tun Sie es nicht, Silas«, flüsterte sie heiser. »Sie dürfen Ihre liebenswerte Frau und Ihre Familie nicht verlassen. Bitte!«

Silas blickte verwirrt. »Will ich doch gar nicht. Wie kommen Sie denn darauf?«

»Nicht?«

»*Nein!*«

*»Pst!«*

Auf dem beschwerlichen Weg nach unten erklärte er Sally, was geschehen war. Sie machte große Augen und sperrte den Mund auf. Er erzählte ihr so viel, wie er für nötig hielt, um sie auf ihre Seite zu ziehen – und das war praktisch alles. Silas begriff, dass sie nicht nur auf Sallys Verschwiegenheit angewiesen waren, sondern auch ihre Hilfe gut gebrauchen konnten. Aber Marcia war davon nicht so überzeugt. Sally Mullin gehörte nicht unbedingt zu den Menschen, die sie um Hilfe bitten würde. Marcia beschloss, die Sache selbst in die Hand zu nehmen.

»Also«, sagte sie mit gebieterischer Stimme, als sie am Fuß des Müllbergs angelangt waren und wieder festen Boden unter den Füßen hatten. »Wir müssen damit rechnen, dass der Jäger und seine Meute jeden Augenblick unsere Verfolgung aufnehmen.«

Angst huschte über Sallys Gesicht. Sie hatte schon vom Jäger gehört.

Marcia blieb ruhig und dachte praktisch. »Ich habe den Müllschlucker wieder mit Abfall gefüllt und die Rattentür mit einem Schließ- und Schweißzauber belegt. Mit etwas Glück glaubt er, wir sitzen noch in der Falle.«

Nicko erschauderte bei der Vorstellung.

»Aber lange wird ihn das nicht aufhalten«, fuhr Marcia fort. »Und dann wird er sich auf die Suche machen – und Nachforschungen anstellen.« Marcia sah Sally an, als wollte sie sagen: *Und bei dir wird er damit anfangen.*

Alle wurden still.

Sally erwiderte standhaft Marcias Blick. Sie wusste, worauf sie sich einließ. Gut möglich, dass sie sich eine Menge Ärger aufhalste, aber sie war eine treue Freundin.

Sie würde es tun.

»Also gut«, sagte Sally entschlossen. »Bis er hier ist, müsst ihr möglichst weit weg sein, richtig?«

Sally führte sie zur Schlafbaracke hinter dem Café, in der schon viele erschöpfte Reisende ein warmes Bett für die Nacht gefunden hatten, und auch saubere Kleidung, sofern sie welche benötigten. Um diese Abendstunde war die Baracke leer. Sally zeigte ihnen, wo die Sachen zum Anziehen lagen, und forderte sie auf, sich so viel zu nehmen, wie sie brauchten. Es werde eine lange kalte Nacht werden. Rasch füllte sie einen Eimer mit heißem Wasser, damit sie den gröbsten Schmutz abwaschen konnten, dann eilte sie hinaus mit den Worten: »Wir sehen uns in zehn Minuten unten an der Anlegestelle. Ihr könnt mein Boot haben.«

Jenna und Nicko waren froh, aus ihren schmutzigen Sachen zu kommen, doch Junge 412 stellte sich quer. Er hatte heute schon oft genug die Kleider gewechselt und wollte partout das anbehalten, was er jetzt trug, auch wenn es nur ein feuchter und verdreckter Zaubererpyjama war.

Schließlich war Marcia gezwungen, einen Reinigungszauber anzuwenden und den Jungen mithilfe eines Kleiderwechselzaubers in einen dicken Seemannspullover nebst Hose und Schaffelljacke zu stecken. Silas hatte zudem einen hellroten Filzhut für ihn gefunden.

Marcia war sauer, weil sie diese Zauber anwenden musste. Sie wollte ihre Kräfte schonen, denn sie hatte das ungute Gefühl, dass sie später noch ihre ganze Energie benötigen würde, um sie in Sicherheit zu bringen. Gewiss, sie hatte ein wenig Energie für ihren Sekunden-Schnellreinigungszauber verbraucht – wegen des widerlichen Zustands ihres Umhangs war ein Minuten-Schnellreinigungszauber daraus geworden, und dennoch waren nicht alle Soßenflecken herausgegangen. Aber in Marcias Augen war der Umhang eines Außergewöhnlichen Zauberers mehr als nur ein Umhang. Er war ein fein gestimmtes Instrument der Magie und mit dem entsprechenden Respekt zu behandeln.

Zehn Minuten später fanden sie sich an der Anlegestelle ein.

Sally erwartete sie neben ihrem Segelboot. Nicko musterte das kleine grüne Boot beifällig. Er liebte Boote. Ja, er liebte nichts mehr, als in einem Boot hinauszufahren, und dieses hier machte einen guten Eindruck. Es war breit und stabil, lag gut im Wasser und hatte ein Paar neuer roter Segel. Und es hatte einen schönen Namen: *Muriel*. Nicko gefiel es.

Marcia hingegen machte ein bedenkliches Gesicht. »Wie fährt es denn?«, fragte sie Sally.

Nicko mischte sich ein. »Mit Segeln. Es segelt.«

»Wer segelt?«, fragte Marcia verwirrt.

Nicko wurde ungeduldig. »Na, das Boot.«

Sally wurde nervös. »Ihr müsst zusehen, dass ihr wegkommt«, sagte sie und sah sich nach dem Müllberg um. »Ich habe Paddel ins Boot gelegt, nur für den Fall. Und etwas Proviant. Ich mache jetzt die Leine los. Ich halte sie, während ihr an Bord geht.«

Jenna kletterte als Erste hinein, packte Junge 412 am Arm und zog ihn mit. Er widersetzte sich kurz, gab dann aber nach. Mit einem Mal fühlte er sich sehr müde.

Nicko sprang als Nächster hinein, dann half Silas der zaudernden Marcia an Bord. Sie setzte sich unsicher neben die Ruderpinne und rümpfte die Nase.

»Wonach riecht es hier denn so eklig?«, murrte sie.

»Fisch«, antwortete Nicko, der sich fragte, ob Marcia überhaupt etwas vom Segeln verstand.

Silas sprang mit Maxie herein, und die *Muriel* lag etwas tiefer im Wasser als vorhin.

»Ich stoße euch jetzt ab«, rief Sally nervös und warf Nicko die Leine zu. Er fing sie geschickt und schoss sie sauber im Bug auf.

Marcia ergriff die Ruderpinne. Die Segel flatterten wild, und die *Muriel* machte eine unangenehm scharfe Linkskurve.

»Soll ich das Ruder übernehmen?«, erbot sich Nicko.

»Was übernehmen? Ach so, das Dings hier? Einverstanden, Nicko. Ich möchte mich nicht verausgaben.« Marcia zog ihren Umhang enger und wackelte mit so viel Würde, wie sie aufbieten konnte, zur Seite des Bootes.

Marcia hatte ein mulmiges Gefühl. Sie war zum ersten Mal auf einem Boot, und sie hatte auch nicht die Absicht, jemals wieder eines zu betreten, wenn es sich irgendwie vermeiden ließ. Zunächst einmal gab es keine Stühle. Keinen Teppich, nicht einmal Kissen, und kein Dach! Und für ihren Geschmack war nicht nur viel zu viel Wasser um das Boot herum, sondern auch etwas zu viel in ihm drin. Bedeutete das, dass es sank? Außerdem war der Gestank unerträglich.

Maxie war sehr aufgeregt. Er brachte das Kunststück fertig, auf Marcias kostbare Schuhe zu treten und ihr gleichzeitig mit dem Schwanz ins Gesicht zu wedeln.

»Schieb ab, du dummer Hund«, sagte Silas. Er stieß ihn in Richtung Bug, wo er seine lange Wolfshundnase in den Wind halten und die Gerüche des Wassers erschnuppern konnte. Dann quetschte sich Silas neben Marcia, was ihr sehr unangenehm war. Jenna und Junge 412 machten es sich auf der anderen Seite gemütlich.

Nicko stand glücklich am Heck und steuerte, eine Hand am Ruder, selbstbewusst auf den Fluss hinaus.

»Wohin soll es gehen?«, fragte er.

Marcia konnte nicht antworten. Die plötzliche Nähe einer so gewaltigen Wassermenge nahm sie noch zu sehr in Anspruch.

»Zu Tante Zelda«, sagte Silas. Er hatte am Morgen, nachdem Jenna gegangen war, mit Sarah darüber gesprochen. »Wir fahren zu Tante Zelda.«

Der Wind blähte die Segel, und die *Muriel* nahm Fahrt auf. Sie ereichten die schnelle Strömung in der Mitte des Flusses. Marcia wurde schwindlig. Sie schloss die Augen und fragte sich, ob es seine Richtigkeit hatte, dass das Boot sich so weit zur Seite neigte.

»Zur Hüterin der Marram-Marschen?«, fragte Marcia mit ziemlich matter Stimme.

»Ja«, antwortete Silas. »Dort sind wir sicher. Über ihrer Hütte liegt jetzt ein Dauerzauber, nachdem sie letzten Winter von den Wabberschlammbraunlingen überfallen worden ist. Dort findet uns keiner.«

»Ausgezeichnet«, sagte Marcia. »Dann auf zu Tante Zelda.«

Silas sah sie verdutzt an. Sie hatte ihm doch tatsächlich ohne jeden Einwand zugestimmt. Aber schließlich, so schmunzelte er in sich hinein, saßen sie jetzt alle im gleichen Boot.

Und so verschwand das kleine grüne Boot in der Nacht, und Sally blieb tapfer winkend am Ufer zurück. Als sie die *Muriel* aus den Augen verloren hatte, blieb sie noch am Kai stehen und lauschte dem Plätschern der Wellen, die gegen die kalten Steine schlugen. Plötzlich fühlte sie sich sehr allein. Sie drehte sich um und kehrte am verschneiten Flussufer entlang zum Café zurück, aus dessen Fenstern gelbes Licht fiel und ihr entgegenleuchtete.

Die Gesichter einiger Gäste blickten in die Nacht heraus, aber sie schienen von der kleinen Gestalt, die durch den Schnee stapfte und den Steg hinaufeilte, keine Notiz zu nehmen.

Als Sally die Tür aufstieß und in die warme, von Geplapper erfüllte Caféstube trat, bemerkten einige Gäste, die häufiger bei ihr einkehrten, dass sie irgendwie anders war als sonst. Und sie hatten Recht. Es war ungewöhnlich für Sally, dass sie nur einen Gedanken im Kopf hatte.

Wie lange würde es dauern, bis der Jäger auftauchte?

# ⋆ 10 ⋆

## DER JÄGER

Genau acht Minuten und zwanzig Sekunden, nachdem Sally der *Muriel* am Kai nachgewinkt hatte, traf der Jäger mit seiner Meute auf der Müllkippe Schönblick ein. Sally hatte jede dieser fünfhundert Sekunden mit einer wachsenden Angst im Bauch durchlitten.

Und was hatte sie getan?

Sie hatte nach ihrer Rückkehr kein Wort gesprochen, doch etwas in ihrem Verhalten hatte die meisten Gäste veranlasst, rasch ihr Bier auszutrinken, die letzten Reste Gerstenkuchen hinunterzuschlingen und zügig in der Nacht zu verschwinden. Nur die Nordhändler waren noch da. Sie saßen vor ihrem zweiten Krug Springo Spezial und unterhielten sich leise in ihrem trauervollen Singsang. Selbst der Spüljunge war weg.

Sally hatte einen trockenen Mund, und ihre Hände zitterten. Sie kämpfte gegen das überwältigende Verlangen an, einfach davonzulaufen. Beruhige dich, Mädchen, sagte sie sich. Da musst du durch. Du weißt von nichts. Der Jäger hat keinen Grund, dir zu misstrauen. Aber wenn du jetzt wegläufst, weiß er, dass du in die Sache verwickelt bist. Und er wird dich finden. Er findet jeden. Bleib, wo du bist, und verlier nicht die Nerven.

Der Sekundenzeiger der großen Caféuhr tickte weiter.

*Tick ... tick ... tick ...*

Vierhundertundachtundneunzig Sekunden ... Vierhundertundneunundneunzig Sekunden ... Fünfhundert.

Der gleißende Strahl eines Suchscheinwerfers strich über die Kuppe des Müllbergs.

Sally rannte zum Fenster und sah mit pochendem Herzen hinaus. Dunkle Gestalten, deren Umrisse sich gegen das Scheinwerferlicht abhoben, schwärmten über den Hügel. Der Jäger hatte seine Meute mitgebracht. Wie Marcia befürchtet hatte.

Sally beobachtete die Gestalten und versuchte zu erkennen, was sie taten. Sie hatten sich um die Rattentür versammelt, die Marcia mit einem Schließ- und Schweißzauber blockiert hatte. Zu Sallys Erleichterung hatten sie offenbar keine Eile, ja, es hatte ganz den Anschein, als ob sie sich köstlich amüsierten. Vereinzelte Rufe wehten zum Café herüber. Sally spitzte die Ohren. Was sie verstand, ließ sie erschauern.

»... Zaubergesindel ...«

»... die Ratten sitzen hinter der Rattentür fest ...«

»... lauft nicht weg, ha-ha. Wir kommen euch holen ...«

Sally sah, wie die Gestalten an der Rattentür immer aufgeregter wurden, da die Tür all ihren Versuchen, sie zu öffnen, widerstand.

Etwas abseits wartete eine einsame Gestalt und sah zu. Der Jäger, wie Sally richtig vermutete.

Plötzlich verlor der Jäger die Geduld. Er stapfte zu der Rattentür, entriss einem seiner Leute eine Axt und hieb wütend auf die Tür ein. Lautes Scheppern drang zum Café herunter. Schließlich wurde das verbogene Gitter der Rattentür auf die Seite geworfen, und einer aus der Meute musste in die Röhre kriechen und sich durch den Abfall graben. Ein Scheinwerfer wurde direkt auf den Ausgang gerichtet, und die Meute versammelte sich darum herum. Sally sah im grellen Licht ihre Pistolen funkeln. Das Herz klopfte ihr bis zum Hals. Bald mussten sie entdecken, dass die Beute entwischt war.

Es dauerte nicht lange.

Eine schmutzige Gestalt tauchte aus dem Müllschlucker auf. Der Jäger war offensichtlich außer sich. Er packte den Mann, schüttelte ihn heftig und schleuderte ihn zur Seite, sodass er den Müllberg herunterpurzelte. Dann kauerte er sich nieder und spähte ungläubig in den leeren Müllschlucker. Mit einem Wink befahl er dem Kleinsten aus der Meute, in die Röhre zu kriechen. Der Betreffende zauderte, wurde aber hineingestoßen, und zwei Meutenwächter postierten sich mit gezückten Pistolen am Eingang.

Der Jäger schritt langsam zum Rand der Müllkippe. Er musste seine Fassung wiedergewinnen, nachdem er festgestellt hatte, dass die Beute entwischt war. In sicherem Abstand folgte ihm die kleine Gestalt eines Jungen.

Der Junge hatte das grüne Alltagsgewand eines Zaubererlehrlings an, doch im Unterschied zu jedem anderen Lehrling trug er um die Hüfte eine rote Schärpe, die drei schwarze Sterne schmückten. Die Sterne DomDaniels.

Doch in diesem Augenblick achtete der Jäger nicht auf den Lehrling DomDaniels. Er stand reglos da, ein kleiner, kräftig gebauter Mann mit dem kurz geschorenen Haar eines Gardisten. Sein Gesicht war braun und zerfurcht nach all den Jahren, die er im Freien damit zugebracht hatte, menschliches Wild zu jagen und zur Strecke zu bringen. Er trug die übliche Jägerkleidung: eine dunkelgrüne Uniform, einen Kurzmantel und dicke braune Lederstiefel. Um seine Taille schlang sich ein breiter Ledergürtel, an dem ein Messer mit Scheide und ein Kugelbeutel hingen.

Der Jäger lächelte grimmig. Sein Mund dehnte sich zu einer schmalen Linie, deren Enden entschlossen nach unten strebten, und die blassblauen Augen verengten sich zu wachsamen Schlitzen. So musste eine Jagd sein! Ausgezeichnet, nichts liebte er mehr als die Jagd. Jahrelang hatte er sich in der Meute emporgearbeitet und schließlich sein Ziel erreicht. Er war Jäger, der beste der Meute, und auf einen Augenblick wie diesen hatte er gewartet. Hier stand er und jagte nicht nur die Außergewöhnliche Zauberin, sondern auch die Prinzessin, das Königsbalg. Er freute sich auf eine unvergessliche Nacht: Spur aufnehmen, verfolgen, jagen, in die Enge treiben und töten. Kein Problem, dachte er, grinste noch breiter und entblößte im kalten Mondlicht seine spitzen kleinen Zähne.

Er richtete seine Gedanken auf die Jagd. Sein Gefühl sagte ihm, dass die Vögel ausgeflogen waren, aber als gewissenhafter Jäger durfte er keine Möglichkeit außer Acht lassen. Deshalb hatte er einen Mann in den Schacht geschickt und ihm befohlen, alle Aus-

gänge bis zum Zaubererturm zu überprüfen. Dass dies wahrscheinlich unmöglich war, störte ihn nicht. Ein Meutenwächter war der
Niedrigste der Niedrigen, ein Entbehrlicher, der seine Pflicht tun
musste, und wenn es ihn das Leben kostete. Der Jäger war früher
selbst Entbehrlicher gewesen, aber nicht lange – dafür hatte er gesorgt. Und jetzt, so dachte er mit einem Schauder der Erregung,
jetzt musste er die Spur finden.

Die Müllkippe lieferte jedoch wenig Hinweise, selbst für einen
erfahrenen Spurenleser wie ihn. Die Wärme, die bei der Zerset-
zung der Abfälle entstand, hatte den Schnee zum Schmelzen gebracht, und da unablässig Ratten und Möwen im Müll wühlten, waren bereits alle Spuren verwischt. Ausgezeichnet, dachte der Jäger.
Wenn keine Spur da war, musste er das Gelände erkunden.

Von seinem Aussichtspunkt auf dem Müllberg beobachtete er
mit zusammengekniffenen Augen die mondhelle Umgebung. Hinter ihm ragten die dunklen Mauern der Burg empor, deren Zin-
nen sich scharf gegen den kalten hellen Sternenhimmel absetzten.
Vor ihm, am anderen Flussufer, wellte sich das fruchtbare Acker-
land, und am fernen Horizont machte er den gezackten Kamm der
Grenzberge aus. Er betrachtete die verschneite Landschaft lange
und gründlich, doch er entdeckte nichts, was für ihn von Interesse
war. Dann richtete er sein Augenmerk auf die unmittelbare Umgebung unter ihm. Sein Blick folgte dem Lauf des Flusses, der links
von ihm um die Biegung hervorkam und dann mit starker Strömung nach rechts floss, vorbei an dem schwimmenden Café, das
sich sanft auf den Wellen wiegte, und vorbei an dem kleinen Kai,
an dem vertäute Boote lagen, bis er etwas weiter stromabwärts hin-

ter dem Rabenstein, einer zerklüfteten, das Wasser überragenden Felsnase verschwand.

Der Jäger lauschte auf Geräusche, die vom Wasser aufstiegen, doch er hörte nur die Stille, die sich einstellt, wenn das Land unter einer Schneedecke versinkt. Er suchte das Wasser nach Hinweisen ab – vielleicht ein Schatten unter dem Ufer, ein aufgescheuchter Vogel, ein verräterisches Kräuseln der Oberfläche –, doch er konnte nichts entdecken. Gar nichts. Alles war seltsam still und starr. Der dunkle Fluss wand sich lautlos durch die Schneelandschaft, die im Licht des Vollmondes glitzerte. Er war eine ideale Nacht zum Jagen, dachte der Jäger.

Er stand reglos da und wartete gespannt darauf, dass ihm etwas ins Auge fiel.

Beobachten und warten ...

Dann fiel ihm etwas ins Auge. Ein weißes Gesicht hinter dem Fenster des Cafés. Ein angsterfülltes Gesicht, ein Gesicht, das etwas wusste. Der Jäger lächelte. Er hatte einen Hinweis. Er war ihnen wieder auf der Spur.

# ★ 11 ★

## AUF DER SPUR

Sally sah sie kommen.

Sie sprang vom Fenster zurück, strich ihre Röcke glatt und sammelte sich. Nur Mut, Mädchen, sagte sie sich. Du kannst es schaffen. Du setzt einfach dein freundliches Wirtinnengesicht auf, dann schöpfen sie keinerlei Verdacht. Sie flüchtete hinter den Schanktisch, und zum ersten Mal während der Öffnungszeiten zapfte sie sich einen Krug Springo Spezial und trank einen großen Schluck.

Igitt. Sie hatte die Brühe noch nie gemocht. Zu viele tote Ratten im Fass für ihren Geschmack.

Während sie noch einen Schluck tote Ratte nahm, schnitt der grelle Strahl eines Scheinwerfers in das Café und glitt über die Anwesenden hinweg. Kurz leuchtete er Sally direkt in die Augen, dann wanderte er weiter und erhellte die blassen Gesichter der Nord-händler. Die Kaufleute verstummten und wechselten besorgte Blicke.

Einen Augenblick später vernahm Sally das dumpfe Poltern schwerer Tritte. Die Landebrücke wackelte, als die Meute über den Steg gerannt kam, und im Café klirrten nervös die Teller und Glä-ser. Sally stellte ihren Krug weg, straffte ihre Gestalt und setzte un-ter größter Anstrengung ein freundliches Lächeln auf.

Krachend flog die Tür auf.

Der Jäger trat ein. Hinter ihm konnte Sally im Strahl des Schein-werfers die Meute sehen. Sie standen auf der Landebrücke, einer hinter dem anderen, die Pistolen im Anschlag.

»Guten Abend, Sir. Womit kann ich dienen?«, flötete Sally ner-vös.

Der Jäger registrierte zufrieden das Zittern in ihrer Stimme. Es gefiel ihm, wenn die Leute Angst hatten.

Er schritt langsam zum Schanktisch, beugte sich vor und sah Sally in die Augen.

»Sie können mir eine Auskunft geben. Ich weiß, dass Sie kön-nen.«

»Ach ja?« Sally versuchte, höflich und interessiert zu klingen. Doch der Jäger hörte etwas anderes. Er hörte, dass sie erschrak und auf Zeit spielen wollte.

Gut, dachte er. Sie weiß etwas.

»Ich verfolge eine gefährliche Bande von Terroristen«, fuhr er fort und beobachtete Sally dabei genau. Sie bemühte sich, das freundliche Wirtinnengesicht zu behalten, doch für den Bruchteil einer Sekunde entglitt es ihr, und ein anderer Ausdruck huschte über ihre Züge: Überraschung.

»Es überrascht Sie, dass ich Ihre Freunde als Terroristen bezeichne, habe ich Recht?«

»Nein«, erwiderte Sally schnell. Und als sie begriff, was sie gesagt hatte, stotterte sie: »Ich ... so habe ich das nicht gemeint. Ich ...«

Sie gab auf. Es war nicht mehr zu ändern. Wie hatte es so leicht passieren können? Es lag an seinen Augen, dachte sie, an diesen schmalen, hellen Augenschlitzen, die einem wie Scheinwerfer ins Gehirn leuchteten. Wie dumm von ihr, dass sie geglaubt hatte, sie könnte einen Jäger überlisten. Ihr Herz pochte so laut, dass es bestimmt auch der Jäger hörte.

Selbstverständlich hörte er es. Das war eines seiner Lieblingsgeräusche, das Herzklopfen eines in die Enge getriebenen Opfers. Genüsslich lauschte er noch einen Augenblick, dann sagte er: »Sie werden uns jetzt verraten, wo sie sind.«

»Nein«, murmelte Sally.

Dieser kleine Akt der Aufsässigkeit schien den Jäger nicht zu stören. »Doch, doch«, erwiderte er trocken und lehnte sich gegen den Schanktisch. »Sie haben ein hübsches Lokal, Sally Mullin. Sehr hübsch. Aus Holz, nicht wahr? Und nicht mehr ganz neu, wenn ich mich recht erinnere. Mittlerweile schön trocken, das Holz. Brennt hervorragend, habe ich mir sagen lassen.«

»Nein ...«, flüsterte Sally.

»Nun, dann mache ich Ihnen einen Vorschlag. Sie sagen mir, wohin Ihre Freunde sind, und ich verlege meine Zunderbüchse ...«

Sally sagte nichts. Ihre Gedanken überschlugen sich, doch sie ergaben keinen Sinn. Sie musste daran denken, dass sie vergessen hatte, die Löscheimer wieder aufzufüllen, nachdem der Spüljunge die Geschirrtücher in Brand gesteckt hatte.

»Na schön«, sagte der Jäger. »Dann gehe ich jetzt raus und sage den Jungs, dass sie das Feuer legen sollen. Ich schließe die Tür hinter mir, wenn ich gehe. Wir möchten doch nicht, dass jemand hinausrennt und verletzt wird.«

»Sie können doch nicht …«, brach es aus Sally hervor, die begriff, dass der Jäger nicht nur ihr geliebtes Café niederbrennen wollte, sondern auch beabsichtigte, es mit ihr darin niederzubrennen. Von den fünf Nordhändlern gar nicht zu reden. Sie schielte zu ihnen hinüber. Sie tuschelten aufgeregt miteinander.

Der Jäger hatte nichts mehr zu sagen. Es war genau so gekommen, wie er erwartet hatte, und jetzt musste er zeigen, dass er es ernst meinte. Abrupt drehte er sich um und ging zur Tür.

Sally sah ihm nach, zornig jetzt. Wie konnte er es wagen, in *ihr* Café zu kommen und *ihre* Gäste einzuschüchtern! Und ihr damit drohen, sie alle zu verbrennen! Dieser Mensch war nichts weiter als ein brutaler Kerl. Sie konnte brutale Kerle nicht ausstehen.

Unbeherrscht wie immer schoss Sally hinter dem Schanktisch hervor. »Warten Sie!«, schrie sie.

Der Jäger schmunzelte. Es klappte. Wie immer. Geh weg und lass sie einen Augenblick nachdenken. Der Jäger blieb stehen, drehte sich aber nicht um.

Ein kräftiger Tritt Sallys mit dem rechten Stiefel traf ihn am Bein.

»Brutaler Kerl«, kreischte Sally.

»Närrin«, zischte der Jäger und hielt sich das Bein. »Das werden Sie bereuen, Sally Mullin.«

Ein Oberwächter aus seiner Meute erschien. »Probleme, Sir?«, erkundigte er sich.

Den Jäger fuchste es, dass ihn jemand so würdelos herumhüpfen sah. »Nein«, bellte er. »Gehört alles zum Plan.«

»Die Männer haben Reisig gesammelt und legen es jetzt unter das Café, wie Sie befohlen haben, Sir. Der Zunder ist trocken, und wenn man die Feuersteine schlägt, sprühen die Funken.«

»Gut«, sagte der Jäger grimmig.

»Verzeihung, Sir«, meldete sich eine Stimme mit schwerem Akzent hinter ihm. Einer der Nordhändler war vom Tisch aufgestanden und zu ihm getreten.

»Ja?«, stieß der Jäger zwischen den Zähnen hervor, fuhr auf einem Bein herum und sah den anderen an. Der Mann stand verlegen da. Er trug die dunkelrote Kleidung der Hansekaufleute, abgerissen und schmutzig von der Reise. Ein speckiges Stirnband aus Leder bändigte sein widerspenstiges blondes Haar, und sein Gesicht wirkte käsig im grellen Scheinwerferlicht.

»Ich glaube, wir können Ihnen die gewünschte Auskunft geben?«, fuhr der Kaufmann fort, wobei seine Stimme in der für ihn ungewohnten Sprache mühsam nach den richtigen Worten suchte und sich wie zu einer Frage hob.

»Ach ja?«, erwiderte der Jäger, dessen Schmerzen im Bein nachließen. Endlich konnte er die Spur wieder aufnehmen.

Sally sah den Nordhändler entsetzt an. Wie konnte er etwas

wissen? Dann begriff sie. Er hatte sie durchs Fenster beobachtet.

Der Kaufmann mied ihren vorwurfsvollen Blick. Es war ihm sichtlich peinlich, aber offensichtlich hatte er die Drohungen des Jägers gehört und fürchtete um sein Leben.

»Wir glauben, dass die Gesuchten fort sind? In einem Boot?«, sagte der Kaufmann langsam.

»In einem Boot! In was für einem Boot?«, fragte der Jäger barsch, wieder ganz der Chef.

»Wir kennen die Boote hier nicht? Ein kleines Boot mit roten Segeln? Eine Familie mit einem Wolf?«

»Einem Wolf? Ach ja, der Köter.« Der Jäger trat bedrohlich nahe an den Kaufmann heran und knurrte leise: »Wohin? Flussaufwärts oder flussabwärts? Richtung Berge oder Richtung Port? Überlegen Sie genau, Freundchen, wenn Sie nicht wollen, dass es Ihnen und Ihren Begleitern heute Nacht zu warm wird.«

»Flussabwärts. Richtung Port«, murmelte der Kaufmann, dem der heiße Atem des Jägers unangenehm war.

»Gut«, sagte der Jäger zufrieden. »Ich schlage vor, Sie und Ihre Freunde gehen jetzt, solange Sie noch können.«

Die anderen vier Kaufleute standen wortlos auf und traten, schuldbewusst Sallys entsetztem Blick ausweichend, zu ihrem Kollegen. Eilends schlüpften sie in die Nacht hinaus und überließen Sally ihrem Schicksal.

Der Jäger verneigte sich spöttisch. »Auch ich wünsche Ihnen eine gute Nacht, Madam«, sagte er. »Danke für Ihre Gastfreundschaft.« Damit stürmte er hinaus und knallte die Tür zu.

»Vernagelt die Tür!«, brüllte er wütend. »Und die Fenster. Sie darf nicht entkommen!«

Der Jäger stapfte über den Steg. »Besorgt mir ein Verfolgungsschnellboot«, befahl er dem Melder, der am Ende des Stegs wartete. »An den Kai. Sofort!«

Am Ufer angekommen, drehte der Jäger sich um und blickte zu Sally Mullins Café. Er hätte gern noch gesehen, wie die ersten Flammen emporzüngelten, doch er blieb nicht stehen. Er musste der Spur folgen, solange sie noch heiß war. Während er zum Kai schritt, um dort auf das Verfolgungsschnellboot zu warten, lächelte er zufrieden.

Niemand, der ihn zum Narren halten wollte, kam ungestraft davon.

Hinter dem lächelnden Jäger trottete der Lehrling. Er war beleidigt, weil er in der Kälte vor dem Café hatte warten müssen, aber auch sehr aufgeregt. Er schlang den dicken Umhang um sich und verschränkte die Arme voller Vorfreude. Seine dunklen Augen glänzten, und seine Wangen waren gerötet von der kalten Nachtluft. Jetzt begann das große Abenteuer, das ihm sein Meister prophezeit hatte. Es war der erste Schritt zur Rückkehr seines Meisters. Und er war dabei, denn ohne ihn ging nichts. Er war der Berater des Jägers. Er würde die Jagd beaufsichtigen. Er würde mit seinen Zauberkräften die Situation retten. Bei diesem Gedanken kamen ihm bange Zweifel, doch er schob sie beiseite. Er kam sich ungemein wichtig vor. Am liebsten hätte er geschrien. Oder Luftsprünge gemacht. Oder jemanden erschossen. Aber das durfte er nicht. Er musste tun, was sein Meister ihm befohlen hatte, und dem Jäger wachsam und leise folgen. Aber er könnte das Königsbalg erschießen, wenn er sie zu fassen bekam – das würde ihr eine Lehre sein.

»Hör auf zu träumen und steig ins Boot«, blaffte der Jäger ihn an. »Geh nach hinten, wo du aus dem Weg bist.«

Der Lehrling tat wie geheißen. Er wollte es sich nicht eingestehen, aber der Jäger machte ihm Angst. Er stieg vorsichtig ins Heck des Bootes und quetschte sich in die Ecke vor den Füßen der Ruderer.

Der Jäger betrachtete das Schnellboot beifällig. Es war lang, schmal und schnittig und schwarz wie die Nacht. Mit seinem polierten Lackanstrich glitt es so leicht durchs Wasser wie Schlittschuhkufen übers Eis. Angetrieben von zehn voll austrainierten Ruderern, war es schneller als jedes andere Wasserfahrzeug.

Am Bug war es mit einem starken Suchscheinwerfer und einem stabilen Dreibein ausgestattet, auf das eine Pistole montiert werden konnte. Der Jäger ging vorsichtig nach vorn und setzte sich auf die schmale Planke hinter dem Dreibein. Mit flinker und kundiger Hand befestigte er daran die Silberpistole der Meuchelmörderin. Dann fischte er eine Silberkugel aus seinem Kugelbeutel, sah sie sich genau an, um sicherzugehen, dass es die gewünschte war, und legte sie in einen kleinen Kasten neben der Pistole. Schließlich nahm er fünf normale Kugeln aus der Munitionskiste des Boots und legte sie in einer Reihe neben die Silberkugel. Er war bereit.

»Los!«, rief er.

Das Schnellboot löste sich sanft und geräuschlos vom Kai und glitt in die schnelle Strömung in der Mitte des Flusses. Ehe es in der Dunkelheit verschwand, drehte sich der Jäger noch einmal um und sah erwartungsvoll zum Ufer.

Eine Feuerwand ragte in die Nacht.

Sally Mullins Café stand in Flammen.

# ★ 12 ★

## DIE *MURIEL*

Ein paar Kilometer stromabwärts segelte die *Muriel*, und Nicko war in seinem Element. Er stand am Ruder des kleinen überfüllten Bootes und steuerte es geschickt durch die Fahrrinne, die sich in der Flussmitte wand, wo das Wasser tiefer und die Strömung stärker war. Die Ebbe hatte eingesetzt und zog sie flussabwärts. Der Wind hatte zugenommen und das Wasser so aufgewühlt, dass die *Muriel* förmlich über die Wellen hüpfte.

Der Vollmond stieg hoch in den Himmel, warf ein klares silbernes Licht über den Fluss und leuchtete ihnen. Zum Meer hin wurde der Fluss immer breiter, und wenn sie sich umsahen, bemerkten sie, dass die flachen Ufer mit den überhängenden Bäumen und vereinzelten Hütten immer weiter zurückwichen. Stille legte sich über das Boot. Seine Insassen kamen sich bedrückend klein vor auf dieser großen Wasserfläche. Und Marcia wurde furchtbar seekrank.

Jenna saß an Deck und hielt, an die Bootswand gelehnt, für Nicko ein Tau in der Hand. Das Tau war an dem kleinen dreieckigen Segel im Bug befestigt, das sich im Wind blähte, und Jenna hatte alle Mühe, es festzuhalten. Ihre Finger waren schon ganz steif und taub, doch sie wagte nicht loszulassen. Mit Nicko war nicht zu spaßen, wenn er das Kommando über ein Boot hatte.

Der Wind war kühl, und obwohl sie den dicken Pullover, die große Schaffelljacke und den kratzigen Wollhut trug, den Silas für sie in Sallys Kleiderschrank gefunden hatte, zitterte sie in der Kälte, die vom Wasser aufstieg.

Neben ihr lag Junge 412. Nachdem er von Jenna ins Boot gezogen worden war, hatte er sich in sein Schicksal ergeben und den Widerstand gegen die Zauberer und die seltsamen Kinder aufgegeben. Und als die *Muriel* um den Rabenstein herumgesegelt war und er die Burg nicht mehr sehen konnte, hatte er sich einfach neben Jenna zusammengerollt und war eingeschlafen. Nun, da die *Muriel* in raueres Wasser gelangte und schaukelte, schlug sein Kopf immer wieder gegen den Mast, und so zog ihn Jenna sanft zur Seite und bettete seinen Kopf in ihren Schoß. Sie betrachtete sein schmales, abgehärmtes Gesicht, das fast ganz unter seinem roten Filzhut verschwand. Sie fand, dass er im Schlaf viel glücklicher aussah, als wenn er wach war. Dann musste sie an Sally denken.

Sie hatte Sally sehr gern. Sally hatte immer etwas zu erzählen und machte was los. Das gefiel ihr. Wenn sie zu Besuch kam, brachte sie immer aufregende Geschichten über die Leute in der Burg mit, die Jenna für ihr Leben gern hörte.

»Hoffentlich geht es Sally gut«, sagte Jenna leise und lauschte dem gleichmäßigen Knarren und sanften Zischen des kleinen Boots, das zielstrebig durchs glitzernde schwarze Wasser glitt.

»Wollen es hoffen, mein Schatz«, sagte Silas, der tief in Gedanken war.

Seit das Schloss außer Sicht war, hatte auch Silas Zeit zum Nachdenken. Und nachdem er an Sarah und die Jungen gedacht hatte, die hoffentlich wohlbehalten in Galens Baumhaus im Wald angekommen waren, musste auch er an Sally denken, und dabei überkam ihn ein ungutes Gefühl.

»Es geht ihr gut«, sagte Marcia mit kränklicher Stimme. Ihr war speiübel.

»Das ist wieder mal typisch für dich, Marcia«, raunzte Silas sie an. »Jetzt, wo du Außergewöhnliche Zauberin bist, nimmst du dir von den Menschen einfach, was du willst, und verschwendest keinen Gedanken mehr an sie. Du lebst einfach nicht mehr in der wirklichen Welt. Im Unterschied zu uns Gewöhnlichen Zauberern. Wir wissen noch, was es heißt, in Gefahr zu sein.«

»Die *Muriel* läuft prächtig«, rief Nicko fröhlich, um das Gespräch auf ein anderes Thema zu lenken. Er konnte es nicht leiden, wenn sich Silas über das Los der Gewöhnlichen Zauberer ereiferte. Er fand, dass es ein ziemlich guter Beruf war. Er selbst hatte zwar keine Lust, einer zu werden, denn man musste zu viele Bücher lesen und hatte kaum Zeit zum Segeln, doch respektabel war dieser Beruf allemal. Und wer wollte schon Außergewöhnlicher Zauberer werden? Die meiste Zeit hockte man in diesem komischen Turm, und wenn man mal unter die Leute ging, wurde man angegafft. Nein, das wäre nichts für ihn.

Marcia seufzte. »Ich habe ihr den Platintalisman von meinem Gürtel gegeben«, sagte sie langsam und heftete den Blick auf das ferne Ufer. »Ich könnte mir vorstellen, dass er ihr eine Hilfe ist.«

»Wie? Du hast Sally einen von deinen Glücksbringern gegeben?«, wunderte sich Silas. »Dein Amulett? War das nicht etwas riskant? Du könntest es noch brauchen.«

»Das Amulett ist dazu da, dass es benutzt wird, wenn die Not groß ist. Sally will zu Sarah und Galen. Den beiden könnte es auch gute Dienste leisten. Ich glaube, ich muss mich übergeben.«

Eine peinliche Stille folgte.

»Die *Muriel* läuft wirklich wunderbar, Nicko«, sagte Silas einige Zeit später. »Du bist ein guter Seemann.«

»Danke, Dad«, sagte Nicko und strahlte übers ganze Gesicht, wie immer, wenn ein Boot gut im Wasser lag. Er steuerte die *Muriel* gekonnt und stimmte den Zug an der Ruderpinne so gut auf den Winddruck in den Segeln ab, dass das kleine Boot pfeifend die Wellen durchschnitt.

»Sind das die Marram-Marschen, Dad?«, fragte Nicko nach einer Weile und deutete auf das entfernte Ufer zu ihrer Linken. Die Landschaft um sie herum hatte sich verändert. Die *Muriel* segelte nun inmitten einer ausgedehnten Wasserfläche, und in der Ferne sah Nicko einen flachen, schneebedeckten Uferstreifen im Mondlicht glitzern.

Silas spähte übers Wasser. »Vielleicht solltest du mehr in diese Richtung segeln, Nicko«, schlug er vor und winkte ungefähr in die Richtung, in die Nicko zeigte. »Dann können wir nach dem Deppen Ditch Ausschau halten. Den müssen wir nämlich nehmen.«

Silas konnte nur hoffen, dass er die Einfahrt zum Deppen Ditch wieder erkannte. Das war der Kanal, der zur Hüterhütte führte, in der Tante Zelda wohnte. Sein letzter Besuch bei Tante Zelda lag lange zurück, und für ihn sah das Marschland überall gleich aus.

Nicko hatte soeben den Kurs geändert und steuert in die Richtung, in die Silas winkte, als ein heller Lichtstrahl die Dunkelheit hinter ihnen durchschnitt.

Es war der Suchscheinwerfer des Schnellboots.

# ⋆ 13 ⋆

## Die Jagd

Alle bis auf Junge 412, der immer noch schlief, starrten in die Nacht. Wieder strich das Suchlicht über den Horizont und erhellte die breite Wasserfläche und die flachen Ufer zu beiden Seiten. Für alle war klar, wer das war.

»Das ist der Jäger, nicht wahr, Dad?«, flüsterte Jenna.

Silas wusste, dass sie Recht hatte, sagte aber: »Nun ja, es könnte alles Mögliche sein, mein Schatz. Zum Beispiel ein Fischerboot … oder so was.« Es klang nicht überzeugend.

»Natürlich ist es der Jäger«, fuhr ihn Marcia an, deren Übelkeit mit einem Mal verflogen war. »In einem Verfolgungsschnellboot, wenn ich mich nicht irre.«

Marcia war sich dessen nicht bewusst, aber ihr war nicht mehr schlecht, weil die *Muriel* aufgehört hatte, über die Wellen zu hüpfen. Genau genommen tat die *Muriel* gar nichts mehr. Sie trieb nur richtungslos im Wasser.

Marcia sah Nicko vorwurfsvoll an. »Tempo, Nicko. Wieso sind wir langsamer geworden?«

»Ich kann nichts dafür«, antwortete Nicko besorgt, »der Wind hat abgeflaut.« Er hatte gerade Kurs auf die Marram-Marschen genommen, als Windstille eingetreten war. Die *Muriel* machte überhaupt keine Fahrt mehr, und die Segel hingen schlaff herab.

»Wir können doch nicht hier herumsitzen und Däumchen drehen«, sagte Marcia und beobachtete nervös das Suchlicht, das rasch näher kam. »In ein paar Minuten ist das Schnellboot hier.«

»Kannst du nicht ein bisschen Wind für uns herbeizaubern?«, fragte Silas aufgeregt. »Du gibst doch einen Fortgeschrittenenkurs über die Beherrschung der Elemente. Oder mach uns unsichtbar. Los, Marcia, tu etwas.«

»Ich kann nicht einfach ›ein bisschen Wind herbeizaubern‹, wie du es nennst. Ich habe nicht annähernd genug Zeit. Und wie du weißt, kann man nur sich selbst unsichtbar machen. Und niemand anders.«

Das Suchlicht huschte wieder übers Wasser. Größer, heller, näher. Und es kam schnell auf sie zu.

»Wir müssen paddeln«, sagte Nicko, der als Skipper beschlossen hatte, das Kommando zu übernehmen. »Wir paddeln in die Marsch hinüber und versteckten uns dort. Los. Beeilt euch.«

Marcia, Silas und Jenna schnappten sich jeweils ein Paddel. Junge 412 schreckte aus dem Schlaf hoch, als Jenna hastig nach einem Paddel griff und dabei seinen Kopf auf die Planken knallen ließ. Er sah sich traurig um. Wieso war er noch auf dem Boot mit den Zauberern? Was hatten sie mit ihm vor?

Jenna drückte ihm das letzte Paddel in die Hand. »Paddel«, befahl sie ihm. »So schnell, wie du kannst.« Ihr Befehlston erinnerte ihn an seine Ausbilder. Er tauchte das Paddel ins Wasser und paddelte so schnell er konnte.

Langsam, viel zu langsam, kroch die *Muriel* auf die rettenden Marram-Marschen zu, während der Scheinwerferstrahl kreuz und quer übers Wasser strich und gnadenlos seine Beute suchte.

Jenna spähte nach hinten und erblickte zu ihrem Entsetzen die dunklen Umrisse des Schnellboots. Es sah aus wie ein langer widerwärtiger Käfer mit fünf dünnen schwarzen Beinpaaren, die unablässig das Wasser durchschnitten, vor und zurück, vor und zurück. Die voll austrainierten Ruderer holten alles aus sich und dem Boot heraus, und der Vorsprung der *Muriel* schmolz rasch.

Im Bug saß die unverwechselbare Gestalt des Jägers, angespannt und zum Losschlagen bereit. Jenna fing seinen kalten, berechnenden Blick auf, und da fasste sie sich ein Herz und sprach Marcia an.

»Marcia«, sagte sie, »wir erreichen die Marschen nicht mehr rechtzeitig. Sie müssen etwas unternehmen. Sofort.«

Marcia war überrascht, dass sie so direkt angesprochen wurde, aber sie war angenehm überrascht. Gut gesprochen, dachte sie bei sich, wie eine wahre Prinzessin.

»Na schön«, sagte sie. »Ich könnte es mit Nebel versuchen. Dazu brauche ich fünfunddreißig Sekunden. Kalt und feucht genug ist es ja.«

Kein Besatzungsmitglied der *Muriel* zweifelte daran, dass es kalt und feucht genug war. Fraglich war nur, ob ihnen noch fünfunddreißig Sekunden blieben.

»Paddeln einstellen«, befahl Marcia. »Rührt euch nicht. Und seid still. Kein Wort.« Die Besatzung tat wie geheißen. In der nun eintretenden Stille vernahmen sie in der Ferne das rhythmische Klatschen der Schnellbootruder.

Marcia stand vorsichtig auf. Wenn der Boden doch nur nicht so schwanken würde! Sie lehnte sich an den Mast, um das Gleichgewicht nicht zu verlieren, holte tief Luft und breitete die Arme aus. Ihr Umhang flatterte wie zwei lila Schwingen.

»Nebel erwache!«, flüsterte die Außergewöhnliche Zauberin so laut, wie sie sich traute. »Nebel erwache und gewähre Schutz!«

Es war ein schöner Zauber. Jenna beobachtete, wie sich in der mondhellen Nacht dichte weiße Wolken am Himmel zusammenballten und gleich darauf den Mond verdunkelten. Eine eisige Kälte ging von ihnen aus, und es wurde totenstill. Überall, so weit das Auge reichte, stiegen erste zarte Nebelschleier vom schwarzen Wasser auf. Die Schleier wuchsen immer schneller, bildeten Knäuel und wurden zu dichten Schwaden, und dann zog Dunst von den Marschen herüber und vermischte sich mit ihnen. Und mittendrin, im Auge des Nebels, lag die *Muriel* und wartete geduldig, während der Nebel um sie herumwirbelte, sich wälzte und immer dichter wurde.

Bald war die *Muriel* in ein undurchdringliches Weiß eingehüllt, dessen feuchte Kälte Jenna bis in die Knochen spürte. Sie fühlte, wie Junge 412 neben ihr fürchterlich zu schlottern begann.

»Genau fünfunddreißig Sekunden«, murmelte Marcias Stimme aus dem Nebel. »Nicht übel.«

»Pst!«, machte Silas.

Tiefe Stille senkte sich über das Boot. Langsam hob Jenna die Hand und hielt sie sich vor die weit geöffneten Augen. Sie sah nichts außer Weiß. Aber sie konnte alles hören.

Sie hörte das Klatschen der zehn messerscharfen Ruder, die sich gleichzeitig hoben und senkten, hoben und senkten, hoben und senkten. Sie hörte das leise Zischen, mit dem die Spitze des Schnellboots das Wasser teilte, und dann ... dann war es so nahe, dass sie sogar das Keuchen der Ruderer hören konnte.

»*Stopp!*«, donnerte die Stimme des Jägers durch den Nebel. Das Klatschen der Ruder verstummte, und das Schnellboot glitt weiter, bis es stehen blieb. Die Besatzung der *Muriel* hielt den Atem an. Kein Zweifel, das Schnellboot war sehr nahe. Vielleicht zum Greifen nahe. Oder jedenfalls so nahe, dass der Jäger auf das überfüllte Deck der *Muriel* springen konnte ...

Jenna spürte, wie ihr Herz raste, doch sie zwang sich, langsam und geräuschlos zu atmen, und verharrte völlig reglos. Sie wusste, dass sie nicht gesehen, wohl aber gehört werden konnte. Nicko und Marcia taten dasselbe. Und auch Silas, der zudem mit der einen Hand Maxie die Schnauze zuhielt, damit er nicht losheulte, und ihn mit der anderen streichelte und beruhigte, denn der Nebel hatte dem Hund einen gehörigen Schrecken eingejagt.

Jenna spürte, dass Junge 412 unablässig zitterte. Sie streckte langsam den Arm aus und zog ihn an sich, um ihn zu wärmen. Junge 412 schien verkrampft, und Jenna hatte das Gefühl, dass er angestrengt der Stimme des Jägers lauschte.

»Wir kriegen sie!«, sagte der Jäger gerade. »Wenn das kein Hexennebel ist! Und was findet man mitten in einem Hexennebel?

Eine zaubernde Hexe. Mitsamt ihren Komplizen.« Ein selbstzufriedenes Glucksen drang durch den Nebel und ließ Jenna erschauern.

»Gebt auf!« Die geisterhafte Stimme des Jägers hüllte die *Muriel* ein. »Das Königsbalg ... die Prinzessin hat nichts von uns zu befürchten. Und ihr anderen auch nicht. Wir sind nur um eure Sicherheit besorgt und möchten euch in die Burg zurückbegleiten, bevor ihr einem tragischen Unfall zum Opfer fallt.«

Jenna verabscheute die ölige Stimme des Jägers. Es war zum Verrücktwerden, dass sie ihr nicht entgehen konnten, dass sie hier herumsitzen und sich seine gemeinen schmierigen Lügen anhören mussten. Am liebsten hätte sie zurückgebrüllt. Ihm gesagt, dass *sie* hier zu bestimmen habe. Dass seine Drohungen bei ihr nicht funktionierten. Dass *er* es bald bereuen würde. Und dann fühlte sie, wie Junge 412 tief Luft holte, und sie wusste genau, was er vorhatte.

Er wollte schreien.

Jenna hielt ihm fest den Mund zu. Er wehrte sich und versuchte, sie wegzustoßen, doch sie packte mit der anderen Hand seine Arme und presste sie ihm an den Leib. Jenna war stark für ihre Größe und sehr schnell. Junge 412 kam nicht gegen sie an, dünn und schwach, wie er war.

Junge 412 war wütend. Die letzte Chance, seinen Fehler wieder gutzumachen, war vertan. Er hätte als Held in die Jungarmee zurückkehren können, als derjenige, der tapfer den Fluchtversuch der Zauberer vereitelt hatte. Stattdessen hielt ihm die Prinzessin mit ihrer schmutzigen kleinen Hand den Mund zu, wovon ihm ganz schlecht wurde. Und sie war stärker als er. Das war nicht richtig. Er war ein Junge, und sie war nur ein dummes Mädchen. In seiner Wut strampelte er mit den Beinen und trat gegen die Planken, dass es laut bumste. Sofort war Nicko bei ihm, drückte seine Beine an den Boden und hielt sie so fest, dass er sie nicht mehr bewegen konnte.

Doch es war zu spät. Der Jäger lud seine Pistole mit einer Silberkugel. Der wütende Tritt von Junge 412 hatte ihm genügt. Jetzt wusste er genau, wo sie waren. Er grinste in sich hinein, als er die Pistole auf dem Dreibein drehte und in den Nebel richtete. Genau auf Jenna.

Marcia hörte das metallische Klicken der Silberkugel beim Laden. Sie hatte dieses Geräusch schon einmal gehört und nie vergessen. Sie überlegte fieberhaft. Sie konnte es mit einem »Umgürten und Beschützen« versuchen, aber sie kannte den Jäger. Er würde sie weiter beobachten und abwarten, bis die Kraft des Zaubers nachließ. Der einzige Ausweg war eine Projektion. Sie konnte nur hoffen, dass sie noch genug Kraft dafür hatte.

Marcia schloss die Augen und projizierte. Sie projizierte ein Bild der *Muriel* und ihrer Besatzung, wie sie in voller Fahrt aus dem Nebel segelte. Wie alle Projektionen war es ein Spiegelbild, doch sie hoffte, dass es dem Jäger im Dunkeln nicht auffiel, zumal die *leiruM* dann schon weit enteilt war.

»Sir!«, rief ein Ruderer in der Nacht. »Sie versuchen zu fliehen, Sir!«

»Ihnen nach, ihr Idioten!«, brüllte er die Ruderer an.

Langsam ruderten sie das Schnellboot aus dem Nebel.

»Schneller!«, tobte der Jäger, der es nicht verwinden konnte, dass ihm die Beute zum dritten Mal in dieser Nacht entkam.

Mitten im Nebel grinsten Jenna und Nicko. Eins zu null für sie.

# ⋆ 14 ⋆

## DEPPEN DITCH

Marcia war gereizt. Sehr gereizt. Gleichzeitig zwei Zauber aufrechtzuerhalten war schwierig. Zumal der eine, nämlich die Projektion, eine Umkehrform der Magie war und im Unterschied zu den meisten anderen Zaubern, die sie benutzte, noch Verbindungen zur dunklen Seite hatte, oder zur anderen Seite, wie Marcia sie lieber nannte. Nur mutige und geübte Zauberer konnten mit Umkehrzaubern arbeiten, ohne das Andere auf den Plan zu rufen. Alther war ihr ein guter Lehrer gewesen, denn in vielen Zaubern, die er von DomDaniel gelernt hatte, steckte tatsächlich noch schwarze Magie, und Alther hatte es geschickt verstanden, sie unschädlich zu machen. Marcia wusste nur zu gut, dass jedes Mal, wenn sie mit einer Projektion arbeitete, das Andere nur auf eine Gelegenheit lauerte, in den Zauber einzudringen.

Aus diesem Grund fand Marcia, dass sie sich jetzt nicht mit

anderen Dingen belasten konnte, schon gar nicht mit Höflichkeiten.

»Zum Kuckuck, sieh zu, dass du das verflixte Boot wieder flottmachst«, pflaumte sie Nicko an.

Nicko war gekränkt. Es bestand kein Grund, so mit ihm zu reden.

»Dann muss jemand paddeln«, knurrte er. »Und es würde nicht schaden, wenn ich sehen könnte, wo wir hinfahren.«

Unter großer Anstrengung, was sie noch gereizter machte, trieb Marcia einen Tunnel durch den Nebel. Silas schwieg. Er wusste, dass Marcia enorm viel Zauberkraft und Können aufbieten musste, und zollte ihr dafür widerwillig Respekt. Er selbst hätte sich niemals an eine Projektion gewagt oder gar gleichzeitig versucht, eine Nebelbank aufrechtzuerhalten. Sie war ziemlich gut, das musste er ihr lassen.

Silas überließ Marcia ihrer Magie und paddelte durch den dichten weißen Kokon des Nebeltunnels, während Nicko vorsichtig auf den Sternenhimmel am Ende des Tunnels zusteuerte. Wenig später schrappte das Boot über groben Sand, und die *Muriel* bumste gegen ein dickes Büschel Riedgras.

Sie hatten die rettenden Marram-Marschen erreicht.

Marcia stieß einen Seufzer der Erleichterung aus und ließ den Nebel sich auflösen. Alle entspannten sich bis auf Jenna, die als einziges Mädchen unter sechs Jungen das eine oder andere gelernt hatte. Sie hatte Junge 412 den Arm auf den Rücken gedreht und drückte ihn noch immer mit dem Gesicht auf die Planken.

»Lass ihn los«, sagte Nicko.

»Wieso?«, fragte sie.

»Er ist nur ein dummer Junge.«

»Aber er hat uns fast ans Messer geliefert«, erwiderte sie zornig. »Wir haben ihm das Leben gerettet, als er unterm Schnee begraben lag, und er verrät uns.«

Junge 412 schwieg. Unterm Schnee begraben? Sein Leben gerettet? Er konnte sich nur daran erinnern, dass er draußen vor dem Zaubererturm eingeschlafen und im Zimmer der Zauberin als Gefangener wieder aufgewacht war.

»Lass ihn los, Jenna«, sagte Silas. »Er begreift nicht, was hier gespielt wird.«

»Na schön«, sagte sie und entließ Junge 412 widerstrebend aus ihrem Fesselgriff. »Aber in meinen Augen ist er ein Schwein.«

Junge 412 setzte sich langsam auf und rieb sich den Arm. Es gefiel ihm nicht, dass ihn alle so anglotzten. Und noch weniger gefiel ihm, dass die Prinzessin ihn als Schwein beschimpfte, wo sie doch vorher so nett zu ihm gewesen war. Er rutschte so weit wie möglich von ihr weg und versuchte dahinter zu kommen, was hier gespielt wurde. Es war nicht einfach. Das alles ergab keinen Sinn. Er rief sich ins Gedächtnis, was er bei der Jungarmee gelernt hatte.

Tatsachen. Nur Tatsachen zählten. Gut und Schlechte. Also:

*Erstens: Entführt. SCHLECHT.*
*Zweitens: Uniform gestohlen. SCHLECHT.*
*Drittens: In Müllschlucker gestoßen. SCHLECHT. SEHR*
*SCHLECHT.*

*Viertens: Auf zugiges stinkendes Boot geworfen. SCHLECHT.*

*Fünftens: Von Zauberern (noch) nicht getötet. GUT.*

*Sechstens: Von Zauberern wahrscheinlich bald getötet.*
*SCHLECHT.*

Junge 412 zählte die guten und die schlechten Punkte zusammen. Wie üblich überwogen die schlechten, was ihn nicht überraschte.

Nicko und Jenna kletterten aus dem Boot und erklommen die grasbewachsene Uferböschung hinter dem Sandstrand, auf dem die *Muriel* jetzt mit schlaffen Segeln lag. Nicko wollte als Bootsführer eine Pause einlegen. Er nahm seine Aufgabe als Skipper sehr ernst, und solange er auf der *Muriel* weilte, fühlte er sich irgendwie für alles verantwortlich und gab sich selbst die Schuld, wenn etwas schief ging. Jenna war froh, dass sie wieder festen Boden unter den Füßen hatte, auch wenn er ziemlich feucht war – das Gras, in das sie sich gesetzt hatte, fühlte sich weich und glitschig an, als sprieße es aus einem großen nassen Schwamm, und obendrauf lag eine dünne Schneeschicht.

In sicherer Entfernung von Jenna hob Junge 412 vorsichtig den Kopf, und was er sah, ließ ihm die Haare zu Berge stehen. Magie. Mächtige Magie.

Er starrte Marcia an. Er konnte den magischen Energienebel sehen, der sie umgab, auch wenn er niemand außer ihm zu überraschen schien. Er schimmerte lila, flimmerte auf ihrem Umhang und überzog ihre dunklen Locken mit einem violetten Glanz. Ihre leuchtend grünen Augen funkelten, während sie in die Unendlichkeit starrte und sich einen Stummfilm ansah, den nur sie sehen konnte. Obwohl Junge 412 bei der Jungarmee eine Ausbildung in Zauberabwehr absolviert hatte, war er tief beeindruckt.

Der Film, den sich Marcia ansah, zeigte natürlich die *leiruM* und die Spiegelbilder ihrer sechs Besatzungsmitglieder. Sie segelten schnell der breiten Flussmündung entgegen und hatten fast die offene See bei Port erreicht. Ihr Tempo war für ein so kleines Segelboot unglaublich hoch, und zum Erstaunen des Jägers hielt das Schnellboot zwar den Sichtkontakt zur *leiruM*, kam aber nicht so nahe an sie heran, dass er seine Silberkugel abfeuern konnte. Zudem erlahmten die Kräfte der zehn Ruderer, und der Jäger, der unablässig »Schneller, ihr Idioten!« brüllte, war schon ziemlich heiser.

Der Lehrling hatte die ganze Verfolgungsjagd über brav hinten im Boot gesessen. Je mehr sich der Jäger in seine Wut hineingesteigert hatte, desto kleinlauter war er geworden und desto tiefer hatte er sich in seinem Winkel verkrochen, direkt neben den Schweißfüßen von Ruderer Nummer zehn. Doch irgendwann begann Ruderer Nummer zehn, sehr rüde und höchst interessante Bemerkungen über den Jäger vor sich hin zu murmeln, und der Lehrling wurde wieder etwas mutiger. Er blickte zur *leiruM*, die förmlich übers Wasser flog. Und je länger er die *leiruM* beobachtete, desto deutlicher hatte er das Gefühl, das hier etwas faul war.

Schließlich fasste er sich ein Herz und rief dem Jäger zu: »Ist Ihnen schon aufgefallen, dass der Name des Boots rückwärts geschrieben ist?«

»Willst du mich vergackeiern, Bürschchen?«

Der Jäger hatte scharfe Augen, aber vielleicht nicht so scharfe wie ein zehneinhalbjähriger Junge, dessen Hobby es war, Ameisen zu sammeln und zu bestimmen. Nicht umsonst hatte der Lehrling stundenlang hinter der Camera obscura seines Meisters gesessen und aus den fernen Ödlanden den Fluss beobachtet. Er kannte den Namen und die Geschichte jedes Bootes, das ihn befuhr. Er wusste, dass das Boot, das sie *vor* dem Nebel verfolgt hatten, die *Muriel* war, gebaut von einem gewissen Robert Gringe und zuletzt als Herings-fänger vermietet. Und er wusste, dass das Boot *nach* dem Nebel *leiruM* hieß, und *»leiruM«* war die spiegelverkehrte Schreibweise von »Muriel«. Und er war lange genug DomDaniels Lehrling, um zu wissen, was das bedeutete.

*leiruM* war eine Projektion, eine Erscheinung, eine Sinnestäu-schung, ein Trugbild.

Zum Glück für den Lehrling, der sich gerade anschickte, den Jä-ger über diesen interessanten Punkt aufzuklären, leckte im selben Augenblick drüben auf der echten *Muriel* der Wolfshund Maxie Marcia freundlich die Hand und sabberte sie voll. Marcia ekelte sich so vor der warmen Hundespucke, dass ihre Konzentration kurz nachließ, und für eine Sekunde verschwand die *leiruM* vor den Au-gen des Jägers. Sie erschien sogleich wieder, aber da war es schon zu spät. Die *leiruM* hatte sich verraten.

Der Jäger brüllte vor Wut und schlug mit der Faust auf die Mu-nitionskiste. Dann brüllte er wieder, aber diesmal vor Schmerz. Er hatte sich den Mittelhandknochen des kleinen Fingers gebrochen. Und das tat weh. Sich die Hand reibend, schrie er die Ruderer an: *»Wenden, ihr Idioten!«*

Das Schnellboot stoppte, die Ruderer drehten ihre Sitze um und ruderten in die entgegengesetzte Richtung. Der Jäger fand sich im Heck des Bootes wieder. Und der Lehrling zu seiner Freude ganz vorn.

Doch das Schnellboot war nicht mehr die gut funktionierende Maschine, die es gewesen war. Die Ruderer ermüdeten rasch und nahmen es gar nicht gut auf, dass sie von einem immer rabiater werdenden Möchtegernmörder angebrüllt und beschimpft wurden. Ihre Ruderschläge wurden langsamer, und das Boot glitt nicht mehr so ruhig durchs Wasser.

Der Jäger saß mit finsterer Miene im Heck. Er wusste, dass er zum vierten Mal in dieser Nacht die Spur verloren hatte. Die Jagd nahm eine ungünstige Wendung.

Umso mehr freute sich der Lehrling. Er kauerte nun vorn im Bug, hielt ähnlich wie Maxie die Nase in den Wind und genoss das Gefühl der Nachtluft auf seiner Haut. Außerdem war ihm ein Stein vom Herzen gefallen, denn er hatte bewiesen, dass er seiner Aufgabe gewachsen war. Der Meister konnte stolz auf ihn sein. Er malte sich aus, wie er wieder vor ihm stand und ihm schilderte, wie er die hinterhältige Projektion durchschaut und die Situation gerettet hatte. Vielleicht war der Meister dann nicht mehr so enttäuscht von ihm, weil er kein Talent zur Zauberei hatte. Er gab sich Mühe, wirklich, aber irgendwie bekam er nie etwas richtig hin. Egal was.

Es war Jenna, die den gefürchteten Suchscheinwerfer in der Ferne um eine Biegung kommen sah.

»Sie kommen zurück!«, schrie sie.

Marcia zuckte zusammen, verlor die Projektion völlig, und im fernen Port verschwanden die *leiruM* und ihre Besatzung für immer, zum blanken Entsetzen eines einsamen Anglers, der auf der Hafenmauer saß.

»Wir müssen das Boot verstecken«, sagte Nicko, sprang auf und rannte am Ufer entlang. Jenna eilte ihm nach.

Silas schubste Maxie aus dem Boot und befahl ihm, sich hinzulegen. Dann half er Marcia beim Aussteigen. Junge 412 kletterte nach ihr von Bord.

Marcia setzte sich ans Ufer des Deppen Ditch, fest entschlossen, ihre lila Pythonschuhe so lange wie möglich trocken zu halten. Alle anderen, zu Jennas Überraschung auch Junge 412, wateten durchs seichte Wasser und schoben die *Muriel* vom Strand, bis sie wieder schwamm. Dann ergriff Nicko die Bugleine, zog das Boot in den Kanal und versteckte es hinter einer Biegung, wo es vom Fluss aus nicht zu sehen war. Jetzt, bei Ebbe, lag die *Muriel* so tief im Kanal, dass ihr kurzer Mast hinter der steilen Böschung verschwand.

Das Gebrüll des Jägers wehte über das Wasser, und Marcia reckte den Hals und spähte über die Böschung, um festzustellen, was da vor sich ging. So etwas hatte sie noch nie gesehen. Der Jäger stand bedenklich weit hinten im Schnellboot, fuchtelte mit einem Arm wild in der Luft herum und feuerte eine Schimpfkanonade auf die Ruderer ab, die mittlerweile völlig aus dem Rhythmus waren und im Zickzack fuhren.

»Ich sollte es nicht tun«, murmelte Marcia. »Ich sollte es wirklich nicht tun. Es ist kleinkariert und rachsüchtig, und es setzt die Macht der Magie in ein schlechtes Licht, doch das ist mir schnuppe.«

Jenna, Nicko und Junge 412 erklommen die Böschung, um zu sehen, was Marcia vorhatte. Sie zeigte gerade mit dem Finger auf den Jäger und murmelte: »Mach einen Kopfsprung!«

Einen Sekundenbruchteil lang hatte der Jäger das komische Gefühl, gleich eine große Dummheit zu begehen – und dann beging er sie. Aus ihm unerfindlichen Gründen hob er elegant die Arme über den Kopf und senkte sie in Richtung Wasser. Dann beugte er langsam die Knie, hüpfte aus dem Boot und landete nach einem tadellosen Kopfsprung im eiskalten Nass.

Widerwillig und unnötig langsam setzten die Ruderer zurück und zogen den japsenden Jäger ins Boot.

»Das hätten Sie nicht tun dürfen, Sir«, tadelte ihn Ruderer Nummer zehn. »Nicht bei diesem Wetter.«

Der Jäger konnte nicht antworten. Seine Zähne klapperten so laut, dass er kaum denken, geschweige denn sprechen konnte. Die nassen Kleider klebten ihm am Leib, und er begann, in der kalten Nachtluft heftig zu zittern. Traurig ließ er den Blick über das Marschland schweifen. Mit Sicherheit waren seine Opfer dorthin geflüchtet, doch er konnte keine Spur von ihnen entdecken. Als erfahrener Jäger wusste er, dass es sinnlos war, mitten in der Nacht zu Fuß in die Marram-Marschen vorzudringen. Er konnte nichts mehr tun. Er hatte die Spur verloren und musste den Rückzug antreten.

Dann begann die lange Fahrt zurück zur Burg. Der Jäger kauerte im Heck des Schnellboots, pflegte seinen gebrochenen Finger und sann über das Scheitern der Jagd nach. Und über seinen Ruf.

»Geschieht ihm ganz recht«, sagte Marcia, »diesem gemeinen kleinen Kerl.«

»Nicht unbedingt professionell«, tönte eine vertraute Stimme vom Kanal herauf, »aber absolut verständlich, meine Liebe. In jungen Jahren wäre ich selbst in Versuchung geraten.«

»Alther!«, stöhnte Marcia und errötete leicht.

## MITTERNACHT AM STRAND

Onkel Alther!«, rief Jenna freudig, sprang die Böschung hinunter und lief zu ihm. Er stand am Strand und betrachtete verwundert die Angel in seiner Hand.

»Prinzessin!« Freudestrahlend nahm er sie in seine Geisterarme, und wie immer hatte Jenna dabei das Gefühl, eine Sommerbrise wehe durch sie hindurch.

»Ja, ja«, sagte Alther, »als Junge bin ich oft zum Angeln hierher gekommen, und wie es aussieht, habe ich auch die Angelrute mitgebracht. Ich hoffte, euch hier zu finden.«

Jenna lachte. Sie konnte sich nicht vorstellen, dass Onkel Alther jemals ein Junge gewesen war.

»Kommst du mit uns, Onkel Alther?«, fragte sie.

»Bedaure, Prinzessin, das geht nicht. Du kennst doch die Regeln des Geisterlebens:

## ALS GEIST DU STETS NUR DORTHIN DARFST,
## WO DU IM LEBEN SCHON MAL WARST.

Und leider bin ich als Junge nie weiter als bis zu diesem Strand hier gekommen. Hier gab es einfach zu viele Fische herauszuholen, verstehst du? Aber«, sagte er, das Thema wechselnd, »ist das ein Picknickkorb, was ich da im Boot sehe?«

Unter einer nassen Taurolle stand der Picknickkorb, den Sally Mullin ihnen mitgegeben hatte. Silas wuchtete ihn heraus.

»Autsch, mein Rücken«, stöhnte er. »Was hat sie denn da alles reingepackt?« Silas hob den Deckel. »Oh, kein Wunder«, seufzte er. »Randvoll mit Gerstenkuchen. Na, wenigstens hat er einen guten Ballast abgegeben, was?«

»Dad!«, protestierte Jenna. »Sei nicht so gemein. Also, wir mögen Gerstenkuchen, stimmt's, Nicko?«

Nicko verzog das Gesicht, aber Junge 412 blickte hoffnungsvoll. Etwas zu essen! Er hatte einen Bärenhunger – er konnte sich nicht mal mehr erinnern, was er als Letztes gegessen hatte. Ach ja, jetzt fiel es ihm wieder ein, einen Teller kalter, klumpiger Hafergrütze, heute Morgen um sechs, kurz vor dem Frühappell.

Silas zog die restlichen, leicht zerdrückten Sachen, die unter dem Kuchen lagen, hervor. Eine Zunderbüchse und trockenes Anmachholz, eine Blechkanne, etwas Schokolade, Zucker und Milch. Er entzündete ein kleines Feuer, füllte die Kanne mit Wasser und hängte sie darüber, um das Wasser zum Kochen bringen. Die anderen drängten sich um die Flammen, wärmten sich die kalten Hände und kauten auf den großen Kuchenstücken herum.

Selbst Marcia aß fast ein ganzes Stück, obwohl bekannt war, dass Gerstenkuchen gern zwischen den Zähnen kleben blieb. Junge 412 schlang seine Portion hinunter und verputzte obendrein alles, was die anderen übrig ließen. Anschließend warf er sich in den feuchten Sand und fragte sich, ob er jemals wieder auf die Beine kommen würde. Er hatte das Gefühl, als hätte jemand Beton in ihn hineingegossen.

Jenna fasste in ihre Tasche und holte Petroc Trelawney heraus. Er lag still und reglos in ihrer Hand. Sie streichelte ihn sanft, und Petroc streckte seine vier Stummelbeine von sich und strampelte damit hilflos in der Luft. Er lag auf dem Rücken wie ein verunglückter Käfer.

»Hoppla, falsch herum«, kicherte Jenna und setzte ihn richtig herum hin. Petroc Trelawney öffnete die Augen und blinzelte träge.

Jenna klebte einen Krümel Gerstenkuchen an ihren Daumen und hielt ihn dem Steintier hin.

Petroc Trelawney blinzelte abermals, sann über den Gerstenkuchen nach und knabberte dann vorsichtig an dem Krümel. Jenna war begeistert.

»Er frisst ihn!«, rief sie.

»Na klar«, sagte Nicko, »Steinkuchen für ein Steintier. Perfekt.«

Doch selbst Petroc Trelawney brachte nicht mehr runter als einen großen Krümel. Er schaute noch ein paar Minuten gemütlich um sich, dann schloss er die Augen und schlief in Jennas warmer Hand wieder ein.

Bald kochte das Wasser in der Kanne über dem Feuer. Silas brachte darin die Bitterschokolade zum Schmelzen und goss Milch dazu. Es war die Mischung, die ihm am besten schmeckte, und als sie überkochen wollte, schüttete er Zucker dazu und rührte um.

»Die beste heiße Schokolade aller Zeiten«, behauptete Nicko, und keiner widersprach ihm, als die Kanne herumging und allzu schnell leer war.

Unterdessen hatte Alther mit der Angelrute an seiner Wurftechnik gefeilt, und als er sah, dass die anderen fertig gegessen hatten, schwebte er ans Feuer. Er machte ein ernstes Gesicht.

»Nach eurer Flucht ist etwas passiert«, sagte er leise.

Silas bekam Magendrücken, und das lag nicht nur am Gerstenkuchen. Er hatte Angst.

»Was ist geschehen, Alther?«, fragte er in der schrecklichen Gewissheit, dass Sarah und die Jungen gefangen genommen worden waren.

Alther las seine Gedanken. »Das ist es nicht, Silas. Sarah und die Jungen sind wohlauf. Trotzdem ist es sehr schlimm. DomDaniel ist in die Burg zurückgekehrt.«

»Was?«, rief Marcia. »Er kann nicht zurückkommen. *Ich* bin die Außergewöhnliche Zauberin – ich habe das Amulett. Und der Turm ist voll mit Zauberern. Im Turm steckt genug Magie, um diesen abgehalfterten Hexenmeister in die Ödlande zurückzujagen, wo er hingehört. Bist du sicher, dass er zurück ist, oder ist das nur wieder so ein Scherz, den sich der Oberste Wächter, diese eklige kleine Ratte, in meiner Abwesenheit erlaubt?«

»Es ist kein Scherz«, sagte Alther. »Ich habe ihn mit eigenen Augen gesehen. Kaum war die *Muriel* hinter dem Rabenstein verschwunden, hat er sich im Hof des Zaubererturms materialisiert. Die ganze Gegend hat vor schwarzer Magie geknistert. Und es hat bestialisch gestunken. Die Zauberer gerieten in Panik und stoben in alle Richtungen auseinander wie Ameisen, wenn man in ihren Haufen tritt.«

»Welch eine Schande!«, rief Marcia. »Wie konnten sie nur? Also ich weiß nicht, aber das Niveau der Durchschnittszauberer ist heutzutage doch erschreckend.« Sie streifte Silas mit einem Blick. »Und wo war Endor? Sie ist doch meine Stellvertreterin. Jetzt sag nicht, auch Endor hat den Kopf verloren.«

»Nein, sie nicht. Sie kam heraus und trat ihm entgegen. Sie verriegelte mit einem Zauber die Tür.«

»Na, Gott sei Dank«, seufzte Marcia erleichtert. »Der Turm ist sicher.«

»Mitnichten, Marcia. DomDaniel hat Endor mit einem Feuerblitz niedergestreckt. Sie ist tot.« Alther machte einen besonders komplizierten Knoten in seine Angelschnur. »Es tut mir Leid.«

»Tot«, hauchte Marcia.

»Dann hat er die Zauberer abführen lassen.«

»Alle? Wohin?«

»Sie wurden alle in die Ödlande gebracht. Sie konnten nichts dagegen machen. Ich nehme an, er hat sie dort in eine Höhle gesperrt.«

»Oh, Alther!«

»Dann erschien der Oberste Wächter, dieser Giftzwerg, mit seinem Gefolge und scharwenzelte um ihn herum. Er himmelt seinen Herrn und Meister förmlich an. Er begleitete DomDaniel in den

Zaubererturm und hinauf ... äh ... hinauf in deine Gemächer, Marcia.«

»In meine Gemächer? DomDaniel in meinen Gemächern?«

»Nun, du wirst mit Freuden vernehmen, dass er, als er endlich oben ankam, nicht mehr fit genug war, um sich an ihnen zu freuen, denn er musste alle Etagen zu Fuß erklimmen. Es war nicht mehr genug Zauberkraft da, um die Treppe in Betrieb zu halten. Oder irgendetwas anderes im Turm.«

Marcia schüttelte fassungslos den Kopf. »Ich hätte nie gedacht, dass DomDaniel dazu in der Lage wäre. Niemals.«

»Ich auch nicht«, gab Alther zu.

»Ich dachte«, fuhr Marcia fort, »wir Zauberer könnten uns behaupten, bis die Prinzessin alt genug wäre, um die Krone zu tragen. Dann hätten wir uns von den Wächtern, der Jungarmee und all den dunklen Kräften befreit, die die Burg unsicher machen und den Menschen die Freude am Leben nehmen.«

»Ich auch«, erwiderte Alther. »Aber ich bin DomDaniel auf der Treppe gefolgt. Er hat ununterbrochen mit dem Obersten Wächter geschwatzt. Er konnte sein Glück nicht fassen. Du hättest nicht nur die Burg verlassen, sagte er, sondern obendrein auch noch das einzige Hindernis beseitigt, das seiner Rückkehr im Wege gestanden hätte.«

»Was für ein Hindernis?«

»Jenna.«

Jenna sah Alther bestürzt an. »Ich? Ein Hindernis? Was hat das zu bedeuten?«

Alther starrte nachdenklich ins Feuer. »Wie es scheint, Prinzessin, hast du diesen grässlichen alten Schwarzkünstler daran gehindert, ins Schloss zurückzukehren. Durch deine bloße Anwesenheit. Wie höchstwahrscheinlich auch deine Mutter. Ich habe mich immer gefragt, warum er die Meuchelmörderin zur Königin geschickt hat und nicht zu mir.«

Jenna erschauderte. Sie bekam große Angst. Silas legte den Arm um sie. »Das reicht, Alther. Du brauchst uns nicht zu Tode zu erschrecken. Ehrlich gesagt glaube ich, du bist nur eingeschlafen und hast einen Albtraum gehabt. Du weißt, dass du hin und weder einen hast. Die Wächter sind nichts weiter als eine Verbrecherbande, die jeder *anständige* Außergewöhnliche Zauberer schon vor Jahren verjagt hätte.«

»Ich habe es nicht nötig, mich von dir beleidigen zu lassen«, rief Marcia entrüstet. »Du hast ja keine Ahnung, was wir alles versucht haben, um uns ihrer zu entledigen. Nicht die leiseste Ahnung. Und von dir haben wir keine Hilfe bekommen, Silas Heap.«

»Ich weiß gar nicht, was die ganze Aufregung soll«, entgegnete Silas. »DomDaniel ist tot.«

»Nein, ist er nicht«, widersprach Marcia, wieder ruhiger.

»Sei nicht albern«, fuhr Silas sie an. »Alther hat ihn vor vierzig Jahren von der Spitze des Turms gestoßen.«

Jenna und Nicko stockte der Atem. »Ist das wahr, Onkel Alther?«, fragte Jenna.

»Nein!«, rief Alther erbost. »Es ist nicht wahr. Er ist von selbst gesprungen.«

»Wie auch immer«, sagte Silas stur, »jedenfalls ist er tot.«

»Nicht unbedingt ...«, widersprach Alther leise und blickte ins

Feuer. Der Feuerschein warf tanzende Schatten auf alle Anwesenden außer Alther, der gedankenversunken durch die Flammen schwebte und dabei versuchte, den Knoten zu lösen, den er vorhin in seine Angelschnur gemacht hatte. Das Feuer loderte kurz auf und erhellte die Menschen, die es umringten. Da ergriff Jenna das Wort.

»Was ist oben auf dem Turm mit DomDaniel geschehen, Onkel Alther?«, fragte sie.

»Das ist eine ziemlich schaurige Geschichte, Prinzessin. Ich möchte dir keine Angst machen.«

»Oh, bitte, erzähl sie uns«, bettelte Nicko. »Jen liebt Schauergeschichten.«

Jenna nickte etwas zaghaft.

»Nun«, sagte Alther, »es fällt mir schwer, sie in meinen eigenen Worten wiederzugeben, aber ich erzähle euch die Geschichte so, wie ich sie einmal an einem Lagerfeuer tief in den Wäldern gehört habe. Es war eine Nacht wie heute, Mitternacht. Der Vollmond stand hoch am Himmel, und eine alte und weise Wendron-Hexenmutter erzählte sie ihren Hexen.«

Im nächsten Augenblick verwandelte sich Alther Mella in eine wohlbeleibte und freundlich aussehende Frau in einem grünen Kleid. Im trägen schnarrenden Tonfall der Waldbewohner fuhr er fort:

»Die Geschichte beginnt auf der Spitze einer goldenen Pyramide, die einen hohen silbernen Turm bekrönt. Der Zaubererturm schimmert in der Morgensonne und ist so hoch, dass die vielen Menschen, die sich zu seinen Füßen versammelt haben, dem jungen Mann, der die abgestufte Seite der Pyramide erklimmt, wie Ameisen vorkommen. Der junge Mann hat schon einmal in die Tiefe zu den Ameisen geblickt, und die Höhe hat ihn schwindlig gemacht. Jetzt heftet er seinen Blick auf die Gestalt vor ihm, einen älteren, aber noch sehr gelenkigen Mann, der, und das ist sein großer Vorteil, nicht unter Höhenangst leidet. Der lila Umhang des Älteren flattert im scharfen Wind, der wie immer den Turm umweht, und für die Menge am Boden sieht er aus wie eine lila Fledermaus, die hoch zur Spitze der Pyramide flattert.

Was, so fragen sich die Zuschauer, hat ihr Außergewöhnlicher Zauberer im Sinn? Und ist das nicht sein Lehrling, der ihm folgt? Oder verfolgt er ihn gar?

Dann ist der Lehrling, Alther Mella, dicht hinter seinem Meister, DomDaniel. DomDaniel hat die Spitze der Pyramide erreicht, eine kleine quadratische Plattform aus getriebenem Gold mit eingelegten Hieroglyphen aus Silber, die den Turm verzaubern. Er steht mit wehendem Umhang aufrecht da, und sein Gürtel aus Gold und Platin, der Gürtel des Außergewöhnlichen Zauberers, glitzert in der Sonne. Er winkt seinen Lehrling zu sich.

Alther Mella weiß, dass er keine Wahl hat. Mit einem beherzten Sprung stürzt er sich auf den Meister und reißt ihn zu Boden. Er greift nach dem Echnaton-Amulett aus Gold und Lapislazuli, das der Meister an einer Silberkette um den Hals trägt.

Die Zuschauer im Hof halten den Atem an. Bestürzt blinzeln sie zu dem blendenden Gold der Pyramide hinauf und beobachten, wie der Lehrling mit seinem Meister ringt, wie die beiden sich auf der kleinen Plattform mal hierhin, mal dorthin wälzen und wie der Meister das Amulett dem Griff des Lehrlings zu entwinden sucht.

DomDaniel starrt Alther Mella hasserfüllt an, seine dunkelgrünen Augen funkeln vor Zorn. Althers hellgrüne Augen erwidern seinen Blick unerschrocken, und er spürt, wie das Amulett sich lockert. Er zieht mit aller Kraft, die Kette zerreißt in hundert Stücke, und er hält das Amulett in der Hand.

›Behalt es‹, zischt DomDaniel. ›Aber ich werde zurückkommen und es mir holen. Ich werde mit dem Siebten des Siebten kommen.‹

Die Menge schreit auf, als der Außergewöhnliche Zauberer von der Spitze der Pyramide springt und in die Tiefe stürzt. Sein Umhang breitet sich aus wie ein Paar herrliche Schwingen, vermag aber den Sturz nicht zu bremsen.

Und dann ist er verschwunden.

Auf der Spitze der Pyramide steht der Lehrling mit dem Echnaton-Amulett in der Hand und starrt entsetzt in die Tiefe ... sein Meister ist in die Unterwelt hinabgestiegen.

Die Menge drängt sich um die Stelle, wo DomDaniel aufgeschlagen ist. Der Boden ist versengt. Jeder hat etwas anderes gesehen. Einer sagt, DomDaniel hätte sich in eine Fledermaus verwandelt und sei davongeflogen. Ein anderer will beobachtet haben, wie ein Rappe erschien und in den Wald galoppierte, und wieder andere behaupten, DomDaniel hätte sich in eine Schlange verwandelt und sei unter einen Stein gekrochen. Aber keiner hat gesehen, was wirklich geschehen ist. Keiner hat gesehen, was Alther gesehen hat.

Mit geschlossenen Augen, um nicht in den gähnenden Abgrund blicken zu müssen, klettert Alther Mella von der Pyramide. Er öffnete sie erst wieder, als er durch die schmale Luke in die Bibliothek kriecht, die in der goldenen Pyramide untergebracht ist. Und dort sieht er mit Schrecken, was geschehen ist. Die schlichte grüne Wollkleidung, die er als Zauberlehrling trägt, hat sich in dicke lila Seide verwandelt. Der einfache Ledergürtel an seiner Taille ist mit einem Mal auffallend schwer. Er ist jetzt aus Gold und hat Intarsien aus Platin, die Geheimzeichen und Zauberformeln darstellen. Sie verleihen dem Außergewöhnlichen Zauberer, der Alther zu seinem Erstaunen nun geworden ist, Schutz und Stärke.

Alther betrachtet das Amulett in seiner zitternden Hand. Es ist ein kleiner runder Stein aus ultramarinblauem, mit goldenen Streifen durchzogenem Lapislazuli, in den ein magisches Zeichen in Form eines Drachen eingeritzt ist. Der Stein liegt schwer in seiner Hand. Er ist in einen goldenen Ring eingefasst, der oben so zusammengekniffen ist, dass er eine Öse bildet. An dieser Öse hängt noch ein Glied der Silberkette, die zersprungen ist, als er das Amulett abgerissen hat.

Nach kurzem Überlegen bückt er sich und löst den Lederschnürsenkel von seinem Stiefel. Er befestigt das Amulett daran und hängt es sich um den Hals, wie es alle Außergewöhnlichen Zauberer vor ihm getan haben. Und dann macht er sich an den langen Abstieg durch den Turm, das lange braune Haar noch zerzaust vom Kampf, das Gesicht bleich und ängstlich, die grünen Augen groß vor ehrfürchtigem Staunen, um vor die wartende Menge zu treten.

Ein Aufschrei empfängt Alther, als er durch die große, massive Silbertür taumelt, die den Eingang zum Zaubererturm bewacht. Es fällt kein Wort, denn man streitet nicht mit einem neuen Außergewöhnlichen Zauberer. Unter vereinzeltem leisem Murren zerstreut sich die Menge, und nur eine einzige Stimme ruft laut:

›So wie du es errungen hast, so wirst du es verlieren.‹

Alther seufzt. Er weiß, es ist wahr.

Er kehrt allein in den Turm zurück, und während er darangeht, die Spuren von DomDaniels schwarzer Magie zu beseitigen, wird nicht weit im kleinen Zimmer einer armen Zaubererfamilie ein Kind geboren.

Es ist ihr siebter Sohn, und sein Name ist Silas Heap.«

Am Feuer folgte ein langes Schweigen, und Alther nahm langsam wieder seine eigene Gestalt an. Silas zitterte. So hatte er die Geschichte noch nie gehört.

»Es ist unglaublich, Alther«, flüsterte er mit heiserer Stimme. »ich hatte ja keine Ahnung. Wie … woher wusste die Hexenmutter das alles?«

»Sie war unter den Zuschauern«, antwortete Alther. »Sie hat mich noch am selben Tag aufgesucht und mich dazu beglückwünscht, dass ich Außergewöhnlicher Zauberer geworden war, und ich habe ihr die Geschichte erzählt, so wie ich sie erlebt habe. Wenn du willst, dass die Wahrheit bekannt wird, brauchst du sie nur der Hexenmutter zu erzählen. Sie erzählt alles weiter. Ob man ihr glaubt, steht freilich auf einem anderen Blatt.«

Jenna zermarterte sich das Hirn. »Aber warum hast du Dom-Daniel überhaupt verfolgt, Onkel Alther?«

»Ah, gute Frage. Das habe ich der Hexenmutter nicht erzählt. Die dunklen Künste haben gewisse Seiten, über die man nicht leichtfertig sprechen sollte. Aber ihr solltet es erfahren, deshalb will ich es euch erzählen. Also, an jenem Morgen räumte ich wie jeden Tag die Bibliothek in der Pyramide auf. Es gehört zu den Aufgaben des Lehrlings, die Bibliothek in Ordnung zu halten, und ich nahm meine Pflichten ernst, auch wenn mein Meister ein unleidlicher Mensch war, aber das nur nebenbei. Jedenfalls fand ich an besagtem Morgen in einem Buch einen Zettel mit einem seltsamen Zauberspruch in DomDaniels Handschrift. Ich hatte zuvor schon einmal einen solchen Zettel herumliegen sehen, ihn aber nicht entziffern können, doch als ich mir diesen genauer ansah, kam mir eine Idee. Ich hielt ihn vor den Spiegel, und richtig: Der Zauberspruch war in Spiegelschrift geschrieben. Mir wurde mulmig zu Mute, denn mir war klar, dass es sich um einen Umkehrzauber handeln musste, der mit Kräften der dunklen Seite funktioniert, oder der anderen Seite, wie ich sie lieber nenne, da die andere Seite ja keineswegs immer nur schwarze Magie benutzt. Na, jedenfalls musste ich die Wahrheit über DomDaniel herausfinden und dahinter kommen, was er im Schilde führte, und so beschloss ich, das Wagnis einzugehen und den Zauberspruch zu lesen. Kaum hatte ich damit begonnen, da geschah etwas Schreckliches.«

»Was?«, hauchte Jenna.

»Hinter mir erschien ein Gespenst. Nun, zumindest konnte ich es im Spiegel sehen, doch als ich mich umdrehte, war es nicht mehr da. Aber ich konnte es spüren. Ich fühlte, wie es mir die Hand auf die Schulter legte, und dann vernahm ich seine Stimme. Sie klang hohl und sprach zu mir. Meine Zeit sei gekommen, sagte das Gespenst. Es sei hier, um mich wie vereinbart zu holen.«

Alther erschauderte bei der Erinnerung daran und griff an seine linke Schulter, wo die Hand des Gespensts gelegen hatte. Sie schmerzte vor Kälte, wie immer seit jenem Morgen.

Auch alle anderen erschauderten und rückten näher ans Feuer.

»Ich sagte dem Gespenst, dass ich nicht bereit sei. Noch nicht. Ich wusste nämlich, dass man sich der anderen Seite niemals verweigern darf. Aber sie warten gern. Zeit bedeutet ihnen nichts. Sie haben nichts anderes zu tun als zu warten. Das Gespenst sagte, es werde am nächsten Tag wiederkommen. Damit verschwand es. Als es fort war, machte ich mich daran, die Worte in Spiegelschrift zu lesen, und dabei stellte ich fest, dass DomDaniel mich an die andere Seite verschachert hatte. Ich sollte geholt werden, sobald ich die Zauberformel las. Das war der Beweis, dass er Umkehrmagie benutzte – das Spiegelbild der Magie, die Art, die den Menschen zum Verderben wird. Ich war ihm in die Falle gegangen.«

Das Lagerfeuer am Strand war heruntergebrannt, und alle drängten sich um die erlöschende Glut. Alther kam zum Ende seiner Geschichte.

»Plötzlich platzte DomDaniel in die Bibliothek und sah, dass ich die Formel las. Und dass ich trotzdem noch da war – dass ich nicht geholt worden war. Da begriff er, dass sein Spiel durchschaut war, und lief davon. Wie eine Spinne krabbelte er die Trittleiter hinauf, rannte oben auf den Regalen entlang und schlüpfte durch die Dachluke, die hinaus auf die Pyramide führte. Er lachte mich aus und forderte mich höhnisch auf, ihm zu folgen, wenn ich den Mut dazu hätte. Versteht ihr, er wusste, dass ich unter Höhenangst litt. Ich hatte keine Wahl, ich musste ihm nach.«

Keiner sprach ein Wort. Keiner, nicht einmal Marcia, kannte die ganze Geschichte.

Jenna brach das Schweigen. »Das ist ja schrecklich.« Sie erschauderte. »Ist das Gespenst wiedergekommen, um dich zu holen, Onkel Alther?«

»Nein, Prinzessin. Mit ein bisschen Unterstützung habe ich einen Gegenfluch gefunden. Dagegen war es machtlos.« Alther saß eine Weile nachdenklich da, dann fügte er hinzu: »Ich möchte nur, dass ihr alle eines wisst: Ich bin keineswegs stolz darauf, was ich auf dem Zaubererturm getan habe, auch wenn ich DomDaniel nicht in die Tiefe gestoßen habe. Für einen Lehrling ist es nämlich furchtbar, wenn er seinen Meister ablösen muss.«

»Aber du musstest es doch tun, Onkel Alther, oder etwa nicht?«, fragte Jenna.

»Ja, schon«, antwortete Alther ruhig. »Und wir werden es wieder tun müssen.«

»Und zwar noch heute Nacht«, erklärte Marcia. »Ich kehre auf der Stelle um und werfe den Schurken hochkant aus dem Turm. Der soll erleben, was es heißt, sich mit der Außergewöhnlichen Zauberin anzulegen.« Sie sprang auf, schlang sich den Umhang um und wandte sich zum Gehen.

Alther schnellte in die Höhe und fasste sie mit seiner Geisterhand am Arm. »Nein, Marcia. Nicht.«

»Aber Alther ...«, protestierte sie.

»Marcia, im Turm sind keine Zauberer mehr, die dir beistehen könnten, und wie ich höre, hast du Sally Mullin deinen Talisman gegeben. Ich flehe dich an, geh nicht. Es ist zu gefährlich. Du musst die Prinzessin in Sicherheit bringen. Und dafür sorgen, dass ihr nichts geschieht. Ich kehre in die Burg zurück und will sehen, was ich tun kann.«

Marcia sank in den nassen Sand. Sie wusste, dass Alther Recht hatte. Die letzten Flammen des Lagerfeuers erloschen zischend, als nasse große Schneeflocken fielen. Dunkelheit hüllte sie ein. Alther legte seine Geisterangelrute weg, stieg in die Luft und drehte über dem Deppen Ditch eine Runde. Er blickte über das Marschland, das sich bis zum Horizont erstreckte. Im Mondschein bot es einen friedlichen Anblick, ein ausgedehntes, mit Schnee bestäubtes Sumpfgebiet, aus dem da und dort kleine Inseln aufragten.

»Kanus«, sagte Alther und schwebte wieder zu Boden. »Als ich noch ein Knabe war, sind die Leute mit Kanus in den Marschen herumgefahren. Ihr werdet auch welche brauchen.«

»Das geht über meine Kräfte«, jammerte Marcia. »Ich bin viel zu erschöpft, um jetzt noch mit Booten herumzufuhrwerken.«

Silas sprang auf. »Los, Nicko«, sagte er. »Wir verwandeln die *Muriel* in ein paar Kanus.«

Die *Muriel* lag immer noch geduldig im Deppen Ditch, gleich hinter der Biegung, wo sie vom Fluss aus nicht zu sehen war. Nicko stimmte es traurig, dass ihr braves Boot geopfert werden sollte, doch er kannte die Gesetze der Magie und wusste nur zu gut, dass man durch Zauberei Materie weder zerstören noch erschaffen konnte. Also tröstete er sich mit dem Gedanken, dass die *Muriel* eigentlich gar nicht verschwinden, sondern nur in Form mehrerer Kanus neu zusammengesetzt werden würde.

»Kann ich ein schnelles haben, Dad?«, fragte er, als Silas die

*Muriel* musterte und über einen geeigneten Zauberspruch nachsann.

»Ich weiß nicht, was ein ›schnelles‹ ist, Nicko, ich bin froh, wenn es überhaupt schwimmt. Lass mich nachdenken. Vielleicht wäre ein Kanu für jeden nicht schlecht. Dann mal los. Verwandele dich in fünf! Oh, Mist!«

Fünf *Muriels* im Taschenformat schaukelten auf den Wellen.

»Dad«, jammerte Nicko, »du hast einen Fehler gemacht.«

»Eine Sekunde, Nicko. Mal überlegen. Jetzt hab ich's. Kanu, erneuere dich!«

»*Dad!*«

Ein riesiges Kanu lag eingeklemmt zwischen den Ufern des Kanals.

»Gehen wir es mal logisch an«, brummelte Silas vor sich hin.

»Wie wär's, wenn du einfach um fünf Kanus bittest?«, schlug Nicko vor.

»Gute Idee, mein Sohn. Aus dir wird doch noch ein Zauberer. Ich möchte Kanus für fünf zum Fahren!«

Der Zauber verpuffte, noch ehe er richtig begonnen hatte, und Silas saß mit ganzen zwei Kanus und einem Haufen Takelwerk und Holzplanken da, deren Farbe an die *Muriel* erinnerte.

»Nur zwei, Dad?«, fragte Nicko enttäuscht, weil er kein Kanu für sich allein bekam.

»Die müssen genügen«, erwiderte Silas. »Man kann Materie nicht häufiger als dreimal verwandeln, sonst wird sie mürbe.«

In Wahrheit war er froh, dass er überhaupt zwei Kanus zu Stande gebracht hatte.

Wenig später saß Nicko mit Jenna und Junge 412 in dem einen Kanu, das er *Muriel eins* getauft hatte, und Silas und Marcia zwängten sich in die *Muriel zwei*. Silas bestand darauf, vorn zu sitzen. »Ich kenne den Weg. Deshalb ist es vernünftiger.«

Marcia schnaubte ungläubig, wollte sich aber nicht aufregen. Sie war einfach zu müde.

»Los, Maxie«, befahl Silas dem Wolfshund. »Mach Platz bei Nicko.«

Doch Maxie hatte anderes im Sinn. Sein Lebenszweck bestand darin, bei seinem Herrn zu bleiben, und genau das wollte er tun. Er sprang Silas auf den Schoß, und das Kanu neigte sich bedenklich zur Seite.

»Kannst du nicht dafür sorgen, dass dein Hund keinen Unfug macht?«, fragte Marcia, die mit Bestürzung begriff, dass sie dem Wasser wieder fürchterlich nahe war.

»Natürlich kann ich. Er gehorcht mir aufs Wort, nicht wahr, Maxie?«

Nicko prustete.

»Leg dich nach hinten, Maxie«, befahl Silas dem Wolfshund streng. Geknickt sprang Maxie über Marcia hinweg ins Heck des Bootes und legte sich hinter ihr hin.

»Ich will ihn nicht hinter mir haben«, beschwerte sich Marcia.

»Aber neben mich kann er sich nicht setzen«, entgegnete Silas. »Ich muss mich darauf konzentrieren, wohin wir fahren.«

»Außerdem wird es höchste Zeit, dass ihr losfahrt«, sagte Alther, der nervös über ihnen schwebte. »Bevor es richtig zu schneien beginnt. Wie schade, dass ich nicht mitkommen kann.«

Alther stieg in die Höhe und sah zu, wie sie in den Deppen Ditch paddelten, der sich nun, bei einsetzender Flut, langsam wieder füllte. Jenna, Nicko und Junge 412 fuhren mit ihrem Kanu voran, Silas, Marcia und Maxie folgten im anderen.

Maxie saß aufrecht hinter Marcia und hechelte ihr aufgeregt seinen Hundeatem ins Genick. Er sog die neuen, feuchten Gerüche des Marschlands ein und lauschte den Geräuschen unterschiedlichster kleiner Tiere, die flink vor den Kanus flüchteten. Von Zeit zu Zeit überwältigte ihn die Erregung, und dann sabberte er fröhlich in Marcias Haar.

Bald erreichte Jenna einen schmalen Kanal, der vom Deppen Ditch abzweigte. Sie hielt an.

»Müssen wir hier abbiegen, Dad?«, rief sie nach hinten.

Silas blickte verwirrt. Er erinnerte sich überhaupt nicht an diese Stelle. Während er noch überlegte, ob er Ja oder Nein sagen sollte, riss ihn ein gellender Schrei Jennas aus seinen Gedanken.

Eine schleimige, schlammbraune Hand mit Schwimmhäuten zwischen den Fingern fasste aus dem Wasser und packte mit breiten schwarzen Krallen das Ende ihres Kanus.

# ★ 16 ★

## DER BOGGART

Die schleimige braune Hand tastete sich an der Seite des Kanus entlang auf Jenna zu. Dann bekam sie das Paddel zu fassen. Jenna zog das Paddel weg und wollte damit gerade kräftig auf die schleimige Pranke einschlagen, als eine Stimme rief. »He! Das kannste dir sparen.«

Ein seehundähnliches Geschöpf mit glitschigem braunem Fell zog sich so weit hoch, dass gerade sein Kopf aus dem Wasser schaute. Zwei leuchtende schwarze Knopfaugen glotzten Jenna an, die immer noch mit erhobenem Paddel dasaß.

»Wie wär's, wennde das weglegst? Sonst verletzt sich noch jemand. Wo wartn ihr so lange?«, fragte das Geschöpf mürrisch mit tiefer gurgelnder Stimme und breitem Marschlandakzent. »Ich warte schon Stunden. Und friere. Wie würde euchn das gefallen? Innem Kanal stecken und Däumchen drehen?«

Alles, was Jenna herausbrachte, war ein leises Quieksen. Ihre Stimme versagte den Dienst.

»Was ist denn, Jen?«, fragte Nicko, der hinter Junge 412 saß, nur um sicherzugehen, dass er keine Dummheiten machte, und das Geschöpf deshalb nicht sehen konnte.

»Da … das …« Jenna deutete auf das Geschöpf, das ein beleidigtes Gesicht machte.

»Was meinste denn mit *das?*«, fragte es. »Meinste mich? Meinste den *Boggart?*«

»Boggart? Nein. Das habe ich nicht gesagt«, murmelte Jenna.

»Aber ich. Boggart. So heiße ich nämlich. Boggart. Boggart, der Boggart. Schöner Name, findste nich?«

»Doch, doch«, antwortete Jenna höflich. »Hübsch.«

»Was ist denn los?«, fragte Silas, der zu ihnen aufschloss. »Ruhig, Maxie. Aufhören, hab ich gesagt!«

Maxie hatte den Boggart entdeckt und bellte wie verrückt. Maxie erblicken und abtauchen war für den Boggart eins. Seit der berüchtigten Boggart-Jagd vor vielen Jahren, bei der Maxies Vorfahren eine maßgebliche Rolle gespielt hatten, war der Boggart der Marram-Marschen ein seltenes Geschöpf. Mit einem guten Gedächtnis.

In sicherer Entfernung tauchte der Boggart wieder auf. »Wollt ihr den etwa mitnehmen?«, rief er mit hasserfülltem Blick auf Maxie. »Davon hatse mir nix gesagt.«

»Höre ich da einen Boggart?«, fragte Silas.

»Ja«, antwortete der Boggart.

»Zeldas Boggart?«

»Ja«, sagte der Boggart.

»Hat Zelda Sie geschickt, um uns abzuholen?«

»Ja.«

»Fein«, sagte Silas erleichtert. »Dann folgen wir Ihnen.«

»Gut«, sagte der Boggart, schwamm tiefer in den Deppen Ditch hinein und nahm die übernächste Abzweigung.

Der übernächste Seitenarm war viel schmaler als der Deppen Ditch und wand sich im Mondlicht wie eine Schlange durch die schneebedeckten Marschen. Es schneite ununterbrochen, und kein Laut war zu hören bis auf das Gurgeln und Plätschern des Boggart, der vor den Kanus herschwamm, dann und wann den Kopf aus dem Wasser streckte und rief: »Folgtn ihr mir noch?«

»Was sollten wir denn sonst tun?«, sagte Jenna zu Nicko und paddelte den immer schmaler werdenden Kanal entlang. »Als ob wir woanders hin könnten.«

Aber der Boggart nahm seine Pflichten ernst und stellte dieselbe Frage immer wieder, bis sie zu einem Teich gelangten, von dem mehrere, zugewachsene Kanäle abgingen.

»Besser, wir warten ma auf die andern«, sagte der Boggart. »Ich möchte se nich verlieren.«

Jenna schaute sich um. Marcia und Silas waren weit zurückgeblieben. Nur er paddelte. Sie bedeckte mit beiden Händen den Kopf. Hinter ihr reckte sich die lange spitze Schnauze eines abessinischen Wolfshunds, aus der ein langer glitzernder Streifen Sabber troff. Direkt in Marcias Haar.

Silas steuerte das Kanu in die Mitte des Teiches und legte erschöpft das Paddel weg.

»Ich bleibe keine Sekunde länger vor diesem Hund sitzen«, erklärte Marcia. »Der sabbert mir die Haare voll. Das ist ja ekelhaft. Lieber steige ich aus und gehe zu Fuß weiter.«

»Würd ich aber nich empfehlen, Euer Majestät«, ertönte die Stimme des Boggart neben ihr aus dem Wasser. Er schaute zu ihr empor und bestaunte mit seinen schwarzen Augen, die durch sein braunes Fell blinzelten, ihren im Mondlicht funkelnden Gürtel. Auch wenn der Boggart ein Schlammbewohner war, so hatte er doch eine Schwäche für alles, was funkelte und glänzte. Und etwas so Funkelndes und Glänzendes wie Marcias Gürtel aus Gold und Platin hatte er noch nie gesehen.

»Euer Majestät werden hier doch nich einfach rumlaufen wollen«, sagte er respektvoll zu ihr. »Am Ende laufen Se noch dem Marschfeuer nach, und eh Se sich versehen, sitzen Se im Wabberschlamm fest. Dem Marschfeuer sind schon viele nachgelaufen, und keiner is wiedergekommen.«

Ein tiefes Knurren entrang sich Maxies Kehle. Das Fell in seinem Nacken sträubte sich, und plötzlich sprang er, einem uralten und unwiderstehlichen Wolfshundinstinkt gehorchend, ins Wasser zu dem Boggart.

»Maxie! *Maxie!* Oh, dieser dumme Hund«, schrie Silas.

Das Wasser im Teich war eiskalt. Maxie jaulte und paddelte wie wild zum Kanu zurück.

Marcia stieß ihn weg.

»Hier kommt mir der Köter nicht mehr rein«, entschied sie.

»Marcia, er wird erfrieren«, protestierte Silas.

»Und wenn schon.«

»Hierher, Maxie«, rief Nicko. »Komm schon, alter Junge.« Er packte Maxie am Halstuch und zog ihn mit Jennas Hilfe ins Boot. Das Kanu krängte bedenklich, doch Junge 412, der keine Lust hatte, wie Maxie ein Vollbad zu nehmen, hielt sich an einer Baumwurzel fest und verhindert so, dass es kenterte.

Einen Augenblick lang stand Maxie bibbernd da, dann tat er, was jeder Hund tun muss, wenn er nass ist: Er schüttelte sich.

»*Maxie!*«, riefen Nicko und Jenna.

Junge 412 sagte nichts. Er konnte Hunde nicht ausstehen. Die einzigen Hunde, die er kannte, waren die bissigen Wachhunde der Wächter, und obwohl er sah, dass Maxie anders war, fürchtete er ständig, von ihm gebissen zu werden. Und so war es für ihn ein weiterer sehr schlimmer Augenblick an diesem schlimmsten Tag in seinem Leben, als Maxie sich an ihn schmiegte, ihm den Kopf auf den Schoß legte und einschlief. Maxie hingegen war zufrieden. Die Schaffelljacke von Junge 412 war warm und gemütlich, und die restliche Fahrt über träumte der Wolfshund von zu Hause, wo er mit all den anderen Heaps zusammengerollt am Ofen lag.

Der Boggart war weg.

»Boggart? Wo sind Sie, Mr Boggart?«, rief Jenna höflich.

Es kam keine Antwort. Nur die tiefe Stille, die in den Marschen einkehrt, wenn eine Schneeschicht Sumpf und Morast bedeckt, ihr Gluckern und Gurgeln dämpft und alle schleimigen Geschöpfe in die Tiefe des Schlammes zurücktreibt.

»Jetzt hat dein blöder Köter den netten Boggart verscheucht«, sagte Marcia erbost zu Silas. »Wozu musstest du ihn auch mitnehmen.«

Silas seufzte. Er hätte sich nicht im Traum vorgestellt, dass er eines Tages mit Marcia Overstrand in einem Boot sitzen würde. Aber wenn er es sich in einem schwachen Moment vorgestellt hätte, dann genau so, wie es sich jetzt abspielte.

In der Hoffnung, die Hüterhütte, in der Tante Zelda wohnte, zu entdecken, suchte Silas mit den Augen den Horizont ab. Die Hütte stand auf der Insel Draggen, einer der vielen Inseln im Marschland, die erst dann zu richtigen Inseln wurden, wenn das Land überflutet wurde. Doch alles, was Silas sehen konnte, war eine weiße Ebene, die sich in alle Richtungen dehnte, so weit das Auge reichte. Zu allem Unglück stiegen auch noch Dunstschwaden aus den Sümpfen auf und trieben übers Wasser, und ihm war klar, dass sie die Hütte bei dichtem Nebel nie finden würden, wie nahe sie ihr auch sein mochten.

Dann fiel ihm ein, dass die Hütte verzaubert war. Das bedeutete, dass sie ohnehin niemand sehen konnte.

Wenn sie den Boggart jemals gebraucht hatten, dann jetzt.

»Ich sehe ein Licht!«, rief Jenna plötzlich. »Das muss Tante Zelda sein. Sie sucht uns. Seht doch, da drüben!«

Alle Augen blickten in die Richtung, in die ihr Finger wies.

Ein flackerndes Licht tanzte über die Marschen, als hüpfe es von Grasbüschel zu Grasbüschel.

»Sie kommt auf uns zu«, sagte Jenna aufgeregt.

»Von wegen«, sagte Nicko. »Sieh doch, sie entfernt sich.«

»Vielleicht sollten wir ihr entgegengehen«, schlug Silas vor.

Marcia hatte Bedenken. »Woher wollt ihr denn wissen, dass es Zelda ist? Das könnte jeder sein. Oder sonst etwas.«

Alle verstummten bei dem Gedanken, dass da ein *Etwas* mit einer Lampe auf sie zukam, bis Silas sagte: »Es *ist* Zelda. Da, ich kann sie sehen.«

»Nein, kannst du nicht«, widersprach Marcia. »Das ist das Marschfeuer, von dem uns der hochintelligente Boggart gewarnt hat.«

»Marcia, ich werde doch Zelda kennen. Ich kann sie jetzt deutlich sehen. Sie trägt eine Lampe. Sie hat so weit zu gehen, und wir sitzen einfach nur da. Ich gehe ihr entgegen.«

»Der Volksmund sagt: Narren sehen im Marschfeuer, was sie wollen«, giftete Marcia. »Und du hast gerade bewiesen, dass er Recht hat, Silas.«

Silas machte Anstalten, aus dem Kanu zu steigen, aber Marcia hielt ihn am Umhang fest.

»*Platz!*«, befahl sie, als rede sie mit Maxie.

Doch Silas riss sich los wie ein Traumwandler, angezogen von dem flackernden Licht und dem Schatten Tante Zeldas, der zwischen den Dunstschwaden abwechselnd auftauchte und wieder verschwand. Mal war sie verlockend nahe, drauf und dran, sie zu entdecken und zu einem warmen Feuer und einem weichen Bett zu führen, mal entfernte sie sich und forderte sie auf, ihr zu folgen und zu ihr zu kommen. Silas hielt es nicht mehr aus. Er wollte dem Licht nahe sein. Er kletterte aus dem Kanu und stapfte davon, auf das flackernde Licht zu.

»Dad!«, schrie Jenna. »Dürfen wir mitkommen?«

»*Nein*, das dürft ihr nicht«, sagte Marcia bestimmt. »Und ich werde den alten Narren zurückholen müssen.«

Marcia holte gerade Luft für den Bumerang-Zauber, als Silas strauchelte und der Länge nach auf den sumpfigen Boden fiel. Wie er so dalag, spürte er, dass sich der Sumpf unter ihm bewegte, als wühlten Lebewesen tief unten im Morast. Er wollte aufstehen, doch er konnte nicht. Es war, als klebe er am Boden fest. Er war vom Marschfeuer noch so verwirrt, dass er nicht begriff, warum er nicht vom Fleck kam. Er wollte den Kopf heben und nachsehen, was los war, doch es ging nicht. In diesem Augenblick erkannte er die schreckliche Wahrheit: Etwas zog ihn an den Haaren.

Er fasste sich an den Kopf, und zu seinem Entsetzen spürte er in seinem Haar kleine knochige Hände, die sich seine langen widerspenstigen Locken um die Finger wickelten und an ihm zerrten, ihn in den Sumpf hinunterzogen. Verzweifelt versuchte er, sich loszureißen, doch je mehr er sich wehrte, desto mehr verhedderten sich die Finger in seinem Haar. Langsam und unaufhaltsam zogen sie ihn in die Tiefe. Bald bedeckte der Morast seine Augen. Und bald, sehr bald würde er auch seine Nase bedecken.

Marcia sah, was geschah, doch sie war nicht so dumm, zu Silas zu rennen.

»Dad!«, schrie Jenna und stieg aus dem Kanu. »Ich helfe dir, Dad.«

»Nein!«, befahl ihr Marcia. »Nicht. Das will das Marschfeuer doch nur. Der Sumpf wird auch dich verschlingen.«

»Aber … aber wir können doch nicht zusehen, wie Dad ertrinkt«, schrie Jenna.

Plötzlich stemmte sich eine untersetzte Gestalt aus dem Wasser, kletterte die Uferböschung hinauf und lief, gewandt von Grasbüschel zu Grasbüschel springend, zu Silas.

»Was tun Se denn im Wabberschlamm, Sir?«, fragte der Boggart unwirsch.

»Was?«, murmelte Silas, der die Ohren voller Schlamm hatte und nur das Gekreisch und Geheul der Kreaturen im Morast unter sich hörte. Die knochigen Finger zerrten weiter an ihm, und er spürte, wie ihn rasiermesserscharfe Zähne in den Kopf kniffen. Er wehrte sich verzweifelt, doch jede Gegenwehr führte nur dazu, dass er noch tiefer in den Morast gezogen wurde, begleitet von lautem Geschrei.

Entsetzt sahen Jenna und Nicko zu, wie Silas langsam versank. Warum unternahm der Boggart nichts? Jetzt gleich, bevor Silas für immer verschwand. Jenna hielt es nicht mehr aus. Sie sprang wieder aus dem Kanu, und Nicko machte Anstalten, ihr zu folgen.

Junge 412 wusste von dem einzigen Überlebenden eines Zugs Jungarmisten, der vor Jahren im Wabberschlamm verschollen war, alles über das Marschfeuer. Er hielt Jenna fest und versuchte, sie wieder ins Kanu zu ziehen. Wütend stieß sie ihn zurück.

Die plötzliche Bewegung erregte die Aufmerksamkeit des Boggart. »Bleib, wo de bist«, rief er eindringlich. Junge 412 zerrte noch einmal kräftig an Jennas Schaffelljacke, und sie plumpste ins Boot. Maxie winselte.

Die schwarzen Augen des Boggart blickten besorgt. Er wusste genau, wem die ineinander verschlungenen, verdrehten Finger gehörten, und er wusste, dass es mit ihren Besitzern immer Ärger gab.

»Diese verdammten Braunlinge!«, sagte er. »Gemeine Kerle. Ne Kostprobe Boggart-Atem gefällig, ihr hinterhältigen Biester?« Er beugte sich vor, holte ganz tief Luft und blies über die zerrenden Finger. Aus der Tiefe des Morastes vernahm Silas ein unerträgliches Kreischen. Es klang wie von Fingernägeln, die über eine Schiefertafel kratzten. Das Fingerknäuel löste sich aus seinem Haar, der Boden wackelte, und er spürte, wie sich die Kreaturen unter ihm davonmachten.

Er war gerettet.

Der Boggart half ihm, sich aufzusetzen, und rieb ihm den Schlamm aus den Augen.

»Hab ich Ihnen nich gesagt, das Marschfeuer wird Se in den Wabberschlamm locken?«, schimpfte der Boggart. »Und so isses auch gekommen, oder?«

Silas schwieg. Der stechende Geruch des Boggart-Atems, der noch in seinen Haaren hing, raubte ihm fast die Sinne.

»Nu haben Ses überstanden, Sir«, sagte der Boggart zu ihm. »Aber das war knapp. Das muss ich schon sagen. Seit Se die Hütte geplündert haben, hab ich keinen Braunling mehr anblasen müssen. Ah, Boggart-Atem is was Wunderbares. Manche mögen ihn nicht besonders, aber denen sag ich immer: ›Ihr werdet eure Meinung schnell ändern, wenn euch die Wabberschlammbraunlinge am Wickel haben.‹«

»Oh, äh, doch. Vielen Dank, Boggart«, stammelte Silas, immer noch benommen. »Haben Sie vielen Dank.«

Der Boggart führte ihn vorsichtig zum Kanu.

»Eure Majestät steigen besser vorne ein«, sagte er zu Marcia. »In dem Zustand kann er so'n Ding nicht fahren.«

Mit Marcias Hilfe wuchtete er Silas ins Boot, dann schlüpfte er ins Wasser zurück.

»Ich bring euch jetzt zu Miss Zelda, aber haltet mir bloß die Bestie vom Leib«, sagte er mit einem giftigen Blick Richtung Maxie. »Von dem Geknurre hab ich nen hässlichen Hautausschlag gekriegt. Ich bin mit Pusteln übersät. Hier, fühlen Se mal.« Der Boggart hielt Marcia sein pralles rundes Bäuchlein hin.

»Sehr freundlich von Ihnen«, sagte Marcia leise, »aber nein danke, nicht jetzt.«

»Vielleicht 'n andermal.«

»Bestimmt.«

»Dann mal los.« Der Boggart schwamm auf einen kleinen Kanal zu, den keiner zuvor bemerkt hatte.

»Folgtn ihr mir noch?«, fragte er, und er fragte es nicht zum letzten Mal.

# ★ 17 ★

## ALTHER IM ALLEINGANG

Während der Boggart die Kanus auf verschlungenen Wegen durch die Marschen führte, nahm Alther die Route, auf der sein altes Boot, die *Molly*, immer in die Burg zurückgekehrt war.

Alther flog so, wie er am liebsten flog, nämlich tief und sehr schnell, und so kam es, dass er schon bald das Schnellboot überholte. Es bot einen traurigen Anblick. Die zehn Ruderer waren erschöpft, und das Boot kroch langsam den Fluss hinauf. Im Heck saß zusammengekrümmt und zitternd der Jäger und haderte stumm mit seinem Schicksal, während der Lehrling zum großen Verdruss des Jägers vorn im Bug herumzappelte und gelegentlich aus Langeweile, und um wieder ein Gefühl in den Zehen zu bekommen, gegen die Bootswand trat.

Alther überflog das Boot ungesehen, denn er erschien nur denen, denen er erscheinen wollte, und setzte seine Reise fort. Am Himmel zogen schwere Schneewolken auf, der Mond verschwand, und die verschneiten Flussufer versanken in Dunkelheit. Die Burg war nicht mehr fern, als die ersten dicken Schneeflocken vom Himmel schwebten, und als Alther sich der letzten Flussbiegung näherte, die um den Rabenstein herumführte, war die Luft plötzlich erfüllt von Schnee.

Alther drosselte das Tempo, denn selbst ein Geist hat in einem Schneesturm schlechte Sicht, und flog vorsichtig weiter in Richtung Burg. Bald sah er durch die weiße Schneewand die rot glühenden Trümmer, die von Sally Mullins Tee- und Bierstube übrig geblieben waren. Der Schnee zischte und britzelte, wenn er auf die verkohlte Landungsbrücke fiel. Alther verweilte einen Augenblick über den traurigen Überresten von Sallys ganzem Stolz und dachte an den Jäger, der noch auf dem kalten Fluss war. Er hoffte, dass er seine Freude an dem Schneesturm hatte.

Alther flog über die Müllkippe hinweg, an der demolierten Rattentür vorbei und steil hinauf über die Burgmauer. Er wunderte sich, wie still und friedlich es in der Burg war. Irgendwie hatte er erwartet, dass von den Geschehnissen am Abend noch etwas zu spüren sei. Es war schon nach Mitternacht, und frischer Schnee bedeckte die leeren Höfe und alten Steinhäuser. Er umkurvte den Palast und flog über der breiten, unter dem Namen Zaubererallee bekannten Straße in Richtung Zaubererturm. Er wurde hibbelig. Was erwartete ihn?

Er schwebte außen am Turm empor, und bald hatte er das kleine Bogenfenster entdeckt, das er suchte. Er schmolz sich durch das Fenster und landete direkt vor Marcias Tür, wo er schon vor wenigen Stunden gestanden hatte. Alther tat das, was Geister tun, wenn unsereiner tief Luft holt, und konzentrierte sich. Dann löste er sich vorsichtig so weit auf wie nötig, um die massiven lila Bretter und die dicken silbernen Angeln der Tür zu durchdringen. Auf der anderen Seite setzte er sich wieder fachmännisch zusammen. Perfekt. Nun war er in Marcias Gemächern.

Und dort befand sich auch der Schwarzkünstler DomDaniel.

DomDaniel schlief auf Marcias Sofa. Er lag, in seinen schwarzen Umhang gewickelt, auf dem Rücken, den kurzen, schwarzen Zylinder tief in die Augen gezogen. Sein Kopf ruhte auf den Kissen von Junge 412. Sein Mund stand weit offen, und er schnarchte laut. Kein schöner Anblick.

Alther starrte ihn an. Es war ein komisches Gefühl, seinen alten Meister ausgerechnet hier wieder zu sehen, wo sie so viele Jahre zusammen verbracht hatten. Er dachte ohne jede Wehmut an jene Jahre zurück, obwohl er damals alles gelernt hatte, was er über die magischen Künste hatte wissen wollen, und noch viel mehr. DomDaniel war ein überheblicher und unangenehmer Außergewöhnlicher Zauberer gewesen. Er hatte sich für die Burg und ihre Bewohner, die seine Hilfe brauchten, überhaupt nicht interessiert und nur für seine Gier nach uneingeschränkter Macht gelebt. Und nach ewiger Jugend. Vielmehr nach ewigem mittlerem Alter, denn er hatte eine Weile gebraucht, bis er den Dreh heraus hatte.

Alther musterte den schnarchenden DomDaniel. Auf den ersten Blick sah er noch genauso aus, wie er ihn von früher in Erinnerung hatte, doch bei genauerem Hinsehen stellte er fest, dass sich doch manches verändert hatte. Die Haut des Schwarzkünstlers hatte einen Stich ins Graue, der wohl daher rührte, dass er viele Jahre unter der Erde bei den Schatten verbracht hatte. Ein Hauch der anderen Seite haftete noch an ihm und erfüllte den Raum mit einem feuchten Modergeruch. Noch während Alther hinsah, rann DomDaniel ein dünner Faden Speichel aus dem Mund, lief über sein Kinn und troff auf seinen schwarzen Umhang.

Begleitet von DomDaniels Schnarchen sah sich Alther im Zimmer um. Es hatte sich kaum verändert, so als könnte Marcia jeden Moment durch die Tür spazieren, Platz nehmen und ihm von ihrem Tag erzählen, wie sie es immer getan hatte. Dann aber fiel sein Blick auf den großen Brandfleck an der Stelle, wo der Feuerblitz die Meuchelmörderin niedergestreckt hatte. Ein verkohltes schwarzes Loch, das die Gestalt der Toten hatte, war in Marcias geliebten Seidenteppich gebrannt.

Es war also tatsächlich geschehen, dachte Alther.

Der Geist schwebte hinüber zum Müllschlucker, dessen Klappe noch offen stand, und spähte in den kalten schwarzen Schlund. Ihn schauderte. Die Schussfahrt in die Tiefe war bestimmt kein Vergnügen gewesen. Und dann überschritt er – denn er wollte unbedingt etwas tun, so unbedeutend es auch sein mochte –, die Grenze zwischen der Welt der Geister und der Welt der Lebenden.

Er knallte die Luke zu.

*Peng!*

DomDaniel schreckte aus dem Schlaf hoch. Bolzengerade saß er da und sah sich um. Im ersten Moment wusste er nicht, wo er war, dann erinnerte er sich wieder und stieß einen zufriedenen Seufzer aus. Er war wieder dort, wo er hingehörte. Wieder in den Räumen des Außergewöhnlichen Zauberers. Wieder in der Spitze des Turms. Endlich. Er schaute sich um. Wo steckte eigentlich sein Lehrling? Er hätte schon vor Stunden zurück sein müssen mit der Nachricht, dass die Prinzessin und diese unausstehliche Marcia Overstrand endlich tot seien, und vielleicht auch ein paar Heaps. Je weniger von ihnen am Leben blieben, desto besser. DomDaniel fröstelte in der kalten Nachtluft und schnippte ungeduldig mit den Fingern, um das Kaminfeuer wieder in Gang zu bringen. Flammen schossen empor, und *puff!*, blies Alther sie wieder aus. Dann wedelte er den Rauch aus dem Kamin, sodass DomDaniel husten musste.

Er konnte den alten Schwarzkünstler nicht vertreiben, dachte Alther grimmig, aber viel Freude sollte er hier auf jeden Fall nicht haben. Dafür würde er schon sorgen.

DomDaniel lag längst im Bett, doch er konnte nicht einschlafen. Die Laken waren offenbar darauf versessen, ihn zu erwürgen. In den frühen Morgenstunden kehrte der Lehrling endlich zurück. Der Junge war durchgefroren und blass vor Müdigkeit. Sein grüner Umhang war mit einer Schneekruste überzogen, und er zitterte, als der Wachmann, der ihn zur Tür eskortiert hatte, sich eilends wieder entfernte.

DomDaniel war schlecht gelaunt, als die Tür den Lehrling hereinließ.

»Ich hoffe«, sagte er zu dem schlotternden Jungen, »du bringst interessante Neuigkeiten.«

Alther schwebte um den Jungen herum, der vor Erschöpfung

kaum sprechen konnte. Er hatte Mitleid mit ihm – er konnte ja nichts dafür, dass er DomDaniels Lehrling war. Alther blies ins Kaminfeuer und fachte es wieder an. Der Junge sah die züngelnden Flammen und machte Anstalten, zum Kamin zu gehen.

»Wo willst du hin?«, donnerte DomDaniel.

»Ich ... ich friere, Sir.«

»Du gehst erst zum Kamin, wenn du mir berichtet hast, was geschehen ist. Sind sie *erledigt*?«

Der Junge blickte verwirrt. »Ich ... ich habe ihm gesagt, dass es nur eine Projektion gewesen ist«, stammelte er.

»Wovon redest du, Bursche? Was war eine Projektion?«

»Ihr Boot.«

»Aha, *das* hast du also hingekriegt. Ist ja auch ziemlich einfach. Aber sind sie erledigt? *Tot? Ja oder nein?*« DomDaniels Stimme schwoll zornig an. Er ahnte, was kam, doch er musste es hören.

»Nein«, antwortete der Junge leise mit verängstigter Miene. Der Schnee auf seinen Kleidern schmolz in der schwachen Wärme, die Althers Feuer spendete, und tropfte auf den Fußboden.

DomDaniel warf dem Lehrling einen vernichtenden Blick zu.

»Du bist eine einzige Enttäuschung. Ich nehme endlose Mühen auf mich, um dich von einer nichtsnutzigen Familie zu erlösen. Ich lasse dir eine Ausbildung zuteil werden, von der die meisten Jungen nur träumen können. Und was tust du? Du benimmst dich wie ein Vollidiot. Das ist mir unbegreiflich. Ein Junge wie du hätte die Aufrührer in null Komma nichts finden müssen. Und was tust du? Du kommst zurück, faselst was von Projektionen und ... und *versaust mir den ganzen Fußboden!*«

DomDaniel sah nicht ein, warum der Oberste Wächter weiter-schlafen sollte, wenn *er* schon wach war. Und was den Jäger an-ging, so war er sehr gespannt darauf, was der Kerl zu seiner Ver-teidigung zu sagen hatte. Er stürmte hinaus, knallte die Tür hinter sich zu und rannte schlotternd die feststehende silberne Wendel-treppe hinunter, vorbei an den dunklen Stockwerken, die seit dem Auszug aller Gewöhnlichen Zauberer gestern Abend leer standen.

Ohne Magie war es im Zaubererturm kalt und düster. Ein eisi-ger Wind heulte wie durch einen riesigen Schornstein, und Tü-ren klapperten in leeren Zimmern. Obwohl DomDaniel auf dem Weg nach unten von den endlosen Windungen der Treppe einen Drehwurm bekam, nahm er all diese Veränderungen wohlwollend zur Kenntnis. So sollte es von heute an bleiben. Der Turm als Stät-te ernster schwarzer Magie. Wo keiner von diesen Gewöhnlichen Zauberern mit seinen läppischen Kunststückchen herumalberte. Und wo keine abgeschmackten Weihrauchdüfte und Dudeleien mehr die Luft erfüllten. Von den lächerlichen Farben und Lichtern gar nicht zu reden. *Seine* Magie war zu Höherem bestimmt. Nur die Treppe könnte er bei Gelegenheit mal reparieren.

Schließlich trat DomDaniel in die dunkle stille Halle. Die Silber-tür zum Turm stand sperrangelweit offen. Schnee war hereinge-weht und bedeckte den reglosen Fußboden, der jetzt aus langwei-ligem grauem Stein war. Er rauschte durch die Tür und überquerte den Hof.

Wie er so durch den Schnee stapfte und durch die Zauberer-allee zum Palast eilte, bereute er, dass er sein Nachtgewand und sei-ne Pantoffeln nicht ausgezogen hatte, bevor er losmarschiert war.

Patschnass kam er am Palasttor an und sah so wenig Vertrauen erweckend aus, dass der Wächter ihm den Zutritt verwehrte.

DomDaniel streckte den Mann mit einem Feuerblitz zu Boden und ging hinein. Wenig später wurde der Oberste Wächter zum zweiten Mal in dieser Nacht aus dem Bett geholt.

Im Turm war der Lehrling unterdessen zum Sofa gewankt und frierend in einen unruhigen Schlaf gesunken. Alther hielt das Kaminfeuer in Gang. Während der Junge schlief, nutzte er die Gelegenheit für ein paar kleinere Veränderungen. Er lockerte den schweren Baldachin über dem Bett, sodass er nur noch an einem Faden hing. Er zog die Dochte aus allen Kerzen. Er kippte schmutzig grüne Farbe in die Wasserbehälter und siedelte eine Großfamilie gefräßiger Schaben in der Küche an. Er quartierte eine jähzornige Ratte unter den Fußbodendielen ein und lockerte bei den bequemsten Sesseln alle Zapfverbindungen. Und dann tauschte er noch DomDaniels schwarzen Zylinder, der einsam auf dem Bett lag, gegen einen anderen aus, der ein klein wenig größer war.

Als der Morgen dämmerte, verließ Alther den schlafenden Lehrling und machte sich auf in den Wald. Er folgte dem Pfad, den er vor vielen Jahren einmal mit Silas benutzt hatte, als sie Sarah und Galen besuchten.

# ⋆ 18 ⋆

## DIE HÜTERHÜTTE

Es war die Stille, die Jenna am nächsten Morgen in der Hüterhütte weckte. Nachdem sie zehn Jahre lang jeden
Tag durch den geschäftigen Lärm in
den Anwanden aufgewacht war, vom
Radau und Geschrei der sechs jungen
Heaps gar nicht zu reden, war die Stille
ohrenbetäubend. Sie öffnete die Augen,
und einen Augenblick lang glaubte sie
noch zu träumen. Wo war sie? Warum lag sie nicht zu Hause in ihrem
Schrankbett? Warum waren nur Jo-
Jo und Nicko hier? Wo waren ihre anderen Brüder?

Und dann kam die Erinnerung.

Sie setzte sich leise auf, um die Jungen nicht zu wecken, die neben ihr vor dem Kamin schliefen. Sie legte sich die Bettdecke um,
denn obwohl das Feuer noch glomm, war die Luft in der Hütte
feucht und kühl. Zögernd fasste sie sich an den Kopf.

Es stimmte also. Das Diadem war noch da. Sie war noch immer Prinzessin. Es war nicht nur wegen ihres Geburtstags gewesen.

Gestern war ihr den ganzen Tag alles so unwirklich vorgekommen, wie immer an ihrem Geburtstag. Als sei dieser Tag irgendwie Teil einer anderen Welt, einer anderen Zeit, und als ob alles, was an ihm geschah, nicht wirklich geschehe. Und dieses Gefühl hatte sie durch all die erstaunlichen Ereignisse an ihrem zehnten Geburtstag begleitet, das Gefühl, dass, ganz gleich was geschah, am nächsten Tag alles wieder normal sein würde, sodass es im Grunde überhaupt keine Rolle spielte.

Aber nichts war normal. Und es spielte sehr wohl eine Rolle.

Jenna verschränkte die Arme, um sich zu wärmen, und dachte nach. Sie war eine *Prinzessin*.

Sie und Bo, ihre beste Freundin, hatten sich oft vorgestellt, sie wären verschollene Prinzessinnenschwestern, die bei der Geburt getrennt und vom Schicksal in einer Schulbank der 6. Klasse an der Dritten Nordschule wieder zusammengeführt worden waren. Sie hatte es beinahe geglaubt – irgendwie hatte sie das Gefühl, dass es stimmte. Wenn sie bei Bo zu Hause war, hatte sie jedoch nicht den Eindruck, dass Bo zu einer anderen Familie gehörte. Mit ihren rotblonden Haaren und ihren vielen Sommersprossen sah sie ihrer Mutter so ähnlich, dass sie einfach ihre Tochter sein musste. Einmal hatte sie Bo darauf angesprochen, doch die hatte so beleidigt reagiert, dass sie nie wieder davon angefangen hatte.

Allerdings hatte es Jenna nicht davon abgehalten, sich weiter zu fragen, warum sie ihrer Mutter so gar nicht ähnlich sah. Oder ihrem Vater. Oder ihren Brüdern. Wieso hatte sie als Einzige dunkles

Haar? Wieso hatte sie keine grünen Augen? Wie sehr hatte sie sich immer grüne Augen gewünscht. Noch bis zum gestrigen Tag hatte sie darauf gehofft, dass sie sich irgendwann verfärben.

Sie hatte dem Tag entgegengefiebert, an dem Sarah zu ihr sagen würde: »Ich glaube, deine Augen verändern sich. Ich sehe heute deutlich eine Spur Grün.« Und später: »Du wirst schnell erwachsen. Deine Augen sind schon fast so grün wie die deines Vaters.«

Doch jedes Mal, wenn sie von Sarah wissen wollte, warum *ihre* Augen noch nicht so grün waren wie die ihrer Brüder, sagte sie immer nur: »Aber du bist doch unser kleines *Mädchen*, Jenna. Du bist etwas Besonderes. Du hast wunderschöne Augen.«

Aber davon ließ sie sich nicht täuschen. Sie wusste, dass auch Mädchen grüne Zaubereraugen bekommen konnten. Sie brauchte sich nur Miranda Bott anzusehen, die am Ende des Korridors wohnte und deren Großvater einen Secondhandladen für Zaubererumhänge hatte. Miranda hatte grüne Augen, obwohl nur ihr Großvater Zauberer war. Warum also hatte sie keine?

Der Gedanke an Sarah stimmte sie traurig. Sie fragte sich, ob sie sich jemals wieder sehen würden. Und sogar, ob Sarah noch ihre Mutter sein wollte, jetzt, wo alles anders war.

Sie schüttelte sich. Sei nicht albern, sagte sie sich, stand auf und stieg, noch in die Decke gewickelt, vorsichtig über die beiden schlafenden Jungen hinweg. Sie blieb kurz stehen, warf einen Blick auf Junge 412 und fragte sich, warum sie ihn vorhin für Jo-Jo gehalten hatte. Wahrscheinlich hatte das Licht sie getäuscht.

Bis auf das schwache Glimmen im Kamin war es in der Hütte noch dunkel, aber ihre Augen hatten sich daran gewöhnt, und so unternahm sie, die Decke auf dem Boden hinter sich herschleifend, einen kleinen Erkundungsgang durch die neue Umgebung.

Die Hütte war nicht groß. Im Erdgeschoss gab es nur ein Zimmer. Am einen Ende befand sich der große offene Kamin, auf dessen Steinplatte noch ein Haufen Holzscheite glomm. Auf dem Teppich davor lagen Nicko und Junge 412 unter warmen Flickendecken von Tante Zelda. Mitten im Zimmer war eine schmale Treppe mit einem Schrank darunter, auf dessen verschlossener Tür in schwungvollen goldenen Lettern *Unbeständige Tränke und Spezialgifte* stand. Jenna beschloss, die Finger davon zu lassen. Sie spähte die schmale Treppe hinauf, die in einen großen verdunkelten Raum führte, in dem Tante Zelda, Marcia und Silas schliefen. Und natürlich Maxie, dessen Schnarchen und Schniefen zu ihr herunter drang. Oder war es Silas, der schnarchte, und Maxie, der schniefte? Im Schlaf klangen Hund und Herrchen zum Verwechseln ähnlich.

Die Decke im Erdgeschoss war niedrig und bestand aus den gleichen roh behauenen Balken, aus denen die Hütte gebaut war. An diesen Balken hingen die verschiedensten Dinge: Paddel, Hüte, Muschelbeutel, Spaten, Hacken, Kartoffelsäcke, Schuhe, Bänder, Besen, Schilfgarben, Weidenknorren und natürlich hunderte Büschel Kräuter, die die Tante entweder selbst zog oder auf dem Zaubermarkt kaufte, der jedes Jahr unten in Port stattfand. Als Weiße Hexe verwendete Tante Zelda Kräuter sowohl für Zaubermittel und Tränke wie auch für Medizin. Auf dem Gebiet der Kräuterkunde machte ihr keiner so leicht etwas vor.

Jenna genoss es, dass sie als Einzige wach war und eine Weile ungestört herumwandern konnte. Sie schaute sich um. Es war schon ein seltsames Gefühl, in einer Hütte zu sein, deren vier Wände nicht an die Wände anderer Leute stießen. Hier war alles anders als in den trubeligen Anwanden, und doch fühlte sie sich schon fast wie zu Hause. Sie setzte ihren Rundgang fort und bestaunte die alten, aber bequemen Stühle und den sauberen Tisch, der nicht so aussah, als könnte er jeden Augenblick zusammenbrechen und das Zeitliche segnen. Doch am meisten beeindruckte sie der frisch gefegte Steinfußboden, auf dem nichts, aber auch gar nichts herumlag. Er war mit ein paar abgetretenen Teppichen ausgelegt, und an der Tür standen Tante Zeldas Stiefel. Das war alles.

Sie warf einen Blick in die kleine angebaute Küche. Ein großer Spülstein, blitzsaubere Töpfe und Pfannen und ein kleiner Tisch. Doch in der Küche war es viel zu kalt, um zu verweilen. Jenna wanderte ans andere Ende des Raums. In den Regalen an der Wand reihten sich Flaschen und Krüge mit Tränken, die sie an zu Hause erinnerten. Einige wurden auch von Sarah verwendet. Die Namen *Froschmixtur*, *Wundermischung* und *Grundgebräu* waren ihr alle vertraut. Und dann stand da noch ein kleiner Schreibtisch, tadellos aufgeräumt, mit Stiften, Papier und Notizbüchern, und drum herum schwankende Bücherstapel, die bis zur Decke reichten, genau wie zu Hause. Es waren so viele Zauberbücher, dass sie fast die gesamte Wand einnahmen, doch anders als zu Hause bedeckten sie nicht auch noch den Fußboden.

Das erste Dämmerlicht drang durch die vereisten Scheiben, und Jenna beschloss, sich draußen etwas umzusehen. Auf Zehenspitzen schlich sie zu der großen Holztür und zog ganz langsam den großen, gut geölten Riegel zurück. Dann drückte sie die Tür vorsichtig auf in der Hoffnung, dass sie nicht quietschte. Sie quietschte nicht, denn Tante Zelda war, wie alle Hexen, mit Türen sehr pingelig. Eine quietschende Tür im Haus einer Weißen Hexe war ein schlechtes Zeichen, das auf verunglückte Zauber hinwies.

Jenna schlüpfte leise hinaus und setzte sich mit der Decke auf die Stufe vor der Tür. Ihr warmer Atem bildete weiße Wolken in der kalten Morgenluft. Dichter Nebel lag über dem Moor, schmiegte sich an die Erde, wirbelte über dem Wasser und um eine kleine Holzbrücke, die über einen breiten Kanal führte. Der Kanal war randvoll mit Wasser. Er hieß Mott und umschloss Tante Zeldas Insel wie ein Burggraben. Das Wasser war dunkel und an der Oberfläche ganz glatt, als sei eine dünne Haut darüber gespannt. Doch beim genauen Hinsehen erkannte Jenna, dass es über die Ufer schwappte und auf die Insel strömte.

Seit Jahren beobachtete Jenna das Auf und Ab der Gezeiten. Daher wusste sie, dass sie nach dem Vollmond letzte Nacht heute Morgen Springflut hatten. Das Wasser würde bald wieder zurückgehen, so wie es auch im Fluss vor ihrem kleinen Fenster zu Hause immer zurückging, bis es so niedrig war, dass die Wasservögel mit ihren langen krummen Schnäbeln im zurückbleibenden Sand und Schlamm stochern konnten.

Die fahle weiße Scheibe der Wintersonne stieg langsam durch den dichten Nebel herauf, und die Stille wich dem Frühkonzert der erwachenden Tiere. Ein aufgeregtes Gackern ließ Jenna zusammenzucken und in die Richtung blicken, aus der es kam. Zu ihrem Erstaunen tauchten die Umrisse eines Fischerboots aus dem Nebel auf.

Jenna hatte in den letzten vierundzwanzig Stunden mehr neue und merkwürdige Dinge gesehen, als sie jemals im Traum für möglich gehalten hätte. Deshalb war ein Fischerboot, dessen Besatzung aus Hühnern bestand, für sie nicht die große Überraschung, die es wohl sonst gewesen wäre. Sie setzte sich einfach wieder auf die Türstufe und wartete darauf, dass das Boot vorbeifuhr. Minuten vergingen, doch es kam überhaupt nicht näher, und Jenna fragte sich, ob es auf Grund gelaufen war. Abermals ein paar Minuten später, als der Nebel noch lichter geworden war, begriff sie: Das Fischerboot war ein Hühnerstall. Ein Dutzend Hennen staksten vorsichtig das Fallreep herunter und begannen ihr Tagwerk. Scharren und picken, scharren und picken.

Die Dinge sind nicht immer, was sie scheinen, dachte Jenna.

Der Schrei eines Vogels schrillte durch den Nebel, und vom Wasser kam ein gedämpftes Plätschern, das nach einem kleinen Tier klang. Hoffentlich ein Pelztier, dachte Jenna. Aber vielleicht war es auch eine Wasserschlange oder ein Aal. Sie beschloss, nicht weiter darüber nachzudenken, lehnte sich gegen den Türrahmen und sog die frische, leicht salzige Luft der Marschen ein. Es war herrlich hier. So friedlich und ruhig.

»Hu!«, machte Nicko. »Hab ich dich drangekriegt, Jen!«

»Pst, Nicko«, protestierte Jenna. »Mach nicht solchen Lärm.«

Nicko setzte sich neben sie auf die Türstufe, grapschte sich einen Zipfel ihrer Decke und wickelte sich ein.

»Bitte«, sagte Jenna.

»Was?«

»Könnte ich bitte ein Stück von deiner Decke haben, Jenna? Aber gern, Nicko. Oh, vielen Dank, Jenna, das ist sehr freundlich von dir. Nicht der Rede wert, Nicko.«

»Nicht der Rede wert? Na, dann Schwamm drüber«, sagte Nicko. »Und vermutlich muss ich jetzt einen Hofknicks vor dir machen, wo du eine Hochwohlgeboren bist.«

»Jungen machen keinen Knicks«, lachte Jenna. »Du musst einen Diener machen.«

Nicko sprang auf, lüftete mit schwungvoller Geste einen nicht vorhandenen Hut und verbeugte sich übertrieben tief.

Jenna klatschte. »Prima. Das darfst du jetzt jeden Morgen machen.« Sie lachte.

»Vielen Dank, Eure Majestät«, sagte Nicko ernst und setzte den nicht vorhandenen Hut wieder auf.

»Ich frage mich, wo der Boggart steckt«, sagte Jenna schläfrig.

Nicko gähnte. »Wahrscheinlich irgendwo auf dem Boden eines Schlammlochs. Ich glaube nicht, dass er in einem Bett liegt.«

Jenna lachte. »Das wäre ihm bestimmt ein Gräuel. Zu trocken und zu sauber.«

»Also, ich gehe wieder ins Bett«, sagte Nicko. »Im Gegensatz zu dir brauche ich mehr als zwei Stunden Schlaf.« Er wickelte sich aus Jennas Decke und schlurfte zurück zu seiner eigenen, die als zerknüllter Haufen vor dem Kamin lag. Auch Jenna war noch sehr müde. Sie spürte an ihren Augenlidern dieses Kribbeln, das sie immer bekam, wenn sie nicht genug geschlafen hatte. Außerdem wurde ihr langsam kalt. Sie stand auf, raffte die Decke zusammen, schlüpfte zurück ins Halbdunkel der Hütte und schloss ganz leise die Tür hinter sich.

# TANTE ZELDA

Guten Morgen allerseits«, rief Tante Zelda mit vergnügter Stimme den Schläfern unter dem Haufen Decken vor dem Kamin zu.

Junge 412 erwachte panisch, denn er glaubte, er sei noch bei der Jungarmee, müsse sofort aus dem Bett springen und in exakt dreißig Sekunden zum Frühappell antreten. Verständnislos glotzte er Tante Zelda an. Sie sah ganz anders aus als sein üblicher morgendlicher Peiniger, jener kahl geschorene Oberkadett, der sich einen Spaß daraus machte, jedem, der nicht augenblicklich aus dem Bett hüpfte, einen Eimer eiskaltes Wasser über den Kopf zu schütten. Beim letzten Mal, als ihm das passiert war, hatte er hinterher tagelang in einem feuchten Bett schlafen müssen. Jetzt sprang er erschrocken auf, beruhigte sich aber etwas, als er sah, dass Tante Zelda keinen Eimer mit kaltem Wasser in der Hand hielt, sondern ein Tablett mit mehreren Bechern heißer Milch und einem Berg Buttertoasts.

»Aber, aber, junger Mann«, sagte Tante Zelda. »Kein Grund zur Eile. Kuschel dich ruhig wieder hin und trink das, solange es noch heiß ist.« Sie reichte ihm einen Becher Milch und dazu die größte Scheibe Toast, denn sie fand, dass ihm etwas Speck auf den Rippen nicht schaden konnte.

Junge 412 setzte sich wieder hin, wickelte sich in die Decke, nippte irgendwie misstrauisch an seiner heißen Milch und kostete seinen Toast. Zwischen den Schlücken und Bissen blickte er mit weit aufgerissenen Augen ängstlich in die Runde.

Tante Zelda setzte sich in einen alten Sessel am Kamin und warf ein paar Scheite in die Glut. Bald brannte das Feuer lichterloh, und sie wärmte sich an den Flammen zufrieden die Hände. Junge 412 schielte jedes Mal zu ihr hinüber, wenn er sich unbeobachtet wähnte. Aber natürlich bemerkte sie es. Sie kümmerte sich gern um verängstigte und verletzte Geschöpfe, und für sie bestand nicht der geringste Unterschied zwischen Junge 412 und den verschiedenen Tieren der Marschen, die sie regelmäßig wieder gesund pflegte. Ja, er erinnerte sie sogar an ein kleines, völlig verstörtes Kaninchen, das sie unlängst aus den Klauen eines Marschluchses gerettet hatte. Der Luchs hatte stundenlang mit dem Löffelzwerg gespielt, ihn in die Ohren gezwickt, durch die Luft geworfen und sich an seinem lähmenden Entsetzen geweidet, aber noch lange nicht daran gedacht, ihm das Genick zu brechen. Als er das verängstigte Tier in seiner Begeisterung etwas zu weit schleuderte, nämlich direkt vor Tante Zeldas Füße, packte sie es kurzerhand, stopfte es in die Tasche, die sie immer dabeihatte, und eilte schnurstracks nach Hause. Der Luchs durchkämmte noch stundenlang die Umgebung und suchte vergeblich nach seiner Beute.

Das Kaninchen hatte tagelang am Kamin gehockt und sie genauso angesehen, wie Junge 412 es jetzt tat. Aber, so dachte Tante Zelda bei sich, während sie das Feuer schürte und es vermied, den Jungen lange anzusehen, um ihm keine Angst zu machen, das Kaninchen hatte sich erholt. Mit Sicherheit würde sich der Junge auch erholen.

Verstohlen betrachtete der Junge Tante Zeldas graues Kraushaar, ihre rosigen Wangen, ihr beruhigendes Lächeln und ihre freundlich blitzenden blauen Hexenaugen. Er benötigte ziemlich viele solcher Blicke, um ihr weites Flickenkleid in Augenschein zu nehmen, das überhaupt nicht erkennen ließ, was für eine Figur sie hatte, vor allem wenn sie saß. Es war, als hätte Tante Zelda ein großes Flickenzelt betreten und dann den Kopf oben rausgestreckt, um nachzusehen, was draußen los war. Bei dem Gedanken spielte ein Lächeln um den Mund von Junge 412.

Tante Zelda bemerkte das Lächeln und freute sich. Sie hatte in ihrem Leben noch nie ein so ausgehungertes und verängstigtes Kind gesehen, und es machte sie ganz fuchsig, wenn sie daran dachte, wie der Junge so geworden war. Bei ihren gelegentlichen Besuchen in Port hatte sie von der Jungarmee gehört, doch die Schauergeschichten, die man sich erzählte, hatte sie nie geglaubt. Ausgeschlossen, kein Mensch behandelte Kinder so. Aber jetzt fragte sie sich, ob an den Geschichten nicht doch mehr dran war, als sie hatte wahrhaben wollen.

Sie lächelte Junge 412 zu, stemmte sich mit einem wohligen Seufzer aus dem Sessel und schlurfte davon, um noch mehr Milch zu holen.

Unterdessen wachten Nicko und Jenna auf. Junge 412 rutschte ein Stück weiter von ihnen weg. Er hatte nicht vergessen, wie ihm Jenna letzte Nacht den Arm auf den Rücken gedreht hatte. Doch Jenna lächelte nur müde und fragte: »Hast du gut geschlafen?«

Er nickte und blickte in seinen fast leeren Becher.

Nicko setzte sich auf, brummte den beiden ein »Morgen« zu, schnappte sich eine Scheibe Toast und stellte zu seiner Überraschung fest, dass er einen Mordshunger hatte. Tante Zelda kehrte mit einem Krug heißer Milch zum Kamin zurück.

»Nicko!«, lächelte sie. »Wie groß du geworden bist, seit ich dich das letzte Mal gesehen habe! Damals warst du noch ein kleines Kind. Das waren noch Zeiten, als ich deine Eltern regelmäßig in den Anwanden besuchte. Glückliche Zeiten.«

Tante Zelda seufzte und reichte Nicko seine Milch.

»Und unsere Jenna erst!« Tante Zelda schenkte ihr ein breites Lächeln. »Ich wollte euch immer mal besuchen kommen, aber als die … aber dann wurde alles so schwierig. Aber Silas hat die verlorene Zeit wieder aufgeholt und mir *alles* über euch erzählt.«

Jenna lächelte ein wenig schüchtern, froh, dass Tante Zelda »unsere« gesagt hatte. Sie nahm den Becher, den die Tante ihr hinhielt, und blickte verschlafen ins Feuer.

Eine zufriedene Stille kehrte ein, die nur durch das Schnarchen von Maxie und Silas im Obergeschoss und das Mampfen der Kinder im Erdgeschoss unterbrochen wurde. Jenna, die neben dem Kamin an der Wand saß, meinte nach einer Weile ein leises Miauen aus der Wand zu hören. Da sie aber dachte, das sei unmöglich, nahm sie an, dass es von draußen kam, und achtete nicht weiter darauf. Doch das Miauen hörte nicht auf. Es wurde sogar immer lauter und, wie Jenna fand, immer ungehaltener. Sie legte ein Ohr an die Wand und vernahm deutlich das Miauen einer ärgerlichen Katze.

»Da ist eine Katze in der Wand …«, sagte Jenna.

»Erzähl weiter«, sagte Nicko, »den kenne ich noch nicht.«

»Das ist kein Witz. Da ist wirklich eine Katze in der Wand. Ich kann sie hören.«

Tante Zelda sprang auf. »Ach du grüne Neune! Ich habe Berta ganz vergessen. Jenna, Liebes, würdest du Berta bitte die Tür aufmachen?«

Jenna sah sie verwirrt an. Tante Zelda deutete auf eine kleine Holztür unten an der Wand neben ihr. Jenna zog an der Klappe. Sie flog auf, und herein watschelte eine zornige Ente.

»Tut mir furchtbar Leid, liebe Berta«, entschuldigte sich Tante Zelda. »Hast du lange warten müssen?«

Berta wackelte über den Haufen Decken und setzte sich ans Feuer. Die Ente war beleidigt. Sie kehrte Tante Zelda absichtlich den Rücken zu und plusterte die Federn auf. Tante Zelda bückte sich und streichelte sie.

»Darf ich euch meine Katze Berta vorstellen«, sagte sie.

Drei Augenpaare starrten sie entgeistert an. Nicko verschluckte sich an der Milch und bekam einen Hustenanfall. Junge 412 zog einen Flunsch. Er hatte gerade angefangen, Tante Zelda zu mögen, und jetzt stellte sich heraus, dass sie genauso verrückt war wie alle anderen.

»Aber Berta ist doch eine Ente«, sagte Jenna. Einer musste es aussprechen, und zwar ganz offen, bevor sie alle anfingen, so zu tun, als sei die Ente eine Katze, nur um Tante Zelda ihren Willen zu lassen.

»Ach so! Selbstverständlich ist sie momentan eine Ente. Genau genommen ist sie schon eine ganze Weile eine Ente, habe ich Recht, Berta?«

Berta antwortete mit einem leisen Miauen.

»Wisst ihr, Enten können fliegen und schwimmen und das ist in den Marschen ein großer Vorteil. Außerdem ist mir noch nie eine Katze begegnet, die es mag, wenn sie nasse Pfoten bekommt, und Berta bildet da keine Ausnahme. Also hat sie beschlossen, eine Ente zu werden und sich mit dem Wasser anzufreunden. Und das hast du doch, Berta, nicht wahr?«

Sie bekam keine Antwort. Als richtige Katze war Berta vor dem Kamin eingeschlafen.

Jenna streichelte der Ente versuchsweise das Gefieder, um festzustellen, ob es sich wie Katzenfell anfühlte, doch es war weich und glatt und fühlte sich genau an wie das Gefieder einer Ente.

»Guten Tag, Berta«, flüsterte Jenna.

Nicko und Junge 412 sagten nichts. Keiner von den beiden wollte mit einer Ente reden.

»Arme alte Berta«, sagte Tante Zelda. »Sie muss oft draußen warten. Aber seit die Wabberschlammbraunlinge durch die Katzenklappe hier eingebrochen sind, verschließe ich die Klappe mit einem Zauber. Ihr könnt euch nicht vorstellen, was das für ein Schock für mich war, als ich an jenem Morgen die Treppe runterkam und das ganze Zimmer von diesen scheußlichen kleinen Kreaturen waberte. Wie ein Meer aus Schlamm. Sie saßen an den Wänden, steckten überall ihre langen knochigen Finger rein und glotzten mich mit diesen roten Knopfaugen an. Sie fraßen alles, und was sie nicht fressen konnten, machten sie schmutzig. Und natürlich brachen alle in dieses schrille Gekreische aus, als sie mich sahen.« Sie erschauerte. »Noch Wochen später bekam ich davon Gänsehaut. Zum Glück war Boggart da. Ich weiß nicht, was ich ohne ihn getan hätte. Ich habe Wochen gebraucht, um die Bücher vom Schlamm zu säubern, und ich musste alle Tränke neu brauen. Apropos Schlamm, wie wär's mit einem Bad in der heißen Quelle?«

Tante Zelda führte Jenna und Nicko zu der heißen Quelle, die in dem kleinen Badehaus hinten im Garten sprudelte, und etwas später fühlten sich die beiden schon viel sauberer. Junge 412 hatte davon nichts wissen wollen. Er war am Kamin geblieben, den roten Filzhut über die Ohren gezogen, immer noch in seine mit Schaffell gefütterte Matrosenjacke gehüllt. Die Kälte vom Vortag steckte ihm noch in den Knochen, und er hatte das Gefühl, dass ihm nie wieder warm werden würde. Tante Zelda ließ ihn eine Weile am Feuer sitzen, doch als Jenna und Nicko beschlossen, die Insel zu erkunden, bugsierte sie ihn mit ihnen zur Tür hinaus.

»Hier, nimm«, sagte Tante Zelda zu Nicko und hielt ihm eine Laterne hin. Nicko sah sie fragend an. Wozu brauchten sie mitten am
Tag eine Laterne?

»Wegen des Salzmarschennebels, der von der See hereinzieht«,
erklärte Tante Zelda. »Sieh doch, heute sind wir von ihm umgeben.« Sie machte mit der Hand eine ausladende Geste. »An klaren
Tagen kann man von hier, wo wir stehen, bis nach Port sehen.
Heute hängt der Nebel tief und liegt unter uns, aber wenn er steigt,
hüllt er auch uns ein. Dann wirst du die Laterne brauchen.«

Also nahm Nicko die Laterne, und während Tante Zelda, Silas
und Marcia sich an den Kamin setzten und ein sehr ernstes Gespräch führten, machten die Kinder sich auf, die Insel zu erkunden,
umgeben von Nebel, der wie eine wellige weiße Decke über den
Marschen lag.

Jenna ging voraus, und Nicko folgte dicht hinter ihr, doch Junge
412 blieb weit zurück und sehnte sich fröstelnd an den warmen Kamin zurück. Der Schnee war in dem milderen, feuchteren Marsch-
klima geschmolzen, der Boden war nass und matschig. Jenna nahm
einen Fußpfad, der zum Mott hinabführte. Im Augenblick hatten sie Ebbe. Das Wasser hatte sich weit zurückgezogen, und der
Schlamm war mit den Fußstapfen hunderter Vögel und den gewundenen Kriechspuren einiger Wasserschlangen übersät.

Die Insel Draggen war einen knappen halben Kilometer lang
und sah aus, als hätte jemand ein riesiges grünes Ei der Länge nach
durchgeschnitten und eine Hälfte mit der Wölbung nach oben in
die Marschen plumpsen lassen. Ein Fußweg führte am Ufer des
Motts entlang um die Insel herum. Jenna folgte ihm und atmete die

kühle salzige Seeluft ein, die der Nebel mitbrachte. Jenna mochte den Nebel, der sie umgab. Er gab ihr endlich ein Gefühl der Sicherheit – hier konnte sie niemand finden.

Außer den Hühnern, die Jenna am Morgen auf dem Boot gesehen hatte, entdeckten sie eine Ziege, die im hohen Gras angepflockt war. Außerdem stießen sie auf eine Kaninchenkolonie. Die Tiere bewohnten eine Böschung, die Tante Zelda abgezäunt hatte, um ein Beet mit Winterkohl vor ihnen zu schützen.

Der ausgetretene Pfad führte an den Bauen vorbei und zwischen zahlreichen Kohlköpfen hindurch bis zu einem Schlammloch, das von verdächtig hellgrünem Gras umgeben war.

»Glaubst du, da könnten welche von diesen Braunlingen drin sein?«, flüsterte Jenna Nicko zu, der etwas zurückhing.

Ein paar Blasen trieben auf dem Schlamm, und dann ertönte ein lautes saugendes Geräusch, als versuche jemand, ein Boot aus dem Morast zu ziehen. Jenna schreckte zurück, als der Schlamm sich blubbernd hob.

»Nee, solange ich hier bin.«

Das breite braune Gesicht des Boggart durchbrach die Oberfläche. Er blinzelte sich den Schlamm aus den runden schwarzen Augen und sah sie verschlafen an.

»Morgen«, grüßte er langsam.

»Guten Morgen, Mr Boggart«, sagte Jenna.

»Bloß Boggart reicht.«

»Wohnen Sie hier? Ich hoffe, wir haben Sie nicht gestört«, sagte Jenna höflich.

»Ehrlich gesagt, das habt ihr. Ich schlafe nämlich am Tag.« Der

Boggart blinzelte erneut und versank langsam wieder im Schlamm. »Aber woher sollt ihr das wissen? Ihr dürft bloß nich über die Braunlinge reden. Davon wach ich nämlich auf. Ich brauch nur den Namen hören, und schon bin ich hellwach.«

»Verzeihung«, sagte Jenna. »Wir gehen und stören Sie nicht weiter.«

»Gut«, stimmte der Boggart zu und verschwand im Schlamm.

Jenna, Nicko und Junge 412 gingen auf Zehenspitzen den Weg zurück.

»Er war sauer, oder?«, fragte Jenna.

»Nein«, antwortete Nick. »Ich schätze, so ist er immer. Ist schon in Ordnung.«

»Hoffentlich«, sagte Jenna.

Sie gingen weiter um die Insel herum, bis sie ans stumpfe Ende des grünen »Eis« gelangten. Es bestand aus einem großen Grashügel mit kleinen runden Dornbüschen. Sie erklommen den Hügel, blieben oben stehen und betrachteten eine Weile den unter ihnen wabernden Nebel.

Jenna und Nicko hatten kein Wort mehr gewechselt, um den Boggart nicht zu stören, doch jetzt fragte sie: »Hast du auch so ein komisches Gefühl unter den Füßen?«

»Meine Stiefel drücken etwas«, erwiderte Nicko, »jetzt, wo du davon sprichst. Ich glaube, sie sind noch feucht.«

»Nein. Ich meine den Boden unter deinen Füßen. Er fühlt sich irgendwie ... äh ...«

»... hohl an«, ergänzte Nicko.

»Ja, genau. Hohl.« Jenna stampfte kräftig mit dem Fuß auf.

Der Boden war leidlich fest, aber irgendwie fühlte er sich anders an.

»Das muss an den vielen Kaninchenhöhlen liegen«, sagte Nicko.

Sie kletterten den Hang hinunter und hielten auf einen großen Teich mit einem hölzernen Entenhaus am Ufer zu. Ein paar Enten bemerkten sie und kamen in der Hoffnung durchs Gras gewatschelt, dass sie Brot mitgebracht hatten.

»He, wo ist er denn hin?«, fragte Jenna plötzlich und sah sich nach Junge 412 um.

»Wahrscheinlich ist er zur Hütte zurückgegangen«, antwortete Nicko. »Ich glaube, er ist nicht gern mit uns zusammen.«

»Das Gefühl habe ich auch, aber sollten wir nicht auf ihn aufpassen? Vielleicht ist er in ein Schlammloch oder in einen Wassergraben gefallen, oder ein *Braunling* hat ihn sich geschnappt!«

»*Pst!* Sonst weckst du noch den Boggart auf.«

»Trotzdem, ein Braunling könnte ihn erwischt haben. Wir müssen ihn suchen.«

Nicko war sich unschlüssig. »Tante Zelda ist bestimmt sauer, wenn wir ihn verlieren.«

»Ich auch«, sagte Jenna.

»Du magst ihn doch nicht etwa?«, fragte Nicko. »Dieser Blödmann hätte uns beinahe ans Messer geliefert.«

»Er hat es nicht so gemeint«, sagte Jenna. »Inzwischen ist mir das klar geworden. Er hatte genauso Angst wie wir. Und überleg doch, er war wahrscheinlich sein Leben lang in der Jungarmee und hatte nie eine Mutter oder einen Vater. Nicht so wie wir. Ich meine, wie du«, korrigierte sie sich.

»Du hattest immer eine Mutter und einen Vater, und du hast sie noch, du dumme Gans«, sagte Nicko. »Aber meinetwegen, suchen wir das Bürschchen, wenn du unbedingt willst.«

Jenna überlegte, wo sie anfangen sollten. Sie schaute sich um, und dabei fiel ihr auf, dass sie die Hütte nicht mehr sehen konnte. Genau genommen konnte sie überhaupt nichts mehr sehen außer Nicko, und den auch nur, weil seine Laterne ein mattes rotes Licht warf.

Der Nebel war gestiegen.

# ★ 20 ★

# Junge 412

Junge 412 war in ein Loch gefallen. Es war keine Absicht gewesen, und er hatte keine Ahnung, wie es geschehen war, aber da saß er nun, irgendwo tief unter der Erde.

Kurz bevor er in das Loch gefallen war, hatte er es endgültig satt gehabt, der Prinzessin und dem Zaubererjungen hinterherzulatschen. Die wollten ihn ja ohnehin nicht bei sich haben. Außerdem fror er und langweilte sich. Und so beschloss er, sich fortzustehlen und zur Hütte zurückzukehren. Vielleicht konnte er Tante Zelda eine Weile ganz für sich alleine haben.

Und dann stieg der Nebel.

Wenn er bei der Jungarmee etwas gelernt hatte, dann, mit solchen Situationen fertig zu werden. Oft war sein Zug in einer nebligen Nacht im Wald ausgesetzt worden und hatte allein zurückfinden müssen. Natürlich fanden nie alle zurück. Es war immer ein Pechvogel darunter, der auf hungrige Wolverinen stieß oder den Wendronhexen in die Falle ging, aber Junge 412 hatte immer Glück gehabt. Er wusste, wie man zügig und unauffällig durch Nacht und Nebel marschierte. Und so hatte er sich, lautlos wie der Nebel selbst, auf den Rückweg zur Hütte gemacht. Irgendwann kam er so dicht an Nicko und Jenna vorbei, dass sie ihn mit ausgestreckten Händen hätten berühren können, doch er schlüpfte leise vorbei, denn er genoss seine Freiheit und das Gefühl der Selbstständigkeit.

Nach einer Weile gelangte er auf den grasbedeckten Hügel am Ende der Insel. Das verwirrte ihn, denn er war überzeugt, dass er ihn bereits überquert hatte und inzwischen der Hütte ganz nahe sein musste. Ob dies ein anderer Hügel war? Vielleicht gab es am anderen Ende der Insel auch einen. Er überlegte, ob er sich verirrt haben könnte. Es war durchaus möglich, dass er auf der Insel endlos im Kreis ging und nie zur Hütte gelangte. Ganz in Gedanken, geriet er plötzlich ins Straucheln und fiel kopfüber in einen kleinen stacheligen Busch. Und da passierte es. Eben noch war der Busch da, doch schon im nächsten Augenblick war er durchgebrochen und stürzte in die Dunkelheit.

Sein überraschter Schrei verlor sich im dichten Nebel, und er landete mit einem dumpfen Schlag auf dem Rücken. Atemlos blieb er eine Weile liegen und fragte sich, ob er sich etwas gebrochen hatte. Nein, dachte er und setzte sich langsam auf. Nichts tat ihm besonders weh. Er hatte Glück gehabt. Der Sand, auf den er gefallen war, hatte den Aufprall gedämpft. Er stand auf und stieß sich prompt den Kopf an einem Felsen. Und das *tat* weh.

Mit der einen Hand rieb er sich den Kopf, mit der anderen tastete er das Loch ab, durch das er gefallen war. Der Felsen war glatt und führte schräg nach oben, lieferte aber sonst keinen Hinweis. Weder mit den Füßen noch mit den Händen fand er irgendwo Halt. Da war nur seidig glattes, kaltes Gestein.

Zudem war es stockdunkel. Kein Lichtstrahl fiel von oben herab, und so angestrengt er auch nach oben starrte und darauf hoffte, dass sich seine Augen an die Dunkelheit gewöhnten, es nützte nichts. Es war, als sei er erblindet.

Er sank auf alle viere und tastete sich über den sandigen Boden. Er verfiel auf den abenteuerlichen Gedanken, sich ein Loch ins Freie zu buddeln, doch als er den Sand wegscharrte, stieß er auf Steinboden, der so glatt und kalt war, dass er sich fragte, ob es sich um Marmor handelte. Er hatte Marmor ein paar Mal gesehen, wenn er im Palast Wache gestanden hatte. Aber wie sollte Marmor in die Marram-Marschen kommen, in diese gottverlassene Gegend?

Er setzte sich auf den Boden, fuhr mit den Händen nervös durch den Sand und überlegte, was er tun sollte. Schon fragte er sich, ob das Glück sich nun endgültig von ihm abgewandt habe, als seine Finger gegen etwas Metallisches stießen. Er schöpfte neuen Mut. Vielleicht war es das, wonach er gesucht hatte, ein verborgenes Schloss oder ein geheimer Griff. Doch als seine Finger den Gegenstand umschlossen, folgte die Ernüchterung. Er hatte nur einen Ring gefunden. Er hob ihn auf, wiegte ihn in der flachen Hand und richtete die Augen auf ihn, obwohl er in der stockfinsteren Nacht nichts erkennen konnte.

»Wenn ich doch nur Licht hätte«, murmelte er vor sich hin und versuchte, den Ring zu sehen. Er riss die Augen so weit wie möglich auf, doch es nützte nichts. Der Ring lag in seiner Hand, und nachdem er jahrhundertelang allein an diesem kalten dunklen Ort unter der Erde gelegen hatte, erwärmte er sich nun langsam in der kleinen Menschenhand, der ersten, die ihn hielt, seit er vor langer Zeit verloren worden war.

Junge 412 wurde ruhiger, während er so mit dem Ring dasaß. Er merkte, dass er keine Angst vor der Dunkelheit hatte. Er fühlte sich ziemlich sicher, sicherer als seit Jahren. Viele Kilometer trennten ihn von seinen Peinigern bei der Jungarmee, und hier würden sie ihn niemals finden. Er lächelte und lehnte sich mit dem Rücken an die Wand. Er würde einen Ausweg finden, so viel war sicher.

Er wollte wissen, ob der Ring passte. Für seinen dünnen Finger war er viel zu groß, und so steckte er ihn sich an den rechten Zeigefinger, den dicksten Finger, den er hatte. Er drehte ihn wieder und wieder herum und genoss die Wärme, ja Hitze, die von ihm ausging. Bald spürte er etwas Seltsames. Der Ring, der sich so anfühlte, als sei er lebendig geworden, schlang sich fest um seinen Finger. Er passte jetzt perfekt. Und damit nicht genug. Er verströmte auch ein schwaches goldenes Licht.

Zum ersten Mal konnte er seinen Fund sehen und betrachtete ihn voller Freude. Einen Ring dieser Art hatte er noch nie gesehen. Er hatte die Form eines goldenen Drachen, der sich in den eigenen Schwanz biss. Seine smaragdgrünen Augen funkelten ihn an, und er hatte das sonderbare Gefühl, dass der Drache ihn wahrhaftig ansah. Erregt stand er auf und streckte die rechte Hand aus, die Hand mit dem Ring, seinem Drachenring, der mittlerweile so hell leuchtete wie eine Laterne.

Im goldenen Lichtschein des Rings sah er sich um. Er befand sich am Ende eines Tunnels. Vor ihm lag ein hoher schmaler Gang, der sauber aus dem Fels gehauen war und noch tiefer in die Erde hinabführte. Er hob die Hand und leuchtete in das Dunkel, aus dem er gefallen war. Unmöglich, da konnte er nicht hinaufklettern. Das Loch, das ihn verschluckt hatte, war zu weit oben. Widerstrebend sah er ein, dass ihm nur eine Möglichkeit blieb: Er musste dem Tunnel folgen und darauf hoffen, dass er zu einem anderen Ausgang führte.

Und so machte er sich, den Ring vor sich hinhaltend, auf den Weg. Es ging gleichmäßig bergab. Der Tunnel wand sich um viele Kurven, bog mal in die eine, mal in die andere Richtung ab, führte in Sackgassen und bisweilen auch im Kreis, bis Junge 412 jede Orientierung verloren hatte und sich schwindlig fühlte. Es war, als hätte der Erbauer des Tunnels alles darauf angelegt, ihn zu verwirren.

Und das, so glaubte Junge 412, war auch der Grund, warum er die Treppe hinunterfiel.

Am Fuß der Treppe schnaufte er erst einmal durch. Gebrochen hatte er sich auch diesmal anscheinend nichts. Er war nicht tief gefallen. Aber etwas fehlte – *sein Ring war fort.* Zum ersten Mal, seit er in dem Tunnel war, bekam er Angst. Der Ring hatte ihm nicht nur Licht gespendet, sondern auch Gesellschaft geleistet. Und er hatte ihn gewärmt, wie ihm jetzt klar wurde, denn plötzlich zitterte er wieder vor Kälte. Mit weit aufgerissenen Augen spähte er in die pechschwarze Nacht und hielt verzweifelt nach dem goldenen Glimmen Ausschau.

Nichts.

Er sah nichts außer Schwarz. Er fühlte sich verlassen. So verlassen, wie er sich damals gefühlt hatte, als sein bester Freund, Junge 409, bei einer nächtlichen Kaperfahrt über Bord gefallen war und sie nicht hatten anhalten dürfen, um ihn aus dem Wasser zu ziehen. Junge 412 schlug die Hände vors Gesicht. Am liebsten hätte er aufgegeben.

Dann hörte er den Gesang.

Eine wunderschöne Stimme, sanft und zart, drang an sein Ohr und rief ihn zu sich. Auf alle vieren, da er nicht noch einmal eine Treppe hinunterfallen wollte, kroch er in die Richtung, aus der die Stimme kam. Zentimeter um Zentimeter tastete er sich über den kalten Marmor, und je näher er dem Gesang kam, desto sanfter und weniger eindringlich wurde er. Auf einmal klang er merkwürdig gedämpft, und Junge 412 merkte, dass seine Hand auf dem Drachenring lag.

Er hatte ihn gefunden. Oder besser gesagt, der Ring hatte ihn gefunden. Mit einem glücklichen Lächeln steckte er sich den Ring wieder an den Finger, und die Dunkelheit rings um ihn schwand.

Der Rest war ein Kinderspiel. Der Ring wies ihm den Weg. Der Tunnel war breiter geworden, führte geradeaus und hatte nun weiße Marmorwände, die hunderte einfache Gemälde in leuchtenden Blau-, Gelb- und Rottönen schmückten. Doch dafür hatte er jetzt keine Augen. Er wollte nur noch eins: den Ausgang finden. Und so ging er weiter, bis er fand, was er suchte, nämlich eine Treppe, die nach oben führte. Mit einem Gefühl der Erleichterung erklomm er die Stufen. Dahinter ging es eine steile sandige Schräge hinauf, die bald in einer Sackgasse endete.

Im Lichtschein des Rings sah er schließlich den Ausgang. Eine alte Leiter lehnte an der Wand, und über ihr war eine hölzerne Falltür. Er stieg die Sprossen hinauf und drückte gegen die Falltür. Er atmete auf, sie gab nach. Er drückte etwas stärker. Die Falltür öffnete sich, und er spähte durch den Spalt. Draußen war es dunkel, aber eine Veränderung in der Luft verriet ihm, dass er nun über der Erde war, und während er wartete und sich zu orientieren versuchte, gewahrte er einen schmalen Lichtstreifen auf dem Boden. Er seufzte erleichtert. Er wusste, wo er war. Er war in Tante Zeldas Schrank für *Unbeständige Tränke und Spezialgifte*. Lautlos hievte er sich nach oben, klappte die Falltür zu und legte den Teppich, der sie verdeckt hatte, wieder darüber. Dann öffnete er vorsichtig die Schranktür und spähte hinaus. Die Luft war rein.

Tante Zelda stand in der Küche und braute gerade einen neuen Trank. Als er an der Tür vorbeischlich, schaute sie kurz auf, schien aber so in ihre Arbeit vertieft, dass sie nichts sagte. Er huschte weiter zum Kamin. Mit einem Mal fühlte er sich todmüde. Er zog den Drachenring vom Finger und steckte ihn in die Tasche, die er an der Innenseite seines roten Huts entdeckt hatte. Dann sank er neben Berta auf den Teppich vor dem Kamin und schlief ein.

Er schlief so tief, dass er nicht hörte, wie Marcia herunterkam und Tante Zeldas größtem und wackligstem Bücherstapel befahl, sich in die Luft zu erheben. Weder hörte er das Säuseln, mit dem ein großes und sehr altes Buch mit dem Titel *Wie man die dunklen Kräfte unschädlich macht* unter dem schwankenden Turm hervorschlüpfte und zu dem bequemsten Sessel am Kamin hinübersegelte, noch das Rascheln der Seiten, als das Buch sich gehorsam aufschlug und bis zu der Seite blätterte, die Marcia lesen wollte.

Er hörte nicht einmal Marcias spitzen Schrei, als sie auf dem Weg zu dem Sessel beinahe auf ihn trat, zurückprallte und stattdessen auf Berta trat. Im tiefsten Schlaf hatte er einen seltsamen Traum. Er träumte von einer Schar zorniger Enten und Katzen, die ihn durch einen unterirdischen Gang hetzten, dann in die Lüfte trugen und das Fliegen lehrten.

In seinem Traum entrückt, lächelte Junge 412. Er war frei.

# ★ 21 ★

## RATTUS RATTUS

W ie bist du denn so schnell zurückgekommen, Junge 412?«, fragte Jenna.

Sie und Nicko hatten den ganzen Nachmittag gebraucht, um zur Hütte zurückzufinden. In den Stunden, die sie im Nebel umherirrten, hatte Nicko zuerst darüber nachgedacht, was seine zehn Lieblingsboote waren, und dann, als er Hunger bekam, was seine absolute Leibspeise war. Jenna hingegen hatte sich die meiste Zeit Sorgen um Junge 412 gemacht und sich fest vorgenommen, in Zukunft viel netter zu ihm zu sein. Vorausgesetzt natürlich, er war nicht in den Mott gefallen und ertrunken.

Deshalb war sie nicht ganz so sauer wie Nicko, als sie durchgefroren und durchnässt, den Nebel noch in den Kleidern, endlich in die Hütte zurückkamen und Junge 412 putzfidel und irgendwie selbstzufrieden neben Tante Zelda auf dem Sofa sitzen sahen.

Nicko brummte nur etwas vor sich hin und verschwand, um in der heißen Quelle ein Bad zu nehmen. Jenna ließ sich von Tante Zelda das Haar trocken rubbeln, dann setzte sie sich neben Junge 412 und stellte ihm die Frage: »Wie bist du denn so schnell zurückgekommen?«

Junge 412 sah sie verlegen an, sagte aber nichts.

Jenna versuchte es noch einmal. »Ich hatte Angst, dass du in den Mott gefallen bist.«

Junge 412 sah sie leicht überrascht an. Er hätte nicht erwartet, dass es der Prinzessin etwas ausmachte, ob er in den Kanal fiel oder in ein Loch.

»Ich bin froh, dass dir nichts passiert ist«, fuhr Jenna fort. »Nicko und ich haben eine Ewigkeit gebraucht. Wir haben uns ständig verlaufen.«

Junge 412 lächelte. Am liebsten hätte er Jenna alles erzählt und den Ring gezeigt, doch jahrelang hatte er Dinge für sich behalten müssen, und das hatte ihn vorsichtig gemacht. Der einzige Mensch, dem er jemals seine Geheimnisse anvertraut hatte, war Junge 409 gewesen. Und obwohl Jenna nett war und ihn irgendwie an Junge 409 erinnerte, war sie doch eine Prinzessin und, was noch schlimmer war, ein Mädchen. Deshalb schwieg er.

Jenna bemerkte das Lächeln und freute sich darüber. Sie wollte gerade noch eine Frage stellen, als Tante Zelda so laut, dass die Flaschen mit den Zaubertränken klirrten, schrie: »Eine Botenratte!«

Marcia, die Tante Zeldas Schreibtisch am anderen Ende des Raums mit Beschlag belegt hatte, schnellte in die Höhe, packte die verdutzte Jenna an der Hand und zerrte sie vom Sofa.

»He!«, protestierte Jenna, doch Marcia nahm davon keine Notiz. Sie hetzte, Jenna hinter sich herziehend, die Treppe hinauf. Auf halber Strecke stieß sie mit Silas und Maxie zusammen, die heruntergestürmt kamen, um die Botenratte zu sehen.

»Ihr sollt doch den Hund nicht nach oben lassen«, schimpfte Marcia und versuchte, sich an Maxie vorbeizuzwängen, ohne dass Hundespucke an ihrem Umhang kleben blieb.

Maxie sabberte aufgeregt auf ihre Hand und jagte Silas nach, wobei er ihr auch noch mit seinen großen Pfoten auf die Zehen trat. Marcia war für ihn praktisch Luft. Er machte sich weder die Mühe, ihr auszuweichen, noch scherte er sich darum, was sie sagte. In seiner Wolfshundwelt war Silas der Rudelchef.

Marcia ließen diese Feinheiten von Maxies Seelenleben kalt. Jenna im Schlepptau, rannte sie an dem Hund vorbei die Treppe hinauf, nur weg von der Botenratte.

»Warum ... warum haben Sie das getan?«, fragte Jenna, als sie im Obergeschoss angekommen waren. Sie rang nach Atem.

»Wegen der Botenratte«, keuchte Marcia. »Wir wissen nicht, was für eine Art von Ratte es ist. Womöglich ist es nicht mal eine amtlich zugelassene Vertrauensratte.«

»Eine was?«, fragte Jenna verwirrt.

»Schon gut«, flüsterte Marcia und sank auf Tante Zeldas schmales Bett, auf dem ein buntes Sortiment von Flickendecken lag. Sie waren das Ergebnis vieler langer, einsamer Abende am Kamin. Marcia klopfte neben sich aufs Bett, und Jenna setzte sich zu ihr.

»Weißt du nicht, was Botenratten sind?«, fragte Marcia mit leiser Stimme.

»Doch«, antwortete Jenna unsicher, »aber zu uns kam nie eine. Niemals. Ich dachte, Botenratten kommen nur zu ganz wichtigen Leuten.«

»Nein«, sagte Marcia, »die können zu jedem kommen. Und jeder kann eine losschicken.«

»Vielleicht hat meine Mutter sie geschickt«, sagte Jenna mit hoffnungsvoller Stimme.

»Vielleicht«, erwiderte Marcia. »Vielleicht auch nicht. Wir müssen zuerst wissen, ob es eine Vertrauensratte ist, bevor wir ihr trauen können. Eine Vertrauensratte sagt immer die Wahrheit und verrät nie ein Geheimnis. Außerdem ist sie extrem teuer.«

In dem Fall, dachte Jenna enttäuscht, konnte die Ratte unmöglich von ihrer Mutter geschickt worden sein.

»Abwarten und Tee trinken«, sagte Marcia. »Wir bleiben hier oben, bis wir Gewissheit haben. Es könnte auch eine Spitzelratte sein, die nur auskundschaften will, wo sich die Außergewöhnliche Zauberin mit der Prinzessin versteckt hält.«

Jenna nickte bedächtig. Da war es wieder, das Wort. Prinzessin. Es irritierte sie immer noch. Sie konnte noch immer nicht fassen, dass sie damit gemeint sein sollte. Doch sie blieb still neben Marcia sitzen und sah sich im Dachgeschoss um.

Der Raum war überraschend groß und luftig. Er hatte eine Dachschräge mit einem kleinen Fenster, das einen weiten Ausblick über die Marschen bot. Dicke, stabile Balken stützten das Dach. An den Balken hingen bunte Dinger, die Jenna zunächst für große Flickenzelte hielt, bis sie begriff, dass es sich um Tante Zeldas Kleider handeln musste. Drei Betten standen im Raum. Aus den Flickendecken schloss Jenna, dass sie auf Tante Zeldas Bett saßen, und das zweite, das sich in eine Nische neben der Treppe schmiegte und mit Hundehaaren übersät war, gehörte wahrscheinlich Silas. Das dritte Bett war in der Ecke gegenüber in die Wand eingebaut. Es erinnerte Jenna an ihr Schrankbett zu Hause. Bei dem Anblick bekam sie fürchterliches Heimweh. Sie vermutete, dass Marcia darin schlief, denn daneben lag ihr Buch *Wie man die dunklen Kräfte unschädlich macht,* eine feine Onyx-Schreibfeder und ein Stapel Pergament bester Qualität, voll geschrieben mit magischen Zeichen und Symbolen.

Marcia folgte ihrem Blick.

»Komm, du darfst meine Feder ausprobieren. Sie wird dir gefallen. Sie schreibt in jeder Farbe, die du dir wünschst – wenn sie gut aufgelegt ist.«

Während Jenna in der Dachkammer Marcias Feder ausprobierte, die etwas bockig war und jeden zweiten Buchstaben in Giftgrün schrieb, versuchte Silas unten, Maxie zu bändigen, der ganz aufgeregt war, seit er die Botenratte entdeckt hatte.

»Nicko«, sagte Silas, als er seinen Sohn kommen sah, der vom Bad in der heißen Quelle noch nicht ganz trocken war. »Halt Maxie fest und pass auf, dass er der Ratte nicht zu nahe kommt.« Nicko hüpfte mit dem Hund aufs Sofa, und ebenso flugs hüpfte Junge 412 herunter.

»Und wo ist jetzt die Ratte?«, fragte Silas.

Eine große braune Ratte saß draußen vor dem Fenster und klopfte an die Scheibe. Tante Zelda öffnete das Fenster. Die Ratte sprang herein und sah sich mit flinken, glänzenden Augen im Zimmer um.

»Quieke, Ratte!«, sagte Silas in der Zaubersprache.

Die Ratte sah ihn ungeduldig an.

»Quieke, Ratte!«

Die Ratte verschränkte die Pfoten, warf Silas einen vernichtenden Blick zu und wartete.

»Äh … Verzeihung, es ist Jahre her, dass ich eine Botenratte empfangen habe«, entschuldigte sich Silas. »Ach ja, jetzt hab ich's … Sprich, Rattus Rattus.«

»Na also«, seufzte die Ratte. »Wird ja auch Zeit.« Sie richtete sich auf. »Zunächst hätte ich eine Frage. Ist unter den Anwesenden ein gewisser Silas Heap?« Die Ratte sah Silas direkt an.

»Ja, das bin ich«, antwortete Silas.

»Hab ich mir gedacht«, sagte die Ratte. »Passt zur Beschreibung.« Sie hüstelte bedeutungsvoll, straffte ihre Gestalt und verschränkte die Pfoten hinter dem Rücken.

»Ich bin hier, um Silas Heap eine Botschaft zu überbringen. Die Botschaft wurde heute Morgen um acht Uhr von einer gewissen Sarah Heap, wohnhaft in Galens Haus, aufgegeben. Hier der genaue Wortlaut:

*Lieber Silas, liebe Jenna, mein Häschen, und lieber Nicko, mein Schatz,*

*in der Hoffnung, dass ihr wohlbehalten angekommen seid, schicke ich die Ratte zu Zelda. Sally hat uns berichtet, dass der Jäger euch verfolgt hat, und ich musste die ganze Nacht an euch denken und konnte kein Auge zutun. Dieser Mann hat einen so fürchterlichen Ruf. Am Morgen wusste ich nicht mehr ein noch aus und war fest* davon überzeugt, dass man euch alle gefangen genommen hätte (obwohl Galen mir versicherte, dass ihr in Sicherheit seid). Sowie es hell wurde, kam der gute Alther zu Besuch und brachte mir die frohe Kunde von eurer geglückten Flucht. Wie er sagt, hat er euch bei eurem Aufbruch in die Marram-Marschen zuletzt gesehen. Er bedauert es sehr, dass er euch nicht begleiten konnte.

Silas, es ist etwas geschehen. Simon ist auf dem Weg hierher verschwunden. Wir befanden uns auf dem Uferweg, der in Galens Wald führt, als ich bemerkte, dass er nicht mehr da war. Ich habe keine Ahnung, was ihm zugestoßen sein könnte. Wir sind keinen Gardisten begegnet, und niemand hat gesehen oder gehört, wie er verschwunden ist. Silas, ich mache mir große Sorgen. Vielleicht ist er in eine Falle gestürzt, die diese schrecklichen Hexen aufstellen. Wir werden uns heute auf die Suche nach ihm machen.

Die Gardisten haben Sallys Café in Brand gesteckt. Sie selbst ist mit knapper Not entkommen. Sie weiß auch nicht, wie sie es geschafft hat. Sie ist heute Morgen zu uns gestoßen und hat mich gebeten, mich in ihrem Namen ganz herzlich bei Marcia für den Talisman zu bedanken, den sie ihr gegeben hat. Wir sind ihr alle sehr dankbar. Das war sehr großzügig von Marcia.

Silas, bitte schicke die Ratte zurück und lass mich wissen, wie es euch geht.

Wir sind in Gedanken bei euch. Gruß und Kuss
eure euch liebende Sarah.


Ende der Botschaft.«

Erschöpft sackte die Ratte auf dem Fensterbrett zusammen.

»Ich könnte sterben für eine Tasse Tee«, hauchte sie.

Silas war bis ins Innerste aufgewühlt. »Ich muss zurück und Simon suchen. Wer weiß, was ihm zugestoßen ist.«

Tante Zelda versuchte, ihn zu beruhigen. Sie brachte zwei Becher mit süßem heißem Tee, einen für die Ratte und einen für Silas. Die Ratte leerte ihren Becher in einem Zug, Silas hielt seinen bedrückt in den Händen.

»Simon ist ein zäher Bursche, Dad«, sagte Nicko. »Dem ist bestimmt nichts passiert. Wahrscheinlich hat er sich nur verlaufen. Er wird längst wieder bei Mum sein.«

Silas war nicht überzeugt.

Tante Zelda schlug vor, erst einmal zu Abend zu essen, das sei das Vernünftigste, was man jetzt tun könne. Bei Tante Zeldas Abendessen vergaß man gewöhnlich seine Probleme. Sie war eine gastfreundliche Köchin, die gar nicht genug Menschen um ihren Tisch versammeln konnte, und die Gäste unterhielten sich jedes Mal prächtig. Nur das Essen selbst war nicht unbedingt nach jedermanns Geschmack. Die häufigste Beschreibung war »interessant«, wie zum Beispiel in dem Satz: »Dieser Brot- und Kohlauflauf war sehr ... interessant, Zelda. Auf die Idee wäre ich nie gekommen.« Oder: »Also, ich muss sagen, diese Erdbeermarmelade ... interessant als Soße zu aufgeschnittenem Aal.«

Silas hatte die Aufgabe, den Tisch zu decken, damit er auf andere Gedanken kam, und die Ratte wurde zum Essen eingeladen.

Tante Zelda servierte einen Frosch- und Kanincheneintopf mit zweimal gekochten Rübenköpfen, und zum Nachtisch gab es ein

Kirsch- und Karottenkompott. Junge 412 langte tüchtig zu, denn gegenüber der Verpflegung bei der Jungarmee war es eine gewaltige Verbesserung. Zu Tante Zeldas Entzücken verdrückte er sogar eine zweite und dritte Portion. Noch nie hatte ein Gast bei ihr einen Nachschlag haben wollen, geschweige denn zweimal.

Nicko war froh, dass Junge 412 so viel aß, denn so entging Tante Zeldas Aufmerksamkeit, dass er seine Froschfleischstücke unter seinem Messer versteckte. Selbst wenn sie es bemerkt hätte, hätte es ihr nicht so viel ausgemacht. Außerdem gelang es ihm, ein komplettes Kaninchenohr, das er in seinem Teller gefunden hatte, an Maxie zu verfüttern, sehr zu seiner Erleichterung und Maxies Freude.

Marcia hatte von oben herunter gerufen und sich entschuldigt. Sie und Jenna könnten wegen der Botenratte nicht zum Essen kommen. Silas hielt das für eine faule Ausrede und argwöhnte, dass sie heimlich, still und leise ein paar Feinschmeckergerichte herbeizauberte.

Trotz – oder vielleicht gerade wegen – Marcias Abwesenheit verlief das Essen recht harmonisch. Die Botenratte war eine angenehme Gesellschafterin. Silas hatte es versäumt, den Sprich-Rattus-Rattus-Befehl aufzuheben, und so ließ sich die redselige Ratte über jedes Thema aus, das sie fesselte, wie etwa die Probleme mit der heutigen Rattenjugend oder den Rattenwurst-Skandal in der Kantine der Gardewächter, der die gesamte Rattenbevölkerung empört hatte, von den Gardewächtern gar nicht zu reden.

Als das Mahl sich dem Ende zuneigte, wandte sich Tante Zelda an Silas und fragte ihn, ob er die Botenratte noch heute Nacht zu Sarah zurückschicken wolle.

Die Ratte machte ein bedenkliches Gesicht. Obwohl sie groß war und, wie sie jedem gern versicherte, »selbst auf sich aufpassen« konnte, war sie nicht gerade darauf erpicht, bei Nacht die Marram-Marschen zu durchqueren. Die Saugnäpfe einer Wassernixe konnten einem Rattenleben ein jähes Ende bereiten, und weder Braunlinge noch Boggarts gehörten zu ihren bevorzugten Gesellschaftern. Die Braunlinge zogen einen nur so zum Spaß hinab in den Schlamm, und ein hungriger Boggart freute sich immer, wenn er seinen Jungen, die in den Augen der Botenratte gefräßige kleine Monster waren, ein Rattenragout kochen konnte.

(Der Boggart war dem Essen natürlich ferngeblieben. Wie immer. Er saß lieber in seinem gemütlichen Schlammloch und verspeiste die von Tante Zelda eigens für ihn bereiteten Brote mit gekochtem Kohl. Er persönlich hatte lange keine Ratten mehr gegessen. Das Fleisch schmeckte ihm nicht besonders, und die kleinen Knochen blieben einem zwischen den Zähnen stecken.)

»Ich habe mir gerade überlegt«, sagte Silas langsam, »dass es eventuell besser wäre, die Ratte erst morgen früh zurückzuschicken. Sie hat einen weiten Weg hinter sich und braucht eine Mütze voll Schlaf.«

Die Ratte strahlte. »Ganz recht, Sir«, sagte sie. »Ein weiser Entschluss. So manche Botschaft geht verloren, weil es an erquickendem Schlaf mangelt. Und an einem guten Abendessen. Und ich darf wohl sagen, dass dieses Essen außergewöhnlich … interessant war, Madam.« Sie verneigte sich in Tante Zeldas Richtung.

»Es war mir ein Vergnügen«, lächelte Tante Zelda.

*»Ist diese Ratte eine Vertrauensratte?«,* fragte der Pfefferstreuer mit Marcias Stimme. Alle zuckten zusammen.

»Du könntest uns vorher warnen, wenn du deine Stimme in der Weltgeschichte herumschickst«, meckerte Silas. »Ich hätte mich fast an meinem Karottenkompott verschluckt.«

*»Und, ist sie eine?«,* fragte der Pfefferstreuer unbeirrt.

»Sind Sie eine?«, gab Silas die Frage an die Ratte weiter, die den Pfefferstreuer anstarrte und ausnahmsweise einmal sprachlos war. »Sind Sie eine Vertrauensratte, ja oder nein?«

»Ja«, antwortete die Ratte, unschlüssig, ob sie mit Silas oder dem Pfefferstreuer reden sollte. Sie entschied sich für den Pfefferstreuer. »Das bin ich, Miss Pfefferstreuer. Mein Name ist Stanley, und ich bin eine amtlich zugelassene Langstreckenvertrauensratte. Zu Ihren Diensten.«

»Gut. Ich komme runter.«

Marcia kam, immer zwei Stufen auf einmal nehmend, die Treppe herunter und durchmaß, ein Buch in der Hand, den Raum. Dabei wischte ihr Seidenumhang über den Fußboden und warf einen Stapel Zaubertrankgläser um. Hinter ihr folgte Jenna, die es nicht erwarten konnte, endlich mit eigenen Augen eine Botenratte zu sehen.

»Es ist so eng hier«, klagte Marcia und wischte sich genervt Tante Zeldas besten mehrfarbigen Brillanttrank vom Umhang. »Es ist mir wirklich ein Rätsel, wie Sie hier zurechtkommen, Zelda.«

»Ich bin ziemlich gut zurechtgekommen, bevor Sie hier aufgekreuzt sind«, brummte Tante Zelda vor sich hin, während Marcia neben der Ratte Platz nahm. Stanley erbleichte unter seinem braunen Fell. Nicht einmal in seinen kühnsten Träumen hätte er sich vorgestellt, dass er einmal die Außergewöhnliche Zauberin kennen lernen würde. Er verbeugte sich tief, viel zu tief, bekam Übergewicht und fiel in die Reste des Kirsch- und Karottenkompotts.

»Ich möchte, dass du die Ratte auf dem Rückweg begleitest, Silas«, erklärte Marcia.

»Was?«, fragte Silas. »Jetzt?«

»Ich bin nicht befugt, Passagiere mitzunehmen, Euer Gnaden«, sagte Stanley zögernd zu Marcia. »Genau genommen, Euer Gnaden, und ich sage das mit dem größten Respekt ...«

»Aus, Rattus Rattus«, bellte Marcia.

Stanley klappte den Mund ein paar Mal lautlos auf und zu, ehe er begriff, dass er kein Wort mehr herausbrachte. Dann nahm er wieder Platz, leckte sich widerwillig das Kirsch- und Karottenkompott von den Pfoten und wartete. Ihm blieb gar nichts anders übrig, als zu warten, denn eine Botenratte darf erst wieder aufbrechen, wenn sie eine Antwort oder einen abschlägigen Bescheid bekommen hat. Und bislang hatte Stanley weder das eine noch das andere erhalten, und so übte er sich, als echter Profi, der er war, in Geduld und gedachte traurig der Worte, die seine Frau am Morgen zu ihm gesprochen hatte, als sie hörte, dass er einen Auftrag von einem Zauberer bekommen habe.

»Stanley«, hatte seine Frau Dawnie mit erhobenem Zeigefinger gesagt, »ich an deiner Stelle würde mich nicht mit diesen Zauberern einlassen. Denk an Ellis Mann, der von einem kleinen fetten Zauberer oben im Turm verhext wurde und im Kochtopf landete. Er kam erst nach zwei Wochen wieder und war in einem fürchterlichen Zustand. Geh nicht, Stanley. Bitte.«

Doch Stanley hatte sich insgeheim geschmeichelt gefühlt, als die Rattenzentrale ihn bat, einen auswärtigen Auftrag zu erledigen, noch dazu für einen Zauberer. Er hatte sich auf die Abwechslung gefreut. In den zwei Wochen davor war er nämlich ständig zwischen zwei Schwestern hin und her gependelt, die miteinander im Streit lagen. Die Botschaften, die er zu übermitteln hatte, waren immer kürzer und rüder geworden, bis am gestrigen Tag seine Aufgabe nur noch darin bestanden hatte, von einer Schwester zur anderen zu rennen und überhaupt nichts mehr zu sagen, weil eine der anderen zu verstehen geben wollte, dass sie nicht mehr mit ihr spreche. Ihm war ein Stein vom Herzen gefallen, als die Mutter, entsetzt über die hohe Rechnung, die sie plötzlich von der Rattenzentrale erhalten hatte, den Auftrag kündigte.

Und so hatte Stanley seiner Frau erleichtert erklärt, dass er gehen müsse, wenn er gebraucht werde. »Schließlich«, so hatte er gesagt, »bin ich eine der wenigen Langstreckenvertrauensratten in der Burg.«

»Und eine der dümmsten«, hatte seine Frau entgegnet.

Und so saß Stanley jetzt zwischen den Resten des merkwürdigsten Abendessens, das er jemals zu sich genommen hatte, und lauschte der überraschend mürrischen Außergewöhnlichen Zauberin, die dem Gewöhnlichen Zauberer sagte, was er zu tun hatte. Sie knallte ihr Buch auf den Tisch, dass die Teller klirrten.

»Ich habe Zeldas *Wie man die dunklen Kräfte unschädlich macht* durchgelesen. Wenn ich doch nur ein Exemplar im Zaubererturm gehabt hätte. Es ist von unschätzbarem Wert.« Sie klopfte anerkennend auf das Buch. Das Buch missverstand die Geste. Es flüchtete vom Tisch und flog zu Marcias Verdruss an seinen Platz in Tante Zeldas Bücherstapel zurück.

»Silas«, sagte Marcia, »ich möchte, dass du gehst und meinen Talisman von Sally zurückholst. Wir brauchen ihn hier.«

»In Ordnung«, sagte Silas.

»Es muss sein, Silas«, sagte Marcia. »Unsere Sicherheit hängt davon ab. Ohne ihn habe ich weniger Macht, als ich dachte.«

»Ja, ja, schon gut«, erwiderte Silas ungeduldig und mit seinen Gedanken bei Simon.

»In meiner Eigenschaft als Außergewöhnliche Zauberin befehle ich es dir«, fuhr Marcia unbeirrt fort.

»Ja doch!«, rief Silas aufgebracht. »Ich sagte Ja. Ich werde gehen. Das wollte ich sowieso. Simon ist verschwunden. Ich werde ihn suchen.«

»Gut«, sagte Marcia, die ihm wie immer nur mit halbem Ohr zuhörte. »Aber wo ist denn die Ratte?«

Stanley, der noch immer nicht sprechen konnte, hob die Pfote.

»Die Botschaft, die Sie zu überbringen haben, ist dieser Zauberer. Zurück an den Absender. Verstanden?«

Stanley nickte unsicher. Er hätte die Außergewöhnliche Zauberin gern darauf hingewiesen, dass dies gegen die Vorschriften der Rattenzentrale verstieß. Sie beförderten keine Fracht, weder menschliche noch sonst welche. Er seufzte. Seine Frau hatte ja so Recht gehabt.

»Sie werden diesen Zauberer mit geeigneten Mitteln sicher und wohlbehalten zum Absender bringen. Verstanden?«

Stanley nickte unglücklich. Mit geeigneten Mitteln? Was hatte das zu bedeuten? Vermutlich sollte Silas nicht durch den Fluss schwimmen. Oder per Anhalter im Gepäck eines vorbeikommenden Hausierers reisen. Na prima.

Silas kam Stanley zu Hilfe. »Danke, Marcia, aber ich brauche nicht aufgegeben zu werden wie ein Päckchen. Ich nehme ein Kanu. Die Ratte kann mitfahren und mir den Weg zeigen.«

»Ausgezeichnet«, sagte Marcia, »aber ich möchte eine Auftragsbestätigung. Sprich, Rattus Rattus.«

»Jawohl«, sagte Stanley mit dünner Stimme. »Auftrag bestätigt.«

Silas und die Botenratte brachen am Morgen kurz nach Sonnenaufgang mit der *Muriel eins* auf. Der Nebel hatte sich in der Nacht aufgelöst, und die Wintersonne warf im grauen Licht des Morgens lange Schatten über die Marschen.

Jenna, Nicko und Maxie mussten früh aufstehen, damit sie Silas zum Abschied winken und Grüße an Sarah und die Jungen auftragen konnten. Die Luft war kalt und frostig, und ihr Atem bildete weiße Wölkchen. Silas wickelte sich in seinen dicken blauen Wollumhang und setzte die Kapuze auf. Stanley stand neben ihm und zitterte leicht, nicht nur vor Kälte.

Dicht hinter ihm gab nämlich Maxie, den Nicko an seinem Wolfshund-Halstuch festhielt, ein furchtbares Röcheln von sich, und als sei das noch nicht genug, war soeben auch noch der Boggart aufgetaucht.

»Ah, Boggart«, lächelte Tante Zelda. »Vielen Dank, mein lieber Boggart, dass Sie aufgeblieben sind. Hier sind ein paar belegte Brote, die Sie bei Kräften halten. Ich lege sie ins Kanu. Silas, es sind auch welche für dich und die Botenratte dabei.«

»Oh, fein, vielen Dank, Zelda. Womit sind sie denn belegt?«

»Mit bestem gekochtem Kohl.«

»Ach! Nun, das ist ... äh ... sehr aufmerksam.« Silas war froh, dass er im Ärmel etwas Brot und Käse herausgeschmuggelt hatte.

Der Boggart trieb missmutig im Mott, und auch die Erwähnung der Kohlbrote konnte ihn nicht versöhnlich stimmen. Bei Tageslicht war er nicht gerne im Freien, auch nicht mitten im Winter. Seine empfindlichen Augen schmerzten, und wenn er nicht aufpasste, bekam er einen Sonnenbrand an den Ohren.

Stanley saß unglücklich am Ufer, gefangen zwischen dem Hundeatem hinter und dem Boggart-Atem vor ihm.

»Dann wollen wir mal«, sagte Silas zu der Ratte. »Steigen Sie ein. Ich nehme an, Sie wollen vorne sitzen. Maxie tut das immer.«

»Ich bin kein Hund«, erwiderte Stanley verächtlich, »und ich reise nicht mit Boggarts.«

»Dieser Boggart ist ungefährlich«, versicherte ihm Tante Zelda.

»Es gibt keinen ungefährlichen Boggart«, murrte Stanley, verstummte aber, als er sah, dass Jenna aus der Hütte kam, um sich von Silas zu verabschieden. Flink hüpfte er ins Boot und versteckte sich unter dem Sitz.

»Sei vorsichtig, Dad«, sagte Jenna zu Silas und drückte ihn fest.

Auch Nicko umarmte ihn. »Du musst Simon finden, Dad. Und vergiss nicht, in Ufernähe zu bleiben, wenn du gegen die Strömung paddelst. In der Flussmitte ist die Strömung immer stärker.«

»Ich werde daran denken«, schmunzelte Silas. »Passt auf euch auf, ihr beiden. Und auf Maxie.«

»Wiedersehen, Dad!«

Maxie winselte und jaulte, als er zu seinem Entsetzen sah, dass sein Herrchen ihn tatsächlich zurückließ.

»Wiedersehen!« Silas winkte, während er unsicher durch den Kanal paddelte, begleitet von der vertrauten Frage des Boggart: »Folgtn ihr mir noch?«

Jenna und Nicko beobachteten, wie das Kanu sich langsam durch die gewundenen Kanäle schlängelte und dann in die Weite der Marram-Marschen hinausfuhr, bis sie Silas' blaue Kapuze nicht mehr ausmachen konnten.

»Hoffentlich findet sich Dad zurecht«, sagte Jenna leise. »Sein Orientierungssinn ist nicht der beste.«

»Die Botenratte wird ihn schon ans Ziel bringen«, erwiderte Nicko. »Sie weiß, dass Marcia eine Erklärung verlangen wird, wenn sie es nicht tut.«

Tief in den Marram-Marschen saß Stanley im Kanu und betrachtete das erste Paket, dass er in seiner Laufbahn zu befördern hatte. Er hatte beschlossen, Dawnie und den Ratten von der Rattenzentrale nichts davon zu erzählen. Er seufzte. Die Sache verstieß gegen alle Vorschriften.

Doch nach einer Weile, während Silas langsam und etwas ungleichmäßig durch die verschlungenen Kanäle paddelte, begann Stanley einzusehen, dass diese Art zu reisen gar nicht so übel war.

Immerhin wurde er die ganze Strecke bis zum Bestimmungsort gefahren. Silas machte die ganze Arbeit, und er brauchte nichts weiter zu tun, als dazusitzen, ein paar Geschichten zu erzählen und die Fahrt zu genießen.

Und genau das tat Stanley, nachdem sich Silas am Ende des Deppen Ditch von dem Boggart verabschiedet hatte und den Fluss hinauf in Richtung Wald paddelte.

# ★ 22 ★

## ZAUBEREI

An diesem Abend blies der Ostwind über die Marschen.
Tante Zelda schloss die Fensterläden und verriegelte die Katzenklappe mit einem Zauber, damit Berta drinnen blieb. Dann ging sie in der Hütte herum, entzündete die Lampen und stellte Sturmkerzen in die Fenster, um den Wind in Schach zu halten. Sie freute sich auf einen ruhigen Abend an ihrem Schreibtisch, wo sie ihre Zaubertrankliste auf den neuesten Stand bringen wollte.

Doch Marcia war ihr zuvorgekommen. Sie saß am Tisch, blätterte in kleinen Zauberbüchern und machte sich eifrig Notizen. Von Zeit zu Zeit probierte sie einen Schnellzauber aus, um festzustellen, ob er noch klappte, und dann gab es einen leichten Knall, und eine merkwürdig riechende Rauchwolke stieg auf. Tante Zelda war nicht gerade begeistert davon, was Marcia mit ihrem Schreibtisch angestellt hatte. Sie hatte ihn mit Entenfüßen ausgestattet, damit er nicht mehr wackelte, und mit zwei Armen, damit er ihr beim Sortieren der Papiere helfen konnte.

»Wenn du fertig bist«, sagte Tante Zelda gereizt, »hätte ich gern meinen Schreibtisch wieder.«

»Er gehört dir«, antwortete Marcia vergnügt. Sie nahm ein quadratisches kleines Buch und ging, ein heilloses Durcheinander hinterlassend, rüber zum Kamin. Tante Zelda fegte das Durcheinander auf den Boden, bevor die Tischarme danach grapschen konnten, und sank mit einem Seufzer auf den Stuhl.

Marcia setzte sich zu Jenna, Nicko und Junge 412 ans Kaminfeuer und schlug das Buch auf. Jenna las den Titel auf dem Umschlag:

SICHERHEITSZAUBER
und harmlose ZAUBERMITTEL
für Anfänger und schlichte Gemüter.
*Zusammengestellt und geprüft*
*von der Versicherung der*
*Zaubergilde*

»Schlichte Gemüter?«, sagte Jenna. »Ist das nicht ein bisschen gemein?«

»Achte nicht darauf«, erwiderte Marcia. »Es ist ein sehr altmodisches Buch. Aber die alten sind oft die besten. Hübsch und einfach, bevor jeder Zauberer an den Zaubern herumgepfuscht hat, nur um sich einen Namen zu machen. Das kann zu bösen Überraschungen führen. Ich weiß noch, wie ich einmal einen Bringzauber fand, der mir ganz einfach erschien. Es war die neuste Ausgabe mit vielen brandneuen unerprobten Zaubern, und das hätte mir eine Warnung sein müssen. Als ich ihn anwendete, um meine Pythonschuhe zu holen, brachte er die grässliche Pythonschlange gleich mit. Und so was am frühen Morgen. Na, danke schön.«

Marcia blätterte angelegentlich in dem Buch.

»Irgendwo hier war eine leichte Version eines Unsichtbarkeitszaubers. Ich habe sie gestern entdeckt ... Ach, ja, da ist sie.«

Jenna spähte über Marcias Schulter auf die vergilbte aufgeschlagene Seite. Wie in allen Zauberbüchern stand auf jeder Seite ein anderer Zauberspruch, und in den älteren Büchern waren sie immer mit verschiedenen Tinten in seltsamen Farben geschrieben. Unter jedem Spruch war die Seite so nach innen gefaltet, dass sie eine Tasche bildete, und in der Tasche steckten die Charms. In jeden Charm war der Zauber magisch eingeprägt. Oft handelte es sich um ein beschriebenes Stück Pergament, es konnte aber auch irgendetwas anderes sein. Marcia hatte Charms gesehen, die auf Seide, ein Stück Holz, Muscheln und sogar auf eine Scheibe Toast geschrieben waren. Letztere hatte allerdings nicht funktioniert, weil Mäuse den Schluss des Spruchs weggeknabbert hatten.

Und so wurde ein Zauberbuch benutzt: Der Zauberer, der sich den Zauberspruch ausgedacht hatte, schrieb die Worte und Anweisungen auf irgendeinen Gegenstand, der gerade zur Hand war. Wichtig war, dass er ihn sofort aufschrieb, denn Zauberer sind für ihre Vergesslichkeit bekannt. Außerdem verliert der Zauber an Kraft, wenn er nicht rasch festgehalten wird. So kam es vor, dass ein Zauberer, dem beim Frühstück ein Spruch einfiel, einfach ein Stück Toast benutzte (vorzugsweise noch nicht mit Butter bestrichen). Dies war der Charm. Die Anzahl der Charms hing davon ab, wie oft der Zauberer den Zauberspruch aufschrieb. Oder wie viele Toasts er sich zum Frühstück geröstet hatte.

Hatte ein Zauberer genügend Sprüche gesammelt, so fasste er sie gewöhnlich in einem Buch zusammen. Auf diese Weise ließen sie sich besser aufbewahren. Allerdings enthielten viele Zauberbücher nur eine Auswahl alter Zauber, die zerfledderten Büchern entstammten und neu zusammengestellt wurden. Ein vollständiges Zauberbuch, dessen Taschen noch alle Charms enthielten, war eine seltene Kostbarkeit. Viel häufiger stieß man auf Bücher, die bis auf ein oder zwei weniger beliebte Charms praktisch leer waren.

Manche Zauberer fertigten für ihre schwierigeren Zauber nur ein oder zwei Charms an, und die waren nur sehr schwer aufzutreiben, allerdings ließen sich die meisten in der Pyramidenbibliothek im Zaubererturm finden. Marcia vermisste ihre Bibliothek mehr als alles andere im Turm, doch Tante Zeldas Sammlung von Zauberbüchern hatte sie angenehm überrascht.

»Hier, nimm«, sagte sie und reichte Jenna das Buch. »Wie wär's, wenn du den Charm herausholst?«

Jenna nahm das Buch. Es war klein und überraschend schwer. Die aufgeschlagene Seite war schmutzig und abgegriffen und mit verblasster lila Tinte beschrieben. Die Handschrift war groß und sauber und daher leicht zu entziffern. Der Text lautete:

Der Unsichtbarkeitszauber
ist ein wertvoller und hoch geschätzter Zauber
für alle, die (ausschließlich zum Schutz

der eigenen oder anderer Personen)
jenen zu entkommen wünschen,
die ihnen Schaden zufügen könnten.

Jenna bekam beim Lesen ein mulmiges Gefühl, denn sie wollte lieber nicht daran denken, wer ihr Schaden zufügen könnte. Sie griff in die dicke Papiertasche mit den Charms. Die Gegenstände in der Tasche fühlten sich an wie glatte und flache Spielmarken. Ihre Finger umschlossen eine Spielmarke und zogen sie heraus. Es war ein kleines ovales Stück poliertes Ebenholz.

»Sehr hübsch«, sagte Marcia beifällig. »Schwarz wie die Nacht. Genau richtig. Kannst du die Inschrift lesen?«

Jenna kniff die Augen zusammen und versuchte zu entziffern, was auf dem Ebenholz stand. Die Wörter waren winzig und mit verblasster goldener Tinte in einer altmodischen Schrift geschrieben. Marcia zog ihre große Lupe aus dem Gürtel, klappte sie auf und reichte sie ihr.

»Versuch's mal damit«, sagte sie.

Jenna führte die Lupe langsam über die goldenen Buchstaben und las laut vor:

Lass in der Luft mich nun verschwinden,
Lass keinen, der mir Böses will, mich finden,
Lass den vorbeigehn, der mich hasst,
Mach, dass sein Aug mich nicht erfasst.

»Hübsch und einfach«, sagte Marcia. »Fällt einem leicht wieder ein, wenn es brenzlig wird. Manche Zauber sind schön und gut, aber im Notfall kann man sich nur schwer an sie erinnern. Jetzt musst du dir den Zauber einprägen.«

»Wie einprägen?«, fragte Jenna.

»Halte den Charm dicht vor dich hin und sage dabei den Spruch auf. Du musst dir den genauen Wortlaut merken. Und während du den Spruch aufsagst, musst du dir vorstellen, was der Zauber bewirkt, das ist ganz wichtig.«

Es war gar nicht so leicht, wie Jenna gedacht hatte, besonders weil Nicko und Junge 412 zusahen. Wenn sie sich an die richtigen Worte erinnerte, vergaß sie, sich vorzustellen, wie sie sich in Luft auflöste, und wenn sie zu intensiv daran dachte, wie sie sich in Luft auflöste, vergaß sie wiederum die Worte.

»Probier es noch einmal«, machte ihr Marcia Mut, nachdem sie ärgerlicherweise bis auf ein einziges kleines Wort alles richtig gemacht hatte. »Alle glauben, Zaubern seien leicht, aber das stimmt nicht. Aber du hast es gleich.«

Jenna holte tief Luft. »Was glotzt ihr denn so!«, fuhr sie Nicko und Junge 412 an.

Die beiden grinsten und blickten stattdessen demonstrativ zu Berta. Berta regte sich unbehaglich im Schlaf. Sie merkte immer, wenn sie angestarrt wurde.

So kam es, dass Nicko und Junge 412 verpassten, wie Jenna zum ersten Mal verschwand.

Marcia klatschte in die Hände. »Du hast es geschafft!«, rief sie.

»Echt? Wirklich?«, meldete sich Jennas Stimme aus der Luft.

»He, Jen, wo bist du?«, fragte Nicko lachend.

Marcia sah auf ihre Uhr. »Denk daran, dass die Wirkung des Zaubers beim ersten Mal nicht lange anhält. In ungefähr einer Minute wirst du wieder sichtbar. Danach sollte die Wirkung so lange anhalten, wie du willst.«

Junge 412 beobachtete, wie sich Jenna in den flackernden Schatten, die Tante Zeldas Kerzen warfen, langsam wieder materialisierte. Er glotzte sie mit offenem Mund an. Das würde er auch gern probieren.

»Nicko«, sagte Marcia. »Du bist dran.«

Junge 412 ärgerte sich über sich selbst. Wie kam er nur darauf, dass Marcia *ihn* fragen könnte? Sie würde ihn niemals fragen. Er gehörte nicht dazu. Er war nur ein Entbehrlicher von der Jungarmee.

»Nein, danke«, sagte Nicko, »ich habe meinen eigenen Unsichtbarkeitszauber. Ich möchte sie nicht durcheinander bringen.«

Nicko hatte eine praktische Einstellung zur Magie. Er hatte nicht die Absicht, Zauberer zu werden, obwohl er aus einer Zaubererfamilie stammte und die Grundlagen der Zauberei erlernt hatte. Er sah nicht ein, wozu er mehr als einen Zauber von jeder Sorte brauchte. Wozu sich mit dem ganzen Kram belasten? Er glaubte, dass er bereits alle Zaubersprüche im Kopf hatte, die er jemals brauchen würde. Er benutzte seinen Kopf lieber für nützliche Dinge wie Gezeitentafeln und die Takelagen von Segelbooten.

»Schön«, sagte Marcia, die sich hütete, Nicko zu etwas zu zwingen, was ihn nicht interessierte, »aber vergiss nicht, dass nur diejenigen, die im selben Unsichtbaren sind, sich gegenseitig sehen können. Wenn du in einem anderen bist, wirst du für alle, die einen anderen Zauber verwendet haben, nicht zu sehen sein, auch wenn sie ebenfalls unsichtbar sind. Bist du dir darüber im Klaren?«

Nicko nickte geistesabwesend. Ihm leuchtete nicht ein, was das für eine Rolle spielte.

»Also gut«, sagte Marcia und wandte sich Junge 412 zu, »dann bist du jetzt an der Reihe.«

Junge 412 errötete und schlug die Augen nieder. Jetzt hatte sie ihn doch gefragt. Er wollte den Zauber für sein Leben gern ausprobieren, aber er konnte es nicht leiden, wie alle ihn anglotzten. Bestimmt würde er sich dumm anstellen.

»Du solltest es unbedingt versuchen«, sagte Marcia. »Ich möchte, dass ihr alle es könnt.«

Junge 412 schaute überrascht auf. Meinte sie damit, dass er genauso wichtig war wie die beiden anderen Kinder? Wie die beiden, die dazugehörten?

Tante Zeldas Stimme meldete sich vom anderen Ende des Raums. »Natürlich versucht er es.«

Junge 412 erhob sich schwerfällig. Marcia fischte einen zweiten Charm aus dem Buch und gab ihn ihm. »Jetzt präge ihn dir ein«, forderte sie ihn auf.

Junge 412 hielt den Charm in der Hand. Jenna und Nicko sahen ihn an, neugierig, was er tun würde. »Sprich die Worte«, ermunterte ihn Marcia. Junge 412 sagte nichts, doch der Spruch zu dem Zauber schwirrte ihm durch den Kopf, und er vernahm ein seltsames Summen. Seine Nackenhaare sträubten sich unter dem roten Filzhut. Er spürte, wie der Zauber durch seine Hand prickelte.

»Er ist verschwunden!«, rief Jenna.

Nicko pfiff bewundernd. »Der verliert keine Zeit, was?«

Junge 412 wurde böse. Es bestand kein Grund, sich über ihn lustig zu machen. Und warum sah Marcia ihn so komisch an? Hatte er etwas falsch gemacht?

»Komm jetzt zurück«, sagte Marcia ganz ruhig. Etwas in ihrer Stimme machte ihm Angst. Was war denn los?

Dann schoss ihm ein verblüffender Gedanke durch den Kopf. Ganz vorsichtig stieg er über Berta hinweg, schlüpfte an Jenna vorbei, ohne sie zu berühren, und ging in die Mitte des Zimmers. Niemand sah ihm nach. Alle blickten noch zu der Stelle, wo er eben gestanden hatte.

Freudige Erregung durchfuhr ihn. Er konnte es! Er konnte zaubern! Er konnte sich in Luft auflösen! Niemand konnte ihn sehen. Er war frei!

Er tat aufgeregt einen Hopser. Niemand sah es. Er fuchtelte mit den Armen. Niemand sah es. Er steckte sich die Daumen in die Ohren und wackelte mit den Fingern. Niemand sah es. Dann hüpfte er lautlos zu der Sturmkerze, um sie auszublasen, blieb aber mit dem Fuß am Teppich hängen und schlug der Länge nach hin.

»*Da* bist du!«, rief Marcia ärgerlich.

Ja, da war er. Er saß auf dem Fußboden, rieb sich das schmerzende Knie und erschien langsam dem staunenden Publikum.

»Du bist echt gut«, sagte Jenna. »Wie hast du das so locker hingekriegt?«

Junge 412 schüttelte den Kopf. Er hatte keine Ahnung, wie er es hingekriegt hatte. Es war einfach passiert. Aber er fühlte sich großartig.

Marcia reagierte merkwürdig. Eigentlich müsste sie doch mit ihm zufrieden sein, dachte Junge 412, doch das Gegenteil schien der Fall zu sein.

»Du darfst dir den Zauber nicht so schnell einprägen. Das kann gefährlich werden. Wenn du Pech hast, kommst du nicht mehr richtig zurück.«

Was Marcia ihm nicht sagte: Sie hatte noch nie einen Anfänger gesehen, der einen Zauber so schnell beherrschte. Das gab ihr zu denken. Und sie wurde noch nachdenklicher, als Junge 412 ihr den Charm gab. Von seiner Hand sprang ein magischer Funke auf sie über, und sie spürte ein Knistern wie von statischer Elektrizität.

»Nein«, sagte sie und gab ihm den Charm zurück, »behalte ihn. Und du auch, Jenna. Für Anfänger ist es besser, wenn sie den Charm für einen Zauber behalten, den sie vielleicht noch anwenden wollen.«

Junge 412 steckte den Charm in die Hosentasche. Er war verwirrt. Ihm war noch ganz schwindlig vor Aufregung. Er hatte den Zauber perfekt hingekriegt. Aber wieso war Marcia dann sauer? Was hatte er falsch gemacht? Vielleicht hatten die von der Jungarmee ja doch Recht. Vielleicht war die Außergewöhnliche Zauberin tatsächlich verrückt. Das hatten sie bei der Jungarmee jeden Morgen im Sprechchor jedenfalls gerufen, ehe sie ausrückten und vor dem Zaubererturm Posten bezogen, um das Kommen und Gehen seiner vielen Bewohner zu überwachen, besonders das der Außergewöhnlichen Zauberin.

*Verrückt wie eine Krake,*
*Hässlich wie 'ne Ratz,*
*Dreht sie durch den Fleischwolf,*
*Als Futter für die Katz!*

Doch der Reim brachte Junge 412 nicht mehr zum Lachen. Er fand, dass er überhaupt nicht auf Marcia passte. Ja, je länger er über die Jungarmee nachdachte, desto deutlicher erkannte er die Wahrheit.

Die *Jungarmee* war verrückt.

Marcia war toll.

# ★ 23 ★

## SCHWINGEN

In dieser Nacht steigerte sich der Ostwind zum Sturm. Er rüttelte an Fensterläden und Türen und ließ die ganze Hütte erzittern. Von Zeit zu Zeit heulte eine kräftige Bö um die Hütte und blies den Rauch in den Schornstein zurück, sodass die drei, die vor dem Kamin lagen, husten und spucken mussten.

Maxie hatte das Bett seines Herrn partout nicht verlassen wollen und schnarchte in der Dachkammer jetzt lauter denn je, sehr zum Leidwesen von Tante Zelda und Marcia, die beide nicht schlafen konnten.

Tante Zelda stand leise auf und blickte aus dem Fenster, wie sie es in stürmischen Nächten immer tat, seit ihr jüngerer Bruder Theo nicht mehr da war. Theo war wie ihr älterer Bruder Benjamin Heap

Gestaltwandler. Irgendwann hatte er vom Leben unter den Wolken genug gehabt. Er wollte sich zum Himmel emporschwingen, dorthin, wo immer die Sonne schien. Eines Wintertags kam er zu ihr, um Lebwohl zu sagen, und am nächsten Morgen saß sie am Mott und sah zu, wie er ein letztes Mal seine Lieblingsgestalt annahm, die einer Sturmschwalbe. Das Letzte, was sie von Theo gesehen hatte, war ein schlanker Vogel, der über das Marschland in Richtung Meer flog, und schon damals hatte sie gewusst, dass sie ihn wahrscheinlich nie wieder sehen würde. Sturmschwalben lebten nämlich auf den Ozeanen und kehrten selten an Land zurück, außer wenn sie in einem Sturm abgetrieben wurden ... Tante Zelda seufzte und schlich auf Zehenspitzen zum Bett zurück.

Marcia hatte sich das Kissen über den Kopf gezogen. Sie konnte das Hundeschnarchen und das Heulen des Windes, der über die Marschen fegte, gegen die Hütte peitschte und sich mit Gewalt auf der einen Seite hinein- und auf der anderen wieder hinauszwängte, nicht mehr hören. Doch es war nicht nur der Lärm, der sie wach hielt. Noch etwas anderes ließ ihr keine Ruhe. Sie hatte heute Abend etwas gesehen, das ihr Hoffnung auf eine Rückkehr in die Burg machte. Und Mut für die Zukunft. Eine Zukunft ohne schwarze Magie. Sie lag wach und plante ihren nächsten Schritt.

Unten lag Junge 412 wach. Seit dem Zauber fühlte er sich sonderbar, so als schwirre ein Bienenschwarm in seinem Kopf herum. Er vermutete, dass von dem Zauber magische Energieteilchen zurückgeblieben waren und endlos im Kreis wirbelten. Er fragte sich, warum Jenna nicht wach war. Sie schlief tief und fest. Warum hatte sie kein Ohrensausen? Er steckte sich den Ring an, und als das goldene Glimmen den Raum erhellte, kam ihm ein Gedanke. Es musste an dem Ring liegen. Der Ring war der Grund, warum er Ohrensausen hatte und warum ihm der Zauber so leicht geglückt war. Er hatte einen magischen Ring gefunden.

Er rief sich in Erinnerung, was nach dem Zauber geschehen war. Er hatte mit Jenna dagesessen und in dem Zauberbuch geblättert, bis Marcia es bemerkt und sie aufgefordert hatte, es wegzulegen. Sie habe für heute genug von albernen Streichen, hatte sie gesagt. Dann, später am Abend, als gerade niemand in der Nähe war, hatte sie ihn abgepasst und zu ihm gesagt, dass sie morgen mit ihm sprechen wolle. Allein. In seinen Augen konnte das nur Ärger bedeuten.

Er war niedergeschlagen. Er konnte nicht mehr klar denken, daher beschloss er, eine Liste zu machen. Die Tatsachenliste der Jungarmee. Das hatte bisher immer funktioniert.

*Erstens: Kein Morgenappell. GUT.*
*Zweitens: Viel bessere Verpflegung. GUT.*
*Drittens: Tante Zelda nett. GUT*
*Viertens: Prinzessin freundlich. GUT.*
*Fünftens: Magischen Ring gefunden. GUT.*
*Sechstens: Außergewöhnliche Zauberin sauer. SCHLECHT.*

Er war überrascht. Noch nie in seinem Leben hatte es mehr GUT als SCHLECHT gegeben. Aber irgendwie wurde das eine SCHLECHT dadurch noch schlimmer. Denn zum ersten Mal hatte er das Gefühl, dass er etwas zu verlieren hatte. Schließlich fiel er in einen unruhigen Schlaf und erwachte früh im Morgengrauen.

Am Morgen hatte der Ostwind abgeflaut, und in der Hütte herrschte allgemein eine erwartungsvolle Stimmung.

Tante Zelda war seit Tagesanbruch im Freien, um nachzusehen, ob der Wind in der Nacht Sturmschwalben hergetrieben hatte. Doch es waren keine da, und im Grunde hatte sie auch nichts anderes erwartet, obwohl sie die Hoffnung nie aufgab.

Marcia wartete darauf, dass Silas mit dem Talisman zurückkam.

Jenna, Nicko und Marcia warteten auf Nachricht von Silas.

Maxie wartete auf sein Frühstück.

Junge 412 machte sich auf Ärger gefasst.

»Schmecken dir die Hafergrützefladen nicht?«, fragte Tante Zelda Junge 412 beim Frühstück. »Gestern hast du dir zweimal nachgenommen, und jetzt hast du kaum einen Bissen gegessen.«

Junge 412 schüttelte den Kopf.

Tante Zelda sah ihn besorgt an. »Du siehst kränklich aus. Geht es dir gut?«

Junge 412 nickte, obwohl er sich elend fühlte.

Nach dem Frühstück, als er seine Decke so ordentlich zusammenlegte, wie er es bei der Armee sein Leben lang jeden Morgen getan hatte, fragte ihn Jenna, ob er Lust habe, Nicko und sie zu begleiten. Sie wollten mit der *Muriel zwei* rausfahren und auf die Rückkehr der Botenratte warten. Er schüttelte den Kopf. Jenna war nicht überrascht. Sie wusste, dass er fürs Bootfahren nichts übrig hatte.

»Dann bis später«, rief sie vergnügt und lief zu Nicko, der schon im Kanu saß.

Junge 412 beobachtete, wie Nicko das Boot durch den Mott in die Marschen steuerte. Das Marschland sah heute Morgen trostlos und kalt aus, wie wund gescheuert vom nächtlichen Ostwind. Er war froh, dass er in der Hütte am warmen Kamin bleiben konnte.

»Ah, da bist du ja«, hörte er Marcia hinter sich rufen. Er zuckte zusammen. »Ich möchte mit dir reden.«

Junge 412 rutschte das Herz in die Hose. Jetzt war es so weit, dachte er. Sie würde ihn fortschicken. Zurück zur Jungarmee. Er hätte es wissen müssen. Alles war zu schön, um wahr zu sein.

Marcia bemerkte, dass er erbleicht war.

»Fühlst du dich nicht wohl?«, fragte sie. »Ist dir die Schweinsfußpastete gestern Abend nicht bekommen? Also mir lag sie etwas schwer im Magen. Außerdem habe ich kaum ein Auge zugetan. Dieser grässliche Ostwind. Apropos Wind, ich verstehe nicht, warum dieser widerliche Köter nicht woanders schlafen kann.«

Junge 412 grinste. Er für sein Teil war froh, dass Maxie oben schlief.

»Ich habe mir gedacht, du hättest vielleicht Lust, mir die Insel zu zeigen«, fuhr Marcia fort. »Du kennst dich hier doch bestimmt schon aus.«

Junge 412 sah sie erschrocken an. Hatte sie einen Verdacht?

Wusste sie, dass er den Tunnel entdeckt hatte?

»Mach nicht so ein besorgtes Gesicht«, lächelte Marcia. »Na, wie wär's? Zeigst du mir das Revier des Boggart? Ich habe noch nie gesehen, wie Boggarts leben.«

Nur ungern verließ Junge 412 die warme Hütte und machte sich mit Marcia auf den Weg.

Die beiden gaben ein seltsames Paar ab: Junge 412, der ehemalige Entbehrliche der Jungarmee, eine kleine schmächtige Gestalt, selbst in der unförmigen Schaffelljacke und den ausgebeulten Seemannshosen, und leicht zu erkennen an seinem hellroten Filzhut, den abzunehmen er sich bislang strikt geweigert hatte, auch nicht Tante Zelda zuliebe. Und neben ihm Marcia Overstrand, die Außergewöhnliche Zauberin, die ihn weit überragte und ein so scharfes Tempo anschlug, dass er immer wieder in Laufschritt fallen musste, um nicht zurückzubleiben. Ihr Gürtel aus Gold und Platin funkelte in der matten Wintersonne, und ihr schwerer, pelzgefütterter Seidenumhang flatterte in einem kräftigen Lila hinter ihr wie eine Fahne.

Bald erreichten sie das Revier des Boggart.

»Ist es hier?«, fragte Marcia, leicht schockiert darüber, wie jemand an einem so kalten und schmutzigen Ort leben konnte.

Junge 412 nickte, stolz darauf, dass er ihr etwas zeigen konnte, was sie noch nicht kannte.

»Na ja«, sagte sie. »So lernt man jeden Tag etwas dazu. Und gestern«, fuhr sie fort und sah Junge 412 in die Augen, bevor er wegschauen konnte, »gestern habe ich auch etwas gelernt. Etwas sehr Interessantes.«

Junge 412 scharrte nervös mit den Füßen und sah weg. Das ließ nichts Gutes ahnen.

»Ich habe gelernt«, fuhr Marcia mit leiser Stimme fort, »dass du eine natürliche magische Begabung hast. Du hast diesen Zauber so leicht hinbekommen, als hättest du seit Jahren Zauberunterricht. Aber du hast nie zuvor in deinem Leben mit Zauberei zu tun gehabt, habe ich Recht?«

Junge 412 nickte und schlug die Augen nieder. Noch immer hatte er das Gefühl, etwas Falsches getan zu haben.

»Das habe ich mir gedacht«, fuhr Marcia fort. »Ich vermute, du bist mit ... mit zweieinhalb Jahren in die Jungarmee gekommen. In dem Alter wird man gewöhnlich geholt.«

Junge 412 hatte keine Ahnung, wie lange er in der Jungarmee gewesen war. Er konnte sich an nichts anderes in seinem Leben erinnern, deshalb nahm er an, dass Marcia Recht hatte. Er nickte abermals.

»Nun, wir alle wissen, dass du in der Jungarmee unmöglich mit Zauberei in Berührung gekommen sein kannst. Und doch verfügst du über magische Energien. Ich habe einen ordentlichen Schlag bekommen, als du mir gestern Abend den Charm zurückgegeben hast.«

Marcia zog einen kleinen, glänzenden Gegenstand aus einer Tasche in ihrem Gürtel und drückte ihn Junge 412 in die Hand. Er senkte den Blick. In seiner schmutzigen Hand lag ein kleines Paar silberner Schwingen. Die Schwingen schimmerten im Licht und sahen so aus, als könnten sie jeden Augenblick davonfliegen. Er betrachtete sie genauer. Jede Schwinge war mit einer feinen Einlegearbeit aus Gold und winzigen Buchstaben versehen. Er wusste, was das bedeutete. Er hielt einen Charm in der Hand, aber diesmal war es nicht bloß ein Stück Holz, sondern ein schönes Schmuckstück.

»Manche Charms für höhere Magie sind sehr schön«, erklärte

Marcia. »Es gibt nicht nur aufgeweichte Toasts. Ich weiß noch, wie mir Alther dieses Stück zeigte. Für mich war es einer der einfachsten und schönsten Charms, die ich je gesehen hatte. Und das finde ich noch heute.«

Junge 412 starrte die schönen silbernen Flügel an. Auf dem einen stand FLIEGE IN DIE FREIHEIT und auf dem anderen MIT MIR.

Fliege in die Freiheit mit mir, sagte Junge 412 zu sich. Der Klang der Worte in seinem Kopf gefiel ihm. Und dann …

Er konnte nichts dafür.

Er wusste wirklich nicht, was er tat.

Er sprach nur im Stillen die Worte, dachte an seinen Traum zu fliegen und …

»Ich hab gewusst, dass es passieren würde!«, rief Marcia aufgeregt. »Ich hab's gewusst!«

Junge 412 fragte sich, was sie meinte. Bis er merkte, dass er ebenso groß war wie sie. Und sogar größer – er schwebte über ihr. Überrascht sah er nach unten. Bestimmt würde sie ihn gleich ausschimpfen wie gestern Abend und ihm befehlen, mit dem Unfug aufzuhören und *augenblicklich* herunterzukommen. Doch zu seiner Erleichterung zeigte sie ein strahlendes Lächeln, und ihre Augen funkelten vor Erregung.

»Phänomenal!« Marcia beschirmte ihre Augen und blinzelte in die Morgensonne, als sie zu Junge 412 aufsah, der über dem Schlammloch des Boggart schwebte. »Das ist Zauberei für Fortgeschrittene. Dafür braucht man normalerweise Jahre. Ich kann es nicht glauben.«

Wahrscheinlich hätte sie das nicht sagen sollen, denn auch Junge 412 konnte es eigentlich nicht glauben.

Mit einem lauten Platsch landete er mitten im Schlammloch des Boggart.

»He! Hat 'n armer Boggart denn nie seine Ruhe?« Ein empörtes Paar Knopfaugen blinzelte aus dem Schlamm hervor.

»Ahhh …«, japste Junge 412, strampelte sich an die Oberfläche und hielt sich am Boggart fest.

»Ich war gestern den ganzen Tag wach«, klagte der Boggart und schleppte den hustenden und spuckenden Jungen zum Rand des Schlammlochs. »Auf 'm Weg zum Fluss ständig die Sonne in den Augen, und von morgens bis abends das Gejammer von 'ner Ratte in den Ohren.« Er schob den Jungen aus dem Loch. »Mir reicht's. Schlafen will ich, weiter nichts. Und keinen Besuch. Einfach nur schlafen. Kapiert? Biste in Ordnung, Kleiner?«

Junge 412 nickte, immer noch spuckend.

Marcia hatte sich hingekniet und wischte ihm mit einem ziemlich feinen lila Seidentaschentuch das Gesicht. Der kurzsichtige Boggart sah sie überrascht an.

»Oh, Morgen, Exzellenz«, grüßte er respektvoll. »Hab Sie gar nich gesehen.«

»Guten Morgen, Boggart. Ich bin untröstlich, dass wir Sie gestört haben. Haben Sie vielen Dank für Ihre Hilfe. Wir gehen sofort wieder und lassen Ihnen Ihre Ruhe.«

»Aber woher denn, war mir ein Vergnügen.«

Damit versank der Boggart im Schlamm, und zurück blieben nur ein paar Blasen an der Oberfläche.

Marcia und Junge 412 gingen langsam zur Hütte zurück. Marcia beschloss, darüber hinwegzusehen, dass der Junge von Kopf bis Fuß mit Schlamm bedeckt war. Sie wollte ihn etwas fragen. Sie hatte einen Entschluss gefasst und wollte nicht länger warten.

»Ich frage mich«, sagte sie, »ob du dir vorstellen könntest, mein Lehrling zu werden.«

Junge 412 blieb wie vom Donner gerührt stehen und starrte sie an. Das Weiße der Augen leuchtete aus seinem schlammverschmierten Gesicht. Was hatte sie gesagt?

»Du wärst mein erster. Ich habe noch keinen geeigneten gefunden.«

Junge 412 starrte sie nur fassungslos an.

»Ich will damit sagen«, versuchte Marcia zu erklären, »dass ich nie jemanden mit dem magischen Funken gefunden habe, aber du hast ihn. Ich weiß nicht, warum oder woher du ihn hast, aber du hast ihn. Und mit deiner und meiner Macht können wir beide, so glaube ich, die dunkle, die andere Seite besiegen. Vielleicht für immer. Was sagst du dazu? Willst du mein Lehrling werden?«

Junge 412 war bestürzt. Er sollte ihr, der Außergewöhnlichen Zauberin, helfen? Wie denn? Sie hatte alles missverstanden. Er war ein Schwindler – der Drachenring hatte magische Kräfte, nicht er. So gern er auch Ja gesagt hätte, er konnte nicht.

Er schüttelte den Kopf.

»Nein?« Marcia klang schockiert. »Heißt das nein?«

Er nickte langsam.

»Nein ...« Marcia fehlten die Worte, was sonst nur selten vorkam. Sie hatte nicht damit gerechnet, dass der Junge ablehnen könnte. Niemand ließ sich die Chance entgehen, Lehrling der Außergewöhnlichen Zauberin zu werden. Abgesehen von dem Dummkopf Silas, natürlich.

»Ist dir klar, was du da sagst?«, fragte sie.

Junge 412 antwortete nicht. Er fühlte sich elend. Schon wieder hatte er es fertig gebracht, etwas Falsches zu tun.

»Ich bitte dich, denk noch mal darüber nach«, sagte Marcia in milderem Ton. Sie hatte die Angst in seinem Gesicht gesehen. »Es ist eine wichtige Entscheidung für uns beide – und für die Burg. Ich hoffe, du änderst deine Meinung.«

Junge 412 wusste nicht, wie er seine Meinung ändern könnte. Er hielt Marcia den Charm hin. Er glänzte sauber und hell in seiner schmutzigen Hand.

Diesmal war es Marcia, die den Kopf schüttelte.

»Er soll dich an mein Angebot erinnern, und mein Angebot steht noch. Alther gab ihn mir, als er mich fragte, ob ich sein Lehrling werden wollte. Natürlich nahm ich sofort an, aber ich kann verstehen, dass es für dich etwas anderes ist. Du brauchst Bedenkzeit. Ich möchte, dass du den Charm behältst, solange du dir die Sache durch den Kopf gehen lässt.«

Sie beschloss, das Thema zu wechseln. »Bist du eigentlich ein guter Insektenfänger?«, fragte sie aufgeräumt.

Junge 412 war ein sehr guter Insektenfänger. Er hatte im Lauf der Jahre viele Insekten als Haustiere gehalten. Am besten hatten ihm der Hirschkäfer Stag, der Tausendfüßler Milly und der große Ohrwurm Ernie gefallen, aber er hatte auch eine große schwarze Hausspinne mit behaarten Beinen gehalten, die Sieben-Bein-Joe hieß. Sieben-Bein-Joe lebte in dem Loch in der Wand über seinem Bett. Das heißt, bis zu dem Tag, an dem Junge 412 der Verdacht kam, dass er Ernie gefressen hatte, und obendrein wahrscheinlich Ernies gesamte Familie. Danach fand sich Joe unter dem Bett des Chefkadetten wieder, der panische Angst vor Spinnen hatte.

Marcia war hocherfreut über ihren Fang. Siebenundfünfzig Insekten unterschiedlichster Art genügten vollauf und entsprachen ungefähr dem, was Junge 412 tragen konnte.

»Sobald wir zu Hause sind«, sagte Marcia, »holen wir die Einmachgläser, und dann nichts wie rein mit ihnen. Das geht ganz fix.«

Junge 412 würgte. Dafür waren sie also: Käfermarmelade.

Als er Marcia zur Hütte folgte, hoffte er, dass das Kribbeln, das seinen Arm heraufwanderte, nicht allzu viele Beine hatte.

# ★ 24 ★

## PANZERKÄFER

Ein wahrhaft bestialischer Gestank nach gekochter Ratte und verfaultem Fisch wehte von der Hütte herüber, als Jenna und Nicko, die den ganzen Tag in den Marschen vergeblich nach der Botenratte Ausschau gehalten hatten, mit der *Muriel zwei* in den Mott einbogen.

»Glaubst du, die Ratte ist schon da und Tante Zelda kocht sie gerade zum Abendessen?«, lachte Nicko, als sie das Kanu festmachten und sich fragten, ob es ratsam war, hineinzugehen.

»Hör auf, Nicko. Ich fand die Botenratte sympathisch. Ich hoffe, Dad schickt sie bald zurück.«

Sich fest die Nasen zuhaltend, gingen sie den Weg zur Hütte hinauf. Mit einem beklommenen Gefühl stieß Jenna die Tür auf.

237

»Igitt!«

Drinnen roch es noch strenger. In den Gestank von gekochter Ratte und verfaultem Fisch mischte sich unverkennbar ein Hauch von alter Katzenkacke.

»Kommt rein, Kinder, wir sind beim Kochen«, rief Tante Zeldas Stimme aus der Küche. Von dort kam auch der Gestank.

Wenn das ihr Abendessen war, dachte Nicko, verspeiste er lieber seine Socken.

»Ihr kommt wie gerufen«, flötete Tante Zelda vergnügt.

»Na, prima«, sagte Nicko, der sich fragte, ob Tante Zelda überhaupt noch einen Geruchssinn besaß oder ob er durch jahrelanges Kohlkochen völlig abgestumpft war.

Er und Jenna näherten sich widerstrebend der Küche. Was konnte das nur für ein Abendessen sein, das so verboten roch?

Zu ihrer Überraschung und Erleichterung war es nicht das Abendessen. Und es war auch nicht Tante Zelda, die am Herd stand, sondern Junge 412.

Er sah sehr ulkig aus. Er trug eine schlecht sitzende bunte Strickkombination, die aus einem sackartigen Flickenpullover und ausgeleierten Strickshorts bestand. Aber sein roter Hut saß immer noch fest auf seinem Kopf und dampfte leicht in der heißen Küche, während seine Kleider zum Trocknen am Kamin hingen.

Tante Zelda hatte ihn endlich zu einem Bad überreden können, aber nur, weil er nach seiner Rückkehr vom Schlammloch des Boggart mit einer klebrigen schwarzen Dreckkruste überzogen war und sich so unwohl fühlte, dass er nur zu gern in die Badehütte verschwand. Doch von dem roten Hut wollte er sich nach wie vor nicht trennen. In dem Punkt hatte sich Tante Zelda geschlagen geben müssen. Aber sie war froh, dass sie wenigstens seine Sachen waschen konnte. Außerdem fand sie, dass er in dem alten Strickanzug, den Silas als Kind getragen hatte, richtig süß aussah. Junge 412 dagegen fand, dass er belämmert aussah, und mied Jennas Blick, als sie hereinkam.

Er rührte konzentriert in der stinkenden Pampe, war aber noch immer nicht restlos davon überzeugt, dass Tante Zelda *keine* Käfermarmelade kochte, zumal sie am Küchentisch saß und einen Haufen Einmachgläser vor sich stehen hatte. Sie schraubte emsig die Deckel ab und reichte die Gläser Marcia, die ihr gegenüber saß und Charms aus einem sehr dicken Zauberbuch nahm, das den Titel hatte:

**Eingemachte Panzerkäfer**
**500 Charms**
**Alle garantiert identisch und 100-prozentig einsatzfähig.**
**Ideal für den sicherheitsbewussten Zauberer von heute.**

»Kommt und setzt euch«, sagte Tante Zelda und machte am Tisch für sie Platz. »Wir bereiten die Einmachgläser vor. Marcia kümmert sich um die Charms, und ihr könnt die Insekten hineintun, wenn ihr Lust habt.«

Jenna und Nicko setzten sich an den Tisch. Sie atmeten vorsichtshalber nur durch den Mund. Der Gestank kam aus der Pfanne mit der hellgrünen Pampe, in der Junge 412 voller Hingabe rührte.

»Dann mal los. Hier sind die Insekten.« Tante Zelda schob eine große Schüssel vor Jenna und Nicko hin. Jenna linste hinein. In der Schüssel wimmelte es von Ungeziefer jeder Art und Größe.

»Igitt.« Jenna schüttelte sich. Sie hatte für Krabbeltiere überhaupt nichts übrig. Auch Nicko war nicht gerade begeistert. Seit Fred und Eric ihm einmal, als er noch klein war, einen Tausendfüßler in den Kragen gesteckt hatten, mied er alles, was wuselte und krabbelte.

Doch Tante Zelda nahm darauf keine Rücksicht. »Unsinn, das sind doch nur winzige Geschöpfe mit vielen kleinen Beinen. Die haben viel mehr Angst vor euch als ihr vor ihnen. Also … Zuerst gibt Marcia den Charm herum. Jeder hält den Charm so, dass das Insekt auf ihn geprägt wird und ihn wieder erkennt, wenn es freigelassen wird, dann legt Marcia den Charm in ein Einmachglas. Ihr beide könnt anschließend ein Insekt dazutun und das Ganze dann Junge 412 geben. Er füllt das Glas mit dem Eingemachten, und ich schraube den Deckel darauf. So sind wir im Handumdrehen fertig.«

Und so wurde es auch gemacht, nur dass Jenna das Zuschrauben der Deckel übernahm, weil ihr gleich das erste Insekt über den Arm krabbelte und erst von ihr abließ, als sie laut kreischend auf und ab hüpfte.

Alle atmeten auf, als sie an das letzte Glas kamen. Tante Zelda schraubte den Deckel ab und reichte es Marcia, die im Zauberbuch die nächste Seite aufschlug und einen weiteren kleinen schildförmigen Charm herausnahm. Sie reichte den Charm herum, damit ihn jeder kurz in der Hand halten konnte, dann ließ sie ihn in das Einmachglas fallen und reichte das Glas Nicko. Nicko war darüber alles andere als erfreut. Auf dem Boden der Schüssel lauerte das letzte Insekt, ein großer roter Tausendfüßler, der genauso aussah wie der, den sie ihm vor vielen Jahren in den Kragen gesteckt hatten. Er lief wie verrückt im Kreis und suchte nach einem Versteck. Hätte sich Nicko nicht so geekelt, hätte er vielleicht Mitleid mit ihm gehabt, doch er konnte nur daran denken, dass er ihn anfassen musste. Der Charm lag bereits im Glas, und Marcia wartete. Junge 412 hielt eine letzte Schöpfkelle mit der ekligen Pampe bereit. Alle warteten.

Nicko holte tief Luft, schloss die Augen und fasste in die Schüssel. Der Tausendfüßler sah die Hand kommen und wuselte in die andere Richtung. Nicko tastete in der Schüssel umher, doch der Tausendfüßler war schneller. Er huschte mal hierhin, mal dorthin, bis er ein Versteck entdeckte, nämlich Nickos baumelnden Ärmel, und darauf zulief.

»Du hast ihn!«, rief Marcia. »Er ist in deinem Ärmel. Schnell, ins Glas damit.« Nicko wagte nicht hinzusehen. Er schüttelte den Ärmel wie wild über dem Glas und stieß es um. Der Charm purzelte über den Tisch, fiel zu Boden und löste sich in Luft auf.

»Ach, du grüne Neune!«, schimpfte Marcia. »Die sind vielleicht unbeständig.« Sie fischte einen anderen Charm aus dem Buch und ließ ihn gleich in das Glas fallen, ohne ihn vorher herumzureichen.

»Mach schon«, sagte sie gereizt. »Das Eingemachte verliert schnell seine Wirkung. Beeilung.«

Sie fasste herüber und schnippte den Tausendfüßler gekonnt von Nickos Ärmel direkt ins Glas. Im nächsten Moment kippte Junge 412 die klebrige grüne Pampe darüber. Jenna schraubte den Deckel fest zu, knallte das Glas mit einer schwungvollen Bewegung auf den Tisch, und alle beobachteten die Verwandlung im letzten Einmachglas.

Der Tausendfüßler im Glas befand sich in einem Schockzustand. Er hatte unter seinem Lieblingsstein geschlafen, da kam plötzlich ein Riese mit rotem Kopf, nahm den Stein weg und hob ihn selbst in die Höhe. Doch es kam noch schlimmer: Er, von Natur aus Einzelgänger, wurde in einen Haufen lärmender, schmutziger und ausgesprochen rüpelhafter Insekten geworfen, die schubsten und drängelten und versuchten, ihm in die Beine zu beißen. Wenn der Tausendfüßler etwas nicht leiden konnte, dann dass man seine Beine in Unordnung brachte. Er hatte viele Beine, und jedes einzelne musste tadellos in Schuss sein, sonst konnte es für ihn unangenehm werden. Arbeitete nur ein einziges Bein unzuverlässig, war es um seinen Besitzer geschehen – er irrte endlos im Kreis. Deshalb hatte sich der Tausendfüßler auf den Schüsselboden verkrochen und dort geschmollt, bis ihm irgendwann auffiel, dass alle anderen Insekten fort waren und er kein Versteck mehr hatte. Jeder Tausendfüßler wusste, dass »kein Versteck haben« das Ende der Welt bedeutete, und unser Tausendfüßler musste jetzt erfahren, dass dies wirklich stimmte, denn er schwamm in einem zähen grünen Brei und etwas Schreckliches ging mit ihm vor. Er verlor ein Bein nach dem anderen.

Und nicht nur das. Sein langer, schlanker Leib wurde kürzer und dicker, sodass er bald aussah wie ein dreieckiges Monstrum mit einem kleinen spitzen Kopf. Auf dem Rücken hatte er ein stabiles Paar gepanzerter grüner Flügel, und seinen Bauch bedeckten dicke grüne Schuppen. Und als sei das noch nicht schlimm genug, hatte er, der Tausendfüßler, jetzt nur noch vier Beine! Vier dicke grüne Beine. Wenn man so etwas überhaupt Beine nennen konnte. *Er* verstand unter Beinen jedenfalls etwas anderes. Er hatte zwei oben und zwei unten. Die beiden oberen waren kürzer als die beiden unteren. Sie hatten jeweils fünf spitze Dinger an den Enden, die er bewegen konnte, und eins von den oberen Beinen hielt einen kurzen scharfen Stab aus Metall. Die beiden unteren Beine hatten große und flache grüne Dinger am Ende, und an jedem waren fünf noch kleinere spitze grüne Dinger vorne dran. Eine absolute Katastrophe. Wie konnte jemand mit lächerlichen vier Beinen leben, die noch dazu dick waren und in spitze Dinger ausliefen? Was für eine Art von Geschöpf war das?

Diese Art von Geschöpf war, auch wenn es der Tausendfüßler nicht wusste, ein Panzerkäfer.

Der Ex-Tausendfüßler war jetzt ein voll ausgebildeter Panzerkäfer und schwamm in der zähen grünen Pampe. Er bewegte sich ganz langsam, als probierte er seinen neuen Körper aus. Mit einem überraschten Ausdruck auf dem Gesicht blickte er durch den grünen Schleier hinaus in die Welt und wartete auf den Augenblick seiner Befreiung.

»Der perfekte Panzerkäfer«, sagte Marcia stolz, als sie das Glas ins Licht hielt und den Ex-Tausendfüßler bewunderte. »Der ist uns am besten gelungen. Gut gemacht, Leute.«

Bald standen die siebenundfünfzig Marmeladegläser aufgereiht auf den Fensterbänken und bewachten die Hütte. Sie boten einen unheimlichen Anblick mit ihren hellgrünen Bewohnern, die verträumt in der grünen Pampe schwebten und die Zeit verschliefen, bis jemand den Deckel abschraubte und sie freiließ.

»Was passiert eigentlich, wenn man den Deckel abschraubt?«, fragte Jenna.

»Nun«, antwortete Marcia, »der Panzerkäfer springt heraus und verteidigt dich bis zu seinem letzten Atemzug, es sei denn, dir gelingt es, ihn wieder einzufangen und ins Glas zurückzutun, aber das kommt selten vor. Ist ein Panzerkäfer erst einmal frei, will er nie wieder in ein Glas zurück.«

Später, als Tante Zelda und Marcia die Töpfe und Pfannen spülten, saß Jenna an der Tür und lauschte dem Klappern aus der Küche. Im Dämmerlicht betrachtete sie die siebenundfünfzig kleinen grünen Lichtflecken auf dem hellen Steinfußboden und beobachtete, wie sich in jedem ein kleiner Schatten regte, der auf den Augenblick seiner Freilassung wartete.

# ★ 25 ★

## DIE WENDRONHEXE

Um Mitternacht schliefen alle in der Hütte bis auf Marcia. Wieder blies der Ostwind, und diesmal brachte er Schnee. Die Einmachgläser auf den Fensterbrettern klirrten unheilvoll, wenn sich die Geschöpfe, durch den Schneesturm draußen gestört, darin bewegten.

Marcia saß an Tante Zeldas Schreibtisch im Licht einer einzigen flackernden Kerze, um die Schläfer am Kamin nicht zu wecken. Sie las in ihrem Buch *Wie man die dunklen Kräfte unschädlich macht.*

Draußen im Mott schwamm der Boggart dicht unter der Wasseroberfläche und hielt, so vor dem Schnee geschützt, eine einsame Mitternachtswache.

Fernab in den Wäldern hielt auch Silas eine einsame Mitternachtswache. Es schneite so heftig, dass die Flocken ihren Weg durch das

Geäst der kahlen Bäume fanden. Bibbernd stand er unter einer mächtigen Ulme und wartete auf Morwenna Mould.

Silas kannte Morwenna Mould schon lange. Als junger Lehrling hatte er eines Nachts für Alther einen Botengang erledigt, als er im Wald das Furcht einflößende Gebell eines Wolverinenrudels hörte. Er wusste, was das zu bedeuten hatte: Das Rudel hatte eine Beute gestellt und drängte sie nun in die Enge, um sie zu töten. Silas hatte Mitleid mit dem armen Tier. Er wusste nur zu gut, wie man sich fühlte, wenn man von Wolverinen mit funkelnden gelben Augen umzingelt wurde. Es war ihm selbst widerfahren, und er hatte es nie vergessen, doch als Zauberer war er glimpflich davongekommen. Er hatte sie kurzerhand mit einem Schnellgefrierzauber festgeeist und Reißaus genommen.

In jener Nacht, als er den Botengang machte, hörte er eine leise Stimme in seinem Kopf. *Hilf mir …*

Alther hatte ihn gelehrt, auf solche Dinge zu achten, und so war er der Stimme gefolgt, die ihn zu den Wolverinen führte. Sie hatten eine junge Hexe umzingelt, die reglos in ihrer Mitte stand.

Zuerst dachte Silas, die junge Hexe sei einfach starr vor Entsetzen. Sie stand mitten im Kreis, die Augen weit aufgerissen, das Haar von der wilden Flucht durch den Wald zerzaust, den schweren schwarzen Umhang an sich gedrückt.

Erst nach einer Weile begriff er, dass die junge Hexe in ihrer panischen Angst statt der Wolverinen sich selbst eingefroren hatte. So leicht war das Rudel seit der letzten Kämpf-oder-stirb-Nachtübung der Jungarmee nicht mehr zu einer Mahlzeit gekommen. Silas sah, wie die Wolverinen zum tödlichen Angriff ansetzten und in Vorfreude auf den Festschmaus den Kreis um die junge Hexe langsam enger zogen. Er wartete, bis er alle Wolverinen im Blick hatte, dann fror er flugs das ganze Rudel ein. Da er nicht recht wusste, wie man einen Hexenzauber brach, hob er die Hexe, die zum Glück zu den kleineren und leichteren Wendronhexen gehörte, hoch und brachte sie in Sicherheit. Er wachte bei ihr die ganze Nacht, bis die Wirkung des Gefrierzaubers nachließ.

Morwenna Mould hatte ihm nie vergessen, was er für sie getan hatte. Seit damals wusste er die Wendronhexen immer auf seiner Seite, wenn er sich in den Wald wagte. Und er wusste, dass Morwenna Mould immer für ihn da war, wenn er Hilfe brauchte. Er musste nur um Mitternacht unter ihrem Baum warten. Und genau das tat er jetzt nach all den Jahren.

»Nanu, ist das nicht mein Freund, der tapfere Zauberer! Silas Heap, was führt dich in der Nacht aller Nächte, unserer Mittwinternacht, hierher?« Die Stimme sprach im trägen schnarrenden Tonfall der Waldbewohner und klang wie das Rascheln von Laub in der Nacht.

»Morwenna, bist du das?«, fragte Silas und blickte sich nervös um.

»Aber gewiss«, antwortete Morwenna und erschien, von Schneeflocken umwirbelt, aus dem Dunkel. Ihr schwarzer Pelzumhang und ihr langes dunkles Haar, das ein traditionelles grünes Wendronhexen-Stirnband aus Leder zusammenhielt, waren mit Schnee bestäubt. Ihre hellblauen Augen funkelten in der Nacht wie alle Hexenaugen. Sie hatten Silas bereits eine Weile beobachtet, ehe sie zu dem Schluss gekommen war, dass sie sich gefahrlos zeigen konnte.

»Hallo, Morwenna«, sagte Silas, plötzlich schüchtern. »Du hast dich kein bisschen verändert.« In Wahrheit hatte sich Morwenna ziemlich verändert. Seit ihrer letzten Begegnung hatte sie ordentlich zugelegt. Heute wäre Silas nicht mehr im Stande, sie hochzuheben und aus einem Kreis geifernder Wolverinen zu tragen.

»Du auch nicht, Silas Heap. Wie ich sehe, hast du immer noch diesen Wahnsinnsblondschopf und diese hübschen dunkelgrünen Augen. Was kann ich für dich tun? Ich habe lange darauf gewartet, dass ich mich für deine Gefälligkeit erkenntlich zeigen kann. Eine Wendronhexe vergisst nie.«

Silas wurde noch nervöser. Er wusste nicht recht, warum, doch es hatte damit zu tun, dass Morwenna immer näher kam. Er konnte nur hoffen, dass es kein Fehler war, sich mit ihr zu treffen.

»Ich ... äh ... Erinnerst du dich an meinen ältesten Sohn, Simon?«

»Nun ja, ich weiß noch, dass du ein Kind namens Simon hattest. Du hast mir von ihm erzählt, während ich auftaute. Wenn ich mich recht erinnere, hat er damals gezahnt. Und du hast nicht viel Schlaf bekommen. Wie geht es seinen Zähnen heute?«

»Seinen Zähnen? Oh, gut, soviel ich weiß. Er ist jetzt achtzehn Jahre alt, Morwenna. Und vorgestern Nacht ist er im Wald verschwunden.«

»Oh. Das ist nicht gut. Im Wald gehen neuerdings Wesen um. Wesen, die aus der Burg kommen. Wesen, die wir noch nie gesehen haben. Für einen Jungen ist es hier draußen zu gefährlich. Und für einen Zauberer auch, Silas Heap.« Morwenna legte ihm die Hand auf den Arm. Er zuckte zusammen.

Morwenna senkte die Stimme zu einem heiseren Flüstern. »Wir Hexen sind empfindsam, Silas.«

Als Antwort brachte Silas nur ein leises Quieken heraus. Morwenna war wirklich ziemlich überwältigend. Er hatte vergessen, was für starke Persönlichkeiten erwachsene Wendronhexen waren.

»Wir wissen, dass dunkle Kräfte ins Herz der Burg eingezogen sind. In den Zaubererturm. Möglich, dass sie deinen Jungen geholt haben.«

»Ich hatte gehofft, du hättest ihn vielleicht gesehen«, sagte Silas verzweifelt.

»Nein«, erwiderte Morwenna. »Aber ich werde nach ihm Ausschau halten. Wenn ich ihn finde, bringe ich ihn dir wohlbehalten zurück, keine Sorge.«

»Danke, Morwenna.«

»Es ist nichts gegen das, was du für mich getan hast, Silas. Ich bin sehr froh, dass ich dir helfen kann. *Wenn* ich kann.«

»Wenn ... wenn du etwas erfährst, findest du uns in Galens Baumhaus. Ich wohne dort mit Sarah und den Jungs.«

»Hast du noch mehr Söhne?«

»Äh, ja. Noch fünf. Wir hatten insgesamt sieben, aber ...«

»Sieben! Ein Geschenk des Himmels. Ein siebter Sohn des siebten Sohns. Wirklich wundervoll.«

»Er ist gestorben.«

»Oh. Das tut mir Leid, Silas. Ein großer Verlust. Für uns alle. Wir könnten ihn jetzt gut gebrauchen.«

»Ja.«

»Ich verlasse dich nun, Silas. Ich werde das Baumhaus und alle, die darin sind, unter unseren Schutz stellen, was immer das gegen die vordringenden dunklen Kräfte nützen mag. Und für morgen lade ich alle aus dem Baumhaus zu unserem Mittwinterfest ein.«

Silas war gerührt. »Herzlichen Dank, Morwenna, das ist sehr freundlich.«

»Bis zum nächsten Mal, Silas. Ich wünsche dir viel Glück und morgen einen schönen Feiertag.« Damit verschwand die Hexe im Wald, und Silas stand wieder allein unter der Ulme.

»Auf Wiedersehen, Morwenna«, flüsterte er in die Dunkelheit und machte sich im Schnee auf den Weg zurück zum Baumhaus, in dem Sarah und Galen auf Nachricht warteten.


Am nächsten Morgen war Silas überzeugt, dass Morwenna Recht hatte. Simon musste in die Burg verschleppt worden sein. Eine innere Stimme sagte ihm, dass Simon dort war.

Sarah hatte ihre Zweifel.

»Ich verstehe nicht, warum du so viel darauf gibst, was diese Hexe sagt, Silas. Sie weiß doch auch nichts Genaues. Angenommen, Simon ist im Wald und du wirst gefangen genommen. Was dann?«

Aber Silas ließ sich nicht umstimmen. Er schlüpfte in den kurzen grauen Kapuzenmantel eines Arbeiters, verabschiedete sich von Sarah und den Jungen und kletterte vom Baumhaus. Die Wohlgerüche, die aus der Küche der Wendronhexen herüberwehten, wo der Festschmaus für die Mittwinternacht vorbereitet wurde, bewogen ihn fast zum Bleiben, aber nur fast.

»Silas!«, rief Sally von oben, als er fast den Waldboden erreicht hatte. »Fang!«

Sie warf den Talisman herunter, den ihr Marcia gegeben hatte.

Silas fing ihn auf. »Danke, Sally.«

Sarah sah zu, wie Silas die Kapuze über die Augen zog und die Richtung zur Burg einschlug. Zum Abschied rief er noch einmal über die Schulter: »Mach dir keine Sorgen. Ich bin bald wieder da. Mit Simon.«

Aber sie machte sich Sorgen.

Und er war nicht bald wieder da.

# ⋆ 26 ⋆

## DAS MITTWINTERFEST

Nein danke, Galen«, sagte Sarah, nachdem Silas am Morgen gegangen war. »Ich gehe nicht zum Mittwinterfest dieser Hexen. Bei uns Zauberern wird dieses Fest nicht gefeiert.«

»Also, ich werde hingehen«, sagte Galen, »und ich finde, wir sollten alle hingehen. Die Einladung einer Wendronhexe schlägt man nicht leichtfertig aus, Sarah. Es ist eine Ehre, von ihnen eingeladen zu werden. Mich würde nur interessieren, wie Silas es geschafft hat, eine Einladung für uns zu ergattern.«

»Hm«, war Sarahs ganze Antwort.

Doch als im Lauf des Nachmittags der köstliche Duft von Wolverinenbraten durch den Wald und zum Baumhaus hinaufwehte, wurden die Jungen sehr unruhig. Galen aß nur Gemüse, Wurzeln und Nüsse, und nach ihrer ersten gemeinsamen Mahlzeit im Baumhaus hatte Erik mit lauter Stimme kundgetan, dass sie damit zu Hause die Stallhasen fütterten.

Dichter Schnee fiel durch die Bäume, als Galen die Klapptür des Baumhauses öffnete. Mithilfe eines raffinierten, von ihr selbst konstruierten Flaschenzugs ließ sie die lange Holzleiter auf den Boden hinab, auf dem mittlerweile eine Schneedecke lag. Das Baumhaus selbst ruhte auf mehreren Plattformen, die sich quer durch drei uralte Eichen zogen und Teil der Bäume waren, seit sie vor vielen Jahrhunderten ihre jetzige Höhe erreicht hatten. Im Lauf der Zeit war auf den Plattformen eine Ansammlung ineinander verschachtelter Hütten entstanden. Sie waren mit Efeu überwuchert und so eins mit den Bäumen, dass sie vom Waldboden aus nicht zu sehen waren.

Sam, Fred, Erik und Jo-Jo teilten sich das Gästehaus in der Spitze des mittleren Baums. Sie hatten ein eigenes Tau nach unten in den Wald. Während die Jungen sich darum zankten, wer als Erster daran hinabklettern durfte, wählten Galen, Sarah und Sally den bequemeren Abstieg über die Hauptleiter.

Galen hatte sich für das Mittwinterfest fein gemacht. Vor vielen Jahren hatte sie schon mal eine Einladung bekommen, nachdem sie das Kind einer Hexe geheilt hatte, daher wusste sie, dass ein solches Fest etwas Besonderes war. Galen war eine kleine Frau mit dem wettergegerbten Gesicht einer Waldbewohnerin. Sie hatte kurzes und strubbeliges rotes Haar und lachende braune Augen. Gewöhnlich trug sie einen schlichten grünen Kittel, Leggins und einen Umhang. Heute jedoch hatte sie ihr festliches Mittwinterkleid angelegt.

»Du meine Güte, Galen, du hast dich aber in Schale geworfen«, rief Sarah etwas missbilligend. »Das Kleid kenne ich ja noch gar nicht. Es ist wirklich … einmalig.«

Galen ging nicht oft aus, aber wenn, dann machte sie sich auch schön. Ihr Kleid sah aus, als sei es aus hunderten bunten Blättern genäht, und wurde an der Taille von einer leuchtend grünen Schärpe zusammengehalten.

»Oh, danke« sagte Galen. »Habe ich selbst gemacht.«

»Das habe ich mir gedacht«, erwiderte Sarah.

Sally Mullin schob die Leiter wieder durch die Klapptür, und die kleine Schar machte sich auf den Weg durch den Wald, immer dem köstlichen Bratenduft nach.

Galen ging voraus. Die Spuren unterschiedlichster Tiere kreuzten die verschneiten Waldwege. Nach einem langen Fußmarsch durch ein Labyrinth von Pfaden, Bächen und Gräben gelangten sie zu einem stillgelegten Schieferbruch der Burg. Dort hielten die Wendronhexen ihre Versammlungen ab.

Neununddreißig Hexen, die alle ihr rotes Mittwinterfestkleid trugen, hatten sich mitten im Steinbruch um ein prasselndes Feuer versammelt. Der Boden war mit frisch geschnittenen grünen Zweigen ausgelegt, die der sanft rieselnde Schnee bestäubte. Betörender Bratenduft erfüllte die Luft: Wolverinen brieten am Spieß, Kaninchen schmorten in Kasserollen, Eichhörnchen garten in Erdöfen.

Auf einer langen Tafel waren süße und pikante Speisen aller Art aufgehäuft. Die Hexen hatten die Köstlichkeiten bei den Nordhändlern eingetauscht und für heute, den wichtigsten Tag im Jahr, aufgehoben. Den Jungen gingen die Augen über. In ihrem ganzen Leben hatten sie noch nie so viele Speisen auf einem Haufen gesehen. Selbst Sarah musste sich eingestehen, dass sie beeindruckt war.

Morwenna Mould bemerkte, dass sie sich unsicher am Eingang des Steinbruchs herumdrückten. Sie raffte ihr rotes Pelzkleid und rauschte zu ihrer Begrüßung heran.

»Herzlich willkommen miteinander. Bitte folgt mir.«

Die anderen Hexen bildeten respektvoll eine Gasse, damit Morwenna, die Hexenmutter, ihre etwas verschüchterten Gäste zu den besten Plätzen am Feuer führen konnte.

»Es ist mir eine große Freude, endlich Ihre Bekanntschaft zu machen«, sagte Morwenna lächelnd zu Sarah. »Für mich ist es so, als würde ich Sie bereits kennen. Silas hat mir in der Nacht, in der er mich gerettet hat, so viel von Ihnen erzählt.«

»Tatsächlich?«, fragte Sarah.

»Oh ja. Er hat die ganze Nacht von Ihnen und dem Baby gesprochen.«

»Wirklich?«

Morwenna legte ihr den Arm um die Schulter. »Wir suchen alle nach Ihrem Sohn. Ich bin sicher, dass alles ein gutes Ende nehmen wird. Auch mit Ihren drei anderen, von denen Sie jetzt getrennt sind. Alles wird wieder gut.«

»Meinen drei anderen?«

»Ihren drei anderen Kindern.«

Sarah rechnete schnell nach. Manchmal wusste sie nicht einmal mehr, wie viel drei waren.

»Zwei«, sagte sie. »Meinen zwei anderen.«

Das Mittwinterfest dauerte bis tief in die Nacht, und nach einem gehörigen Quantum Hexengebräu vergaß Sarah ihre Sorgen um Simon und Silas. Leider waren alle Sorgen am nächsten Morgen wieder da, zusammen mit einem sehr schlimmen Kopfweh.

Silas verbrachte den Mittwintertag alles in allem etwas ruhiger.

Er folgte dem Uferweg, der außerhalb des Waldes am Fluss entlang- und dann um die Burgmauern herumführte, und steuerte dann in einem heftigen Schneegestöber das Nordtor an. Er wollte auf vertrautem Boden stehen, ehe er beschloss, was er tun wollte. Er zog die graue Kapuze über seine grünen Zaubereraugen, holte tief Luft und schritt über die schneebedeckte Zugbrücke, die zum Nordtor führte.

Gringe hatte am Torhaus Dienst, und seine Laune war nicht die beste. Bei den Gringes hing zurzeit der Haussegen schief, und er hatte den ganzen Morgen über seine familiären Probleme nachgegrübelt.

»He, du«, grunzte Gringe und stampfte mit den kalten Füßen auf. »Leg einen Zahn zu! Du kommst zu spät zum Pflichtstraßenkehren.«

Silas eilte an ihm vorbei.

»Nicht so hastig!«, bellte Gringe. »Ich bekomme einen Silberling von dir.«

Silas wühlte in seiner Tasche und fischte einen Silberling heraus.

Er war noch klebrig von Tante Zeldas Kirsch- und Rübenkompott, das er in die Tasche gelöffelt hatte, um es nicht essen zu müssen. Gringe nahm das Geldstück, schnupperte misstrauisch daran und rieb es dann an seinem Lederwams ab. Mrs Gringe hatte die vergnügliche Aufgabe, jeden Abend klebrige Münzen zu putzen, und so legte er es auf ihren Haufen und ließ Silas passieren.

»Äh, kennen wir uns nicht irgendwoher?«, rief er, als Silas von dannen eilte.

Silas schüttelte den Kopf.

»Vom Moriskentanz?«

Silas schüttelte abermals den Kopf und ging weiter.

»Vom Lautenunterricht?«

»Nein!« Silas schlüpfte in die Dunkelheit und verschwand in einer schmalen Gasse.

»Natürlich kenne ich ihn«, murmelte Gringe vor sich hin. »Und er ist kein Arbeiter. Nicht mit den grünen Augen, die leuchten wie zwei Raupen im Kohleeimer.« Er dachte eine Weile nach. »Das war Silas Heap! Der hat vielleicht Nerven. Kommt hierher. Der soll mich kennen lernen.«

Gringe passte einen vorbeikommenden Gardisten ab, und wenig später wurde dem Obersten Wächter gemeldet, dass Silas in die Burg zurückgekehrt sei. Eine sofortige Suche wurde eingeleitet, doch Silas war nirgends zu finden. Marcias Talisman leistete gute Dienste. Darauf ging der Oberste Wächter in die Damentoilette, setzte sich hin und dachte nach. Nach einer Weile hatte er einen Plan.

Unterdessen huschte Silas in die alten Anwanden, wo er vor dem

Schnee geschützt war. Er wusste, wohin er wollte. Er wusste nicht recht, warum, aber er wollte seine alte Wohnung sehen. Er schlich durch die vertrauten alten Korridore. Er war froh über seine Verkleidung, denn niemand beachtete einen einfachen Arbeiter. Zum ersten Mal wurde ihm bewusst, wie wenig Respekt einem solchen Menschen entgegengebracht wurde. Keiner ließ ihn vorbei. Die Leute stießen ihn zur Seite, schlugen ihm Türen vor der Nase zu, und zweimal wurde er barsch angefahren, er solle gefälligst raus auf die Straße zum Schneefegen. Vielleicht, so sagte sich Silas, war der Beruf eines Gewöhnlichen Zauberers gar nicht so schlecht.

Die Wohnungstür der Heaps stand offen. Sie schien Silas nicht zu erkennen, als er auf Zehenspitzen in das Zimmer schlich, in dem er einen großen Teil der letzten fünfundzwanzig Jahre verbracht hatte. Er setzte sich auf seinen selbst gebauten Lieblingsstuhl, sah sich traurig um und hing seinen Gedanken nach. Das Zimmer wirkte merkwürdig klein, so still, wie es jetzt darin war, und ohne die Kinder und Sarah, die tagaus, tagein über das Kommen und Gehen gewacht hatte. Außerdem machte es einen peinlich schmutzigen Eindruck, selbst auf Silas, den ein bisschen Schmutz hier und dort nie gestört hatte.

»Die haben auf einer Müllkippe gelebt, was? Zaubererpack«, sagte eine raue Stimme. Silas fuhr erschrocken herum. In der Tür lehnte ein stämmiger Mann. Hinter ihm auf dem Korridor stand eine große Holzkarre.

»Hätt nie gedacht, dass sie jemand zum Helfen schicken. Das lob ich mir. Allein hätt ich den ganzen Tag gebraucht. Also, die Karre steht draußen. Der ganze Plunder kommt auf den Müll. Zauberbücher werden verbrannt. Alles klar?«

»*Was?*«

»Oh Gott! Sie haben mir einen Schwachkopf geschickt. Plunder. Karre. Müllkippe. Ist doch kein Hexenwerk. Und jetzt schieb den Holzhaufen rüber, auf dem du hockst, dann legen wir los.«

Wie betäubt erhob sich Silas von dem Stuhl und reichte ihn dem Möbelpacker, der ihn auf die Karre warf. Der Stuhl zerbrach krachend in seine Einzelteile. Wenig später lag er unter einem großen Haufen von Habseligkeiten, die sich im Laufe eines Lebens bei den Heaps angesammelt hatten, und die Karre quoll über.

»Das wär's«, sagte der Möbelpacker. »Ich bring das runter zum Müllplatz, bevor er zumacht, und du schaffst inzwischen die Bücher raus. Die Feuerwehrleute nehmen sie morgen mit, wenn sie ihre Runde machen.«

Er drückte Silas einen großen Besen in die Hand. »Den lass ich dir da. Feg die ekelhaften Hundehaare zusammen und was sonst noch so rumliegt. Danach kannst du Feierabend machen. Du siehst leicht geschafft aus. Bist wohl schwere Arbeit nicht gewöhnt, was?« Der Möbelpacker gluckste und klopfte Silas freundschaftlich auf den Rücken. Silas hustete und lächelte matt.

»Vergiss die Zauberbücher nicht«, ermahnte ihn der Mann zum Abschied und rollte die schwankende Karre den Korridor hinunter in Richtung Müllkippe Schönblick.

Wie benommen fegte Silas Staub, Hundehaare und Dreck von fünfundzwanzig Jahren zu einem sauberen Haufen zusammen. Dann betrachtete er mit Bedauern die Zauberbücher.

»Wenn du willst, helfe ich dir«, sagte Althers Stimme direkt neben ihm. Der Geist legte ihm den Arm um die Schulter.

»Oh. Guten Tag, Alther«, grüßte Silas traurig. »Was für ein Tag.«

»Ja, kein guter. Es tut mir sehr Leid, Silas.«

»Alles fort«, murmelte Silas. »Und jetzt auch noch die Bücher. Es sind ein paar schöne darunter. Mit vielen seltenen Zaubern. Alles soll verbrannt werden.«

»Nicht nötig«, sagte Alther. »Sie passen problemlos in deine Schlafkammer unterm Dach. Ich kann dir bei dem Transportzauber helfen, wenn du magst.«

Silas' Miene hellte sich ein wenig auf. »Sag mir nur, wie er noch mal geht. Den Rest schaffe ich allein. Ganz bestimmt.«

Der Zauber funktionierte einwandfrei. Die Bücher bildeten eine saubere Reihe, die Klapptür sprang auf, und die Bücher flogen nacheinander nach oben und stapelten sich in Silas und Sarah Heaps altem Schlafzimmer. Ein oder zwei widerspenstige Bücher witschten zur Tür hinaus und waren schon halb den Korridor hinunter, ehe es Silas gelangt, sie zurückzupfeifen. Doch am Ende waren alle Zauberbücher sicher unterm Dach versteckt, und Silas hatte sogar die Klapptür getarnt. Kein Mensch konnte ahnen, was da oben war.

So verließ Silas zum letzten Mal sein leeres, widerhallendes Zimmer und ging durch den Korridor 223. Alther schwebte neben ihm.

»Komm und leiste uns ein bisschen Gesellschaft«, schlug Alther vor. »Unten im *Loch in der Mauer.*«

»Wo?«

»Ich habe es erst neulich entdeckt. Einer von den Alten hat es mir gezeigt. Das ist eine alte Schänke in der Burgmauer. Eine Königin, die etwas gegen das Biertrinken hatte, ließ sie vor vielen Jahren zumauern. Geister können hinein, deshalb ist es brechend voll. Großartige Stimmung – könnte dich aufheitern.«

»Ich weiß nicht, ob ich darauf jetzt Lust habe, Alther. Trotzdem, danke. Ist das die, wo sie die Nonne eingemauert haben?«

»Oh, das ist vielleicht eine ulkige Nudel. Schwester Bernadette. Trinkt gern mal ein Bierchen. Die bringt Leben in die Bude. Sozusagen. Na, jedenfalls habe ich Neuigkeiten von Simon, die dich interessieren dürften.«

»Von Simon? Geht es ihm gut? Wo ist er?«

»Er ist hier, Silas. In der Burg. Komm mit ins *Loch in der Mauer*. Dort ist jemand, mit dem du dich unterhalten musst.«

Im *Loch in der Mauer* herrschte Hochbetrieb.

Alther hatte Silas zu einem Schutthaufen an der Burgmauer gleich hinter dem Nordtor geführt und ihm einen schmalen Spalt in der Mauer gezeigt, der hinter dem Schutthaufen verborgen war. Silas war es nur mit Mühe gelungen, sich hindurchzwängen. Aber dahinter hatte er sich in einer anderen Welt wieder gefunden.

Das *Loch in der Mauer* war eine alte Schänke, die man in die dicke Burgmauer hinein gebaut hatte. Als Marcia ein paar Tage zuvor die Abkürzung zur Nordseite genommen hatte, war sie auch über das Dach der Schänke gelaufen, ohne zu ahnen, was für eine bunt gemischte Gesellschaft von Geistern unter ihren Füßen die Zeit verplauderte.

Es dauerte ein paar Minuten, bis sich Silas' Augen nach der Helligkeit des Schnees an das trübe Licht der Lampen gewöhnt hatten, die an den Wänden flackerten. Dann aber gewahrte er eine höchst erstaunliche Versammlung von Geistern. Sie saßen um lange, auf Böcke gestellte Tische, standen in Grüppchen am Geisterkamin oder hockten einfach nur in einer ruhigen Ecke und hingen ihren Gedanken nach. Besonders groß war der Anteil der Außergewöhnlichen Zauberer. An ihren purpurroten Umhängen und Gewändern konnte man ablesen, wie sich die Mode im Lauf der Jahrhunderte verändert hatte. Aber Silas sah auch Ritter in voller Rüstung, Pagen in extravaganten Livreen, Frauen mit Schleiern, junge Königinnen in kostbaren Seidenkleidern und ältere Königinnen in Schwarz, und alle schienen sich in dieser Gesellschaft wohl zu fühlen.

Alther führte Silas durch die Menge. Silas wollte vermeiden, dass er durch einen Geist hindurchging, doch ein- oder zweimal spürte er einen kalten Hauch, wenn es doch passierte. Niemand schien sich an seiner Anwesenheit zu stören. Manche Gäste nickten ihm freundlich zu, andere waren so ins Gespräch vertieft, dass sie ihn gar nicht bemerkten. Er hatte den Eindruck, dass im *Loch in der Mauer* jeder Freund Althers willkommen war.

Der Wirt hatte seinen Platz bei den Bierfässern schon vor langer Zeit aufgegeben, denn die Geister hielten noch dieselben Krüge in der Hand, die sie nach ihrer Ankunft bekommen hatten, und das war bei manchen schon viele Jahrhunderte her. Im Moment unterhielt er sich angeregt mit drei Außergewöhnlichen Zauberern und einem alten Landstreicher, der vor langer Zeit unter einem Tisch eingeschlafen und seitdem nicht wieder aufgewacht war. Alther entbot ihm ein fröhliches Hallo, dann bugsierte er Silas in eine ruhige Ecke, in der eine pummelige Gestalt in Nonnentracht saß, die sie offensichtlich erwartet hatte.

»Darf ich dir Schwester Bernadette vorstellen?«, sagte Alther. »Schwester Bernadette, das ist Silas Heap – ich habe Ihnen von ihm erzählt. Er ist der Vater des Jungen.«

Obwohl Schwester Bernadette freundlich lächelte, hatte Silas eine böse Vorahnung.

Die pausbäckige Nonne richtete ihre zwinkernden Augen auf ihn und sagte in einem singenden Tonfall: »Er ist ein ziemlicher Draufgänger, ihr Sohn, habe ich Recht? Er weiß, was er will, und er scheut sich nicht, es sich zu nehmen.«

»Nun ja, mag schon sein. Auf jeden Fall will er Zauberer werden, das weiß ich. Er will eine Lehre machen, aber so wie die Dinge im Moment liegen ...«

»Oh ja«, stimmte die Nonne zu, »es sind lausige Zeiten für einen jungen viel versprechenden Zauberer, so viel steht fest, aber deshalb ist er nicht in die Burg zurückgekommen.«

»Dann ist er also wirklich hier? Mir fällt ein Stein vom Herzen. Ich dachte schon, man hätte ihn verhaftet. Oder sogar umgebracht.«

Alther legte ihm die Hand auf die Schulter. »Bedauerlicherweise ist er gestern verhaftet worden. Schwester Bernadette war Augenzeugin. Sie wird es dir erzählen.«

Silas schlug die Hände vors Gesicht. »Wie?«, stöhnte er. »Was ist passiert?«

»Tja«, antwortete die Nonne, »wie es scheint, hatte der junge Mann eine Freundin.«

»Eine Freundin?«

»Ja. Ihr Name ist Lucy Gringe.«

»Doch nicht etwa die Tochter des Torwächters Gringe? Oh, nein!«

»Sie ist ohne Zweifel ein hübsches Mädchen«, protestierte Schwester Bernadette.

»Dann hoffe ich, dass sie nicht nach dem Vater schlägt, mehr kann ich dazu nicht sagen. Lucy Gringe! Du lieber Himmel!«

»Wie es scheint, hatte Simon einen triftigen Grund, in die Burg zurückzukehren. Er und Lucy hatten eine heimliche Verabredung in der Kapelle. Sie wollten heiraten. Wie romantisch.« Die Nonne lächelte verträumt.

»Heiraten? Das glaube ich nicht. Ich bin mit dem grässlichen Gringe verwandt?« Silas war weißer im Gesicht als jeder andere Gast in der Schänke.

»Nein«, sagte Schwester Bernadette missbilligend, »das sind Sie nicht. Denn die jungen Leute sind leider nicht verheiratet.«

»*Leider?*«

»Gringe ist dahinter gekommen und hat den Gardewächtern einen Tipp gegeben. So wie Sie nicht wollen, dass Simon eine Gringe heiratet, so will er nämlich nicht, dass seine Tochter einen Heap heiratet. Die Gardisten stürmten die Kapelle, schickten das verzweifelte Mädchen nach Hause und nahmen Simon mit.« Die Nonne seufzte. »Wie grausam von ihnen.«

»Wohin haben sie ihn gebracht?«, fragte Silas leise.

»Also«, sagte Schwester Bernadette mit ihrer weichen Stimme, »ich war selbst in der Kapelle, wegen der Hochzeit. Ich liebe Hochzeiten. Und der Gardist, der Simon abführte, ging direkt durch mich hindurch, daher weiß ich, woran er in diesem Augenblick dachte. Er dachte daran, dass er Ihren Sohn ins Gerichtsgebäude bringen sollte. Zu keinem Geringerem als dem Obersten Wächter. Es tut mir Leid, Ihnen das sagen zu müssen, Silas.« Die Nonne legte ihre Geisterhand auf seinen Arm. Es war eine warme Berührung, doch sie vermochte Silas nicht zu trösten.

Das hatte er befürchtet. Simon befand sich in der Gewalt des Obersten Wächters. Wie sollte er diese furchtbare Nachricht Sarah beibringen? Den Rest des Tages verbrachte er im *Loch in der Mauer* mit Warten. Unterdessen schickte Alther so viele Geister wie möglich ins Gericht, um nach Simon zu suchen und herauszufinden, was mit ihm geschah.

Doch sie fanden keine Spur von ihm. Simon war wie vom Erdboden verschluckt.

# ⋆ 27 ⋆

## STANLEYS REISE

Am Mittwintertag wurde Stanley von seiner Frau geweckt. Sie hatte für ihn eine dringende Nachricht aus der Rattenzentrale. »Ich verstehe nicht, warum sie dir nicht wenigstens heute freigeben«, klagte seine Frau. »Immer nur Arbeit, Arbeit, Arbeit. Stanley, wir brauchen mal Urlaub.«

»Dawnie, Schätzchen«, erwiderte Stanley geduldig. »Wenn ich nicht arbeite, bekommen wir nie Urlaub. So einfach ist das. Haben sie gesagt, was sie von mir wollen?«

»Ich habe nicht gefragt«, murrte Dawnie achselzuckend. »Ich nehme an, es geht wieder um diese nichtsnutzigen Zauberer.«

»Die sind gar nicht so übel. Sogar die Außergewöhnliche Zau… Oh!«

»Aha, bei der bist du also gewesen!«

»Nein.«

»Doch. Mir kannst du nichts vormachen, auch wenn du als Vertrauensratte zu Stillschweigen verpflichtet bist. Ich will dir einen guten Rat geben, Stanley.«

»Nur einen?«

»Lass dich nicht mit Zauberern ein. Mit denen hat man nichts als Ärger. Glaub mir, ich weiß es. Nimm doch nur diese Marcia. Weißt du, was sie getan hat? Sie hat die einzige Tochter einer armen Zaubererfamilie entführt. Niemand weiß, warum. Und der Rest der Familie – wie war noch mal der Name? Ach ja, Heap. Die sind alle fort und suchen nach ihr. Na ja, ein Gutes hat die Sache ja. Wir haben jetzt einen neuen Außergewöhnlichen. Er ist nett, aber weiß der Himmel, wann wir ihn wieder zu Gesicht bekommen. Er hat viel um die Ohren, bei dem Durcheinander, das seine Vorgängerin hinterlassen hat. Und ist das mit den armen obdachlosen Ratten nicht furchtbar?«

»Was denn für arme obdachlose Ratten?«, fragte Stanley gelangweilt. Er konnte es nicht erwarten, in die Rattenzentrale zu kommen und Näheres über seinen nächsten Auftrag zu erfahren.

»Na, die aus Sally Mullins Teestube. Du weißt doch. In der Nacht, als wir den neuen Außergewöhnlichen bekamen. Sally Mullin hat ihren abscheulichen Gerstenkuchen im Ofen vergessen, und dann ist das ganze Lokal abgebrannt. Jetzt haben dreißig Rattenfamilien kein Dach mehr über dem Kopf. Schrecklich, bei dem Wetter.«

»Ja, schrecklich. Aber ich muss jetzt los, Liebes. Wir sehen uns, wenn ich zurückkomme.« Stanley eilte in die Rattenzentrale.

Die Rattenzentrale befand sich im Wachturm am Osttor, direkt unterm Dach. Stanley nahm den kürzesten Weg. Er führte auf der Burgmauer entlang und über die Schänke *Zum Loch in der Mauer* hinweg, von deren Existenz er freilich nichts ahnte. Am Wachturm angekommen, schlüpfte Stanley in ein breites Regenrohr, das an der Außenwand hinaufführte, tauchte wenig später oben wieder auf, sprang auf die Brustwehr und klopfte an die Tür einer kleinen Hütte, auf der stand:

AMTLICHE RATTENZENTRALE
ZUTRITT
NUR FÜR BOTENRATTEN
Kundenschalter im Erdgeschoss
neben den Mülltonnen

»Herein!«, rief eine Stimme, die Stanley nicht kannte. Er trat auf Zehenspitzen ein. Der Ton der Stimme gefiel ihm nicht.

Auch das Aussehen der Ratte, der die Stimme gehörte, war nicht unbedingt nach seinem Geschmack. Eine fremde Ratte, fett und schwarz, saß hinter dem Schreibtisch. Ihr rosa Schwanz ringelte sich auf dem Tisch und zuckte ungeduldig, als Stanley seinen neuen Chef in Augenschein nahm.

»Sind Sie die Vertrauensratte, nach der ich geschickt habe?«, bellte die schwarze Ratte.

»Jawohl«, antwortete Stanley, etwas verunsichert.

»Jawohl, *Sir*, heißt das«, belehrte ihn die schwarze Ratte.

»Oh«, entfuhr es Stanley.

»Oh, *Sir*«, verbesserte ihn die schwarze Ratte. »Zur Sache, Ratte 101 ...«

»Ratte 101?«

»Ratte 101, *Sir*! Ich verlange einen gewissen Respekt, Ratte 101, und ich werde ihn mir verschaffen. Wir führen hier Nummern ein. Jede Botenratte darf nur unter ihrer Nummer bekannt sein. Da, wo ich herkomme, ist eine nummerierte Ratte eine leistungsfähige Ratte.«

»Und wo kommen Sie her?«, wagte Stanley zu fragen.

»*Sir!* Das geht Sie nichts an«, blaffte die schwarze Ratte. »Zur Sache. Ich habe einen Auftrag für Sie, 101.« Sie fischte ein Blatt Papier aus einem Korb, den sie mit einer Winde vom Kundenschalter unten heraufgekurbelt hatte. Es war der Auftrag, und wie Stanley erkennen konnte, war die Botschaft auf amtlichem Briefpapier mit dem Briefkopf des Wächterpalasts geschrieben. Und vom Obersten Wächter persönlich unterzeichnet.

Doch aus irgendeinem Grund, den Stanley nicht verstand, stammte die Botschaft, die er überbringen sollte, nicht vom Obersten Wächter, sondern von Silas Heap. Und sie sollte Marcia Overstrand überbracht werden.

»Oh, Mist«, fluchte Stanley und ließ den Kopf hängen. Noch eine Reise quer durch die Marram-Marschen, in denen die Marschpython lauerte. Damit hatte er nun wahrlich nicht gerechnet.

»Oh, Mist, *Sir*!«, verbesserte die schwarze Ratte. »Eine Ablehnung des Auftrags ist nicht möglich«, donnerte sie. »Und noch etwas, 101. Vertrauensstatus entzogen.«

»*Was?* Das können Sie nicht tun.«

»*Sir!* Das können Sie nicht tun, *Sir.* Und ob ich das kann. Ich hab's schon getan.« Die schwarze Ratte gestattete sich ein selbstgefälliges Grinsen hinter den Schnurrhaaren.

»Aber ich habe alle erforderlichen Examen, und ich habe unlängst erst den Höheren Vertrauensstatus erworben. Außerdem bin ich der Beste!«

»*Außerdem bin ich der Beste, Sir!* Jammerschade. Trotzdem. Vertrauensstatus aberkannt. Und damit basta. Wegtreten.«

»Aber ... aber«, stammelte Stanley.

»Verschwinden Sie«, brüllte die schwarze Ratte, und ihr Schwanz zuckte gereizt.

Stanley verschwand.

Unten am Kundenschalter erledigte er wie gewöhnlich den Papierkram. Die Bürorratte las die Botschaft sorgfältig durch und tippte mit ihrer Wurstpfote auf Marcias Namen.

»Wissen Sie, wo die zu finden ist?«, erkundigte sie sich.

»Selbstverständlich«, antwortete Stanley.

»Gut, das hört man gern«, sagte die Ratte.

»Komisch«, dachte Stanley bei sich. Er mochte das neue Personal in der Rattenzentrale nicht besonders, und er fragte sich, was aus den netten alten Ratten geworden war, die sie bisher geleitet hatten.


Es war eine lange und gefährliche Reise, zu der Stanley an diesem Mittwintertag aufbrach.

Zunächst fuhr er als blinder Passagier auf einem kleinen Lastkahn, der eine Ladung Holz flussabwärts nach Port beförderte.

Pech nur für Stanley, dass der Kapitän des Kahns eine Katze an Bord hatte und Wert darauf legte, dass sie schlank und rank blieb und das Jagen nicht verlernte. Und sie hatte es nicht verlernt. Die ganze Fahrt über musste Stanley vor ihr flüchten, einem extrem großen, orangefarbenen Exemplar mit großen gelben Fangzähnen und üblem Mundgeruch. Das Glück verließ ihn kurz vor dem Deppen Ditch, als die Katze ihn in die Enge trieb und ein Matrose eine große Planke schwang. Er sah sich gezwungen, früher als geplant von Bord zu gehen.

Das Flusswasser war eiskalt und die Strömung stark. Stanley wurde flussabwärts getrieben und hatte Mühe, den Kopf über Wasser zu halten. Erst im Hafen von Port gelang es ihm, das rettende Ufer zu erreichen.

Er lag am Fuß der Hafentreppe und sah aus wie ein schlappes Stück nasses Fell. Er war zu erschöpft, um weiterzugehen. Stimmen von der Hafenmauer wehten über ihn hinweg.

»Oh, sieh mal, Ma! Da liegt eine tote Ratte auf der Treppe. Darf ich sie mit nach Hause nehmen und auskochen? Ich hätte gern ihr Skelett.«

»Nein, Petunia.«

»Aber ich habe noch kein Rattenskelett, Ma.«

»Und du wirst auch keins bekommen. Komm jetzt weiter.«

Hätte mich Petunia doch nur mit nach Hause genommen, dachte Stanley bei sich. Gegen ein Bad in einem Topf mit siedendem Wasser hätte er nichts einzuwenden gehabt. Wenigstens wäre ihm dabei etwas wärmer geworden.

Als er sich schließlich aufrappelte und die Hafentreppe hinaufschleppte, war ihm klar, dass er zuerst ein warmes Plätzchen und etwas Essbares finden musste, ehe er die Reise fortsetzen konnte. Seine Nase führte ihn zu einer Bäckerei. Er schlich hinein, legte sich schlotternd neben den Backofen und wärmte sich. Ein Schrei der Bäckersfrau und ein kräftiger Hieb mit einem Besen setzten seinem Aufenthalt ein jähes Ende, aber erst nachdem er fast einen ganzen Donut mit Marmelade verdrückt und Löcher in mindestens drei Brote und eine Sahnetorte geknabbert hatte.

So gestärkt tat er sich nach einer Fahrgelegenheit zu den Marram-Marschen um. Das war nicht leicht. Zwar feierte kaum ein Bewohner von Port das Mittwinterfest, doch viele nahmen es zum Anlass, sich mittags den Bauch voll zu schlagen und den halben Nachmittag zu verschlafen. Die Stadt war wie ausgestorben. Der kalte Nordwind brachte Schneeschauer, und wer nicht unbedingt vor die Tür musste, blieb zu Hause. Stanley kamen Zweifel, ob überhaupt ein Dummer zu finden war, der in die Marschen reiste.

Dann fand er den verrückten Jack, genannt Mad Jack, und seinen Eselskarren.

Mad Jack lebte in einer Hütte am Rand der Marram-Marschen. Er verdiente seinen Lebensunterhalt mit dem Schneiden von Schilf, das man in Port zum Dachdecken brauchte. Soeben hatte er die letzte Lieferung für heute abgeladen und wollte nach Hause fahren, als er Stanley zwischen Mülltonnen entdeckte, der im eisigen Wind bibberte. Jacks Stimmung stieg. Er liebte Ratten und träumte von dem Tag, an dem ihm jemand durch eine Botenratte eine Nachricht zukommen ließ. Doch es war nicht die Nachricht, wovon Mad Jack träumte, sondern die Ratte.

Er hielt mit seiner Eselskarre neben den Mülltonnen an.

»He, Ratty, soll ich dich mitnehmen? Auf meinem Wagen ist es schön warm, ich fahr bis zum Rand der Marschen.«

Stanley traute seinen Ohren nicht. Wunschdenken, tadelte er sich streng. Hör auf damit.

»Nicht so schüchtern, Junge. Hüpf rauf.«

Stanley zögerte nur eine Sekunde, ehe er raufhüpfte.

»Komm, setz dich neben mich, Ratty.« Mad Jack gluckste. »He, du kannst dich in die Decke da wickeln. Hält dir die Kälte vom Pelz.«

Mad Jack packte Stanley in eine Decke, die streng nach Esel roch, und fuhr weiter. Der Esel legte die langen Ohren an und schleppte sich durchs Schneegestöber. Den Weg zu der Hütte, die Mad Jack mit ihm teilte, kannte er auswendig. Als sie ankamen, hatte sich Stanley aufgewärmt und war Jack sehr dankbar.

»Da wären wir. Endlich zu Hause«, sagte Jack vergnügt, spannte den Esel aus und führte ihn in die Hütte. Stanley blieb auf dem Bock sitzen. Er kroch nur ungern unter der warmen Decke hervor, aber ihm war klar, dass es sein musste.

»Du kannst ruhig reinkommen und eine Weile hier bleiben«, bot ihm Mad Jack an. »Ich habe gern eine Ratte um mich. Macht alles gleich ein bisschen freundlicher. Ein bisschen Gesellschaft. Verstehst du, was ich meine?«

Stanley schüttelte mit größtem Bedauern den Kopf. Er hatte eine Botschaft zu überbringen, und er nahm seine Pflichten nach wie vor ernst, auch wenn sie ihm den Vertrauensstatus entzogen hatten.

»Ach so, du bist wohl eine von denen.« Dabei senkte Mad Jack die Stimme und schaute sich um, wie um sich zu vergewissern, dass niemand lauschte. »Du bist wohl eine von diesen Botenratten. Ich weiß, die meisten Leute glauben nicht an sie, aber ich schon. Es war mir ein Vergnügen, deine Bekanntschaft zu machen.« Mad Jack kniete nieder und streckte Stanley zum Abschied die Hand hin, und Stanley konnte es sich nicht verkneifen, ihm seinerseits die Pfote hinzuhalten. Jack schüttelte sie.

»Du bist eine, stimmt's?«, flüsterte er. »Du bist eine Botenratte.«

Stanley nickte, und dann ging alles so schnell, dass er nicht wusste, wie ihm geschah. Jack quetschte seine Pfote zusammen, warf ihm die Eselsdecke über, wickelte ihn so fest darin ein, dass jede Gegenwehr zwecklos war, und trug ihn in die Hütte.

Es schepperte laut, und Stanley fiel in den bereitstehenden Käfig. Die Tür wurde zugeschlagen, ein Schloss vorgehängt. Mad Jack steckte kichernd den Schlüssel in die Hosentasche, lehnte sich zurück und betrachtete entzückt seinen Gefangenen.

Stanley rüttelte vor Wut an den Gitterstäben. Vor Wut über sich selbst und nicht über Jack. Wie hatte er nur so dumm sein können? Er hatte alles vergessen, was er gelernt hatte. Eine Botenratte reiste stets inkognito. Eine Botenratte gab sich *niemals* einem Fremden zu erkennen.

»Ach, Ratty«, seufzte Jack, »wir werden eine schöne Zeit miteinander haben. Wir werden zusammen Schilf schneiden, und wenn du brav bist, gehen wir in den Zirkus, wenn mal einer in die Stadt kommt, und sehen uns die Clowns an. Ich liebe Clowns. Wir werden ein schönes Leben zusammen haben. Oh ja, das werden wir.« Er lachte vergnügt in sich hinein und holte zwei verhutzelte Äpfel aus einem Sack, der an der Decke hing. Einen Apfel verfütterte er an den Esel, dann klappte er sein Taschenmesser auf, schnitt den zweiten in der Mitte auseinander und hielt die größere Hälfte Stanley hin, der sie jedoch nicht anrührte.

»Du wirst noch früh genug essen, Ratty«, sagte Mad Jack mit vollem Mund und ließ Spucke und Apfelstückchen auf ihn niederregnen. »Solange es so schneit, bekommst du nichts anderes zu essen. Und es wird noch ein Weilchen schneien. Der Wind dreht auf Norden – jetzt kommt die große Kälte. Wie immer um den Mittwintertag herum. Das ist so sicher wie das Amen in der Kirche. Oder wie eine Ratte im Käfig.«

Mad Jack kicherte über seinen Scherz, dann wickelte er sich in die nach Esel muffelnde Decke, die Stanley zum Verhängnis geworden war, und schlief gleich darauf ein.

Stanley trat gegen die Stäbe seines Käfigs und fragte sich, wie dünn er werden musste, ehe er sich zwischen ihnen durchquetschen konnte.

Er seufzte. Sehr dünn, lautete die Antwort.

# ⋆ 28 ⋆

## DIE GROSSE KÄLTE

Die Reste des Mittwinterfestmahls aus gedünstetem Kohl, geschmorten Aalköpfen und Würzzwiebeln standen verlassen auf dem Tisch in der Hüterhütte, als Tante Zelda versuchte, das Feuer wieder in Gang zu bringen, das einfach nicht richtig brennen wollte. Die Fensterscheiben waren innen vereist, und die Temperatur in der Hütte sank weiter. Berta überwand ihren Stolz und kuschelte sich an Maxie, um sich zu wärmen. Der Rest saß in Decken gehüllt da und starrte in das mickrige Feuer.

»Warum lassen Sie es mich nicht mal versuchen, Zelda?«, fragte Marcia gereizt. »Ich sehe nicht ein, warum wir hier herumsitzen und frieren, wo ich doch nur so zu machen brauche.« Sie schnippte mit den Fingern, und im Kamin loderten Flammen empor.

»Sie wissen doch, dass ich es nicht mag, wenn man mit den Elementen herumspielt«, sagte Tante Zelda streng. »Ihr Zauberer habt einfach keinen Respekt vor Mutter Natur.«

»Nicht, wenn Mutter Natur meine Füße in Eisblöcke verwandelt«, grummelte Marcia.

»Würden Sie vernünftige Stiefel tragen so wie ich«, entgegnete Tante Zelda, »statt in diesen lila Schlappen aus Schlangenhaut herumzulaufen, hätten Sie keine kalten Füße.«

Marcia hörte nicht hin. Sie saß da, wärmte sich die lila Schlangenfüße am prasselnden Feuer und nahm mit Genugtuung zur Kenntnis, dass Tante Zelda keine Anstalten machte, das Feuer wieder in den natürlichen Zustand zu versetzen, in dem es nur gezischt und gequalmt hatte.

Draußen heulte der Nordwind sein Klagelied. Das Schneetreiben vom Vormittag war noch dichter geworden und wuchs sich nun zu einem tosenden Schneesturm aus, der über die Marram-Marschen fegte und Schneewehen aufwarf. Im weiteren Verlauf der Nacht, als Marcias Feuer endlich die Kälte vertrieb, wurde das Heulen des Windes durch die Schneewehen gedämpft, die sich draußen auftürmten, und bald kehrte in der Hütte wieder eine wohlige Ruhe ein. Der Kamin brannte gleichmäßig, und einer nach dem anderen folgte Maxies Beispiel und schlief ein.

Die Kälte setzte ihre Reise fort, nachdem sie die Hütte bis zum Dach im Schnee begraben hatte. Sie überzog das Brackwasser der Marschen mit einer dünnen weißen Eisschicht, ließ die Sümpfe zufrieren und zwang die Tiere, sich tief im Morast zu verkriechen, wo der Frost ihnen nichts anhaben konnte. Sie überquerte den Fluss, verbreitete sich über das Land auf beiden Seiten und begrub Häuser, Kuhställe und hier und dort auch ein Schaf unter sich.

Gegen Mitternacht erreichte sie die Burg, wo alle notwendigen Vorkehrungen getroffen waren.

In den Wochen vor dem großen Kälteeinbruch hatten die Burgbewohner Lebensmittelvorräte angelegt. Sie hatten sich sogar in den Wald gewagt, um so viel Holz zu holen, wie sie tragen konnten, und viel Zeit damit zugebracht, Decken zu stricken und zu weben. Um diese Zeit des Jahres kamen gewöhnlich die Nordhändler und boten warme Wollkleidung, dicke Polarpelze und Pökelfisch feil, nicht zu vergessen die würzigen Speisen, die den Wendronhexen so schmeckten. Die Nordhändler hatten ein untrügliches Gespür dafür, wann die große Kälte kam. Sie trafen etwa einen Monat früher ein und reisten, kurz bevor sie einsetzte, wieder ab. Die fünf Kaufleute, die in der Brandnacht Sally Mullins Café besucht hatten, waren als Letzte abgereist, daher war niemand in der Burg über den Einbruch der großen Kälte überrascht. Ja, man fand sogar allgemein, dass sie sich diesmal etwas verspätet habe, obwohl der letzte Nordhändler aufgrund unvorhergesehener Umstände etwas früher abgereist war, als man erwartet hatte.

Silas hatte wie immer vergessen, dass die große Kälte vor der Tür stand, und wurde im *Loch in der Mauer* eingeschlossen. Eine riesige Schneewehe versperrte den Eingang. Da er nicht hinauskonnte, machte er es sich gemütlich und beschloss, das Beste aus der Situation zu machen. Unterdessen versuchten Alther und ein paar von den alten Geistern, etwas über Simons Verbleib herauszufinden.

Die schwarze Ratte von der Rattenzentrale, die auf Stanleys Rückkehr wartete, wurde oben im Wachturm am Osttor eingeschlossen. Das Regenrohr war mit Wasser voll gelaufen und dann innerhalb kurzer Zeit zugefroren. Damit war der Ausgang blockiert. Die Kollegen vom Kundenschalter im Erdgeschoss überließen die schwarze Ratte ihrem Schicksal und gingen nach Hause.

Auch der Oberste Wächter wartete auf Stanleys Rückkehr. Er erhoffte sich von ihm nicht nur Auskünfte über die genaue Lage der Hütte, sondern er war auch auf das Ergebnis der Botschaft gespannt, die Stanley überbringen sollte. Doch nichts geschah. Seit die Ratte fort war, wachte am Palasttor ein Zug schwer bewaffneter Gardewächter. Mit ihren kalten Füßen stampfend und in den Schneesturm starrend, warteten die Soldaten darauf, dass die Außergewöhnliche Zauberin erschien. Doch sie kam nicht zurück.

Die große Kälte setzte ein. Der Oberste Wächter, der sich vor DomDaniel stundenlang mit seinem genialen Einfall gebrüstet hatte, der Botenratte den Vertrauensstatus abzuerkennen und Marcia eine gefälschte Botschaft zu schicken, ging seinem Herrn nun vorsichtshalber aus dem Weg. Wann immer möglich, hielt er sich in der Damentoilette auf. Der Oberste Wächter war nicht abergläubisch, aber er war auch nicht dumm, und so war ihm aufgefallen, dass die Pläne, die er in der Damentoilette durchgesprochen hatte, in aller Regel klappten, selbst wenn er keine Ahnung hatte, warum. Außerdem genoss er die wohlige Wärme des kleinen Ofens. Doch am besten gefiel ihm, dass er sich hier verstecken konnte. Der Oberste Wächter versteckte sich gern. Schon als Junge hatte er, hinter einer Ecke verborgen, die Gespräche anderer Leute belauscht. Dabei erfuhr man oft Dinge, die einem Macht über andere gaben, und er hatte sich nie gescheut, daraus einen Vorteil zu ziehen. Diese Eigenschaft hatte ihm in seiner Laufbahn als Gardewächter gute Dienste geleistet und entscheidend zu seiner Beförderung zum Obersten Wächter beigetragen.

So verkroch sich der Oberste Wächter also während der großen Kälte in der Toilette, heizte im Ofen ein, lauerte schadenfroh hinter der harmlos aussehenden Tür mit den verblassten goldenen Lettern und belauschte die Gespräche der Leute, die draußen vorbeigingen. Mit Vergnügen sah er, wie das Blut aus ihren Gesichtern wich, wenn er die Tür aufriss und ihnen die beleidigenden Äußerungen vorhielt, die sie eben über ihn getan hatten. Noch mehr Vergnügen bereitete es ihm, die Wache zu rufen und sie umgehend in den Kerker werfen zu lassen, besonders wenn sie um Gnade flehten. Er liebte es, wenn sie um Gnade flehten. Bis jetzt hatte er sechsundzwanzig Menschen wegen Beleidigung seiner Person verhaften und einkerkern lassen, und nicht einmal war es ihm in den Sinn gekommen, sich zu fragen, warum er noch nie jemanden etwas Nettes über ihn hatte sagen hören.

Doch sein Hauptinteresse galt Simon Heap. Simon war von der Kapelle direkt in die Damentoilette gebracht und dort an ein Rohr gekettet worden. Als Jennas Adoptivbruder, so sagte sich der Oberste Wächter, musste er wissen, wohin sie geflohen war, und er freute sich darauf, Simon Heap dieses Geheimnis zu entlocken.

Als die große Kälte einsetzte und weder die Botenratte noch Marcia in die Burg zurückkehrten, schmachtete Simon in der Damentoilette. Fortwährend wurde er verhört und nach Jennas Verbleib gefragt. Doch er war zu verängstigt, um zu reden. Der Oberste Wächter war schlau und machte sich daran, Simons Vertrauen zu gewinnen. In jeder freien Minute kam er in die Toilette spaziert und jammerte ihm vor, wie langweilig ihm sei. Simon hörte ihm höflich zu, traute sich anfangs jedoch nicht, selbst etwas zu sagen. Erst nach einiger Zeit wagte er die eine oder andere Bemerkung. Der Oberste Wächter schien sich darüber zu freuen, dass er eine Antwort von ihm bekam, und brachte ihm von nun an immer etwas zu essen und zu trinken mit. Simon wurde etwas mutiger, und bald vertraute er ihm an, dass er der nächste Außergewöhnliche Zauberer werden wolle und dass er über die Art und Weise, wie Marcia sich davongemacht habe, enttäuscht sei. So etwas hätte *er* jedenfalls nicht getan, sagte er dem Obersten Wächter.

Der Oberste Wächter vernahm es mit Wohlwollen. Endlich mal ein Heap, der einigermaßen vernünftig war. Und als er Simon eine Lehre beim Außergewöhnlichen Zauberer in Aussicht stellte – »denn die Leistungen des derzeitigen Lehrlings, in den wir hohe Erwartungen setzten, lassen doch sehr zu wünschen übrig, aber das bleibt selbstverständlich unter uns, mein junger Freund« –, begann Simon, wieder auf eine bessere Zukunft zu hoffen. Eine Zukunft, in der man ihn mit Respekt behandelte und nicht »als nichtsnutzigen Heap« beschimpfte und ihm Gelegenheit gab, sein Talent als Zauberer zu entfalten. Und eines späten Abends, als der Oberste Wächter sich wieder einmal freundschaftlich zu ihm gesetzt und ihm etwas Heißes zu trinken angeboten hatte, erzählte er schließlich, was dieser wissen wollte – dass Marcia und Jenna in Tante Zeldas Hütte in den Marram-Marschen geflohen waren.

»Und wo genau ist das, mein Junge?«, fragte der Oberste Wächter mit einem verkniffenen Lächeln.

Simon musste gestehen, dass er es nicht genau wusste.

Zornentbrannt stürmte der Oberste Wächter hinaus und eilte in die Kaserne zum Jäger, der ihm schweigend zuhörte, als er über die Dummheit der Heaps im Allgemeinen und Simon Heaps im Besonderen herzog.

»Ich bitte Sie, Gerald –« (denn so hieß der Jäger. Er hielt den Namen gern geheim, aber zu seinem Leidwesen benutzte ihn der Oberste Wächter bei jeder sich bietenden Gelegenheit), »– ich bitte Sie, Gerald«, rief der Oberste Wächter empört, fuchtelte theatralisch mit den Armen und stapfte in der dürftig eingerichteten Stube des Jägers auf und ab, »wie kann jemand *nicht genau* wissen, wo seine Tante wohnt? Wie will er sie denn besuchen, Gerald, wenn er *nicht genau* weiß, wo sie wohnt?«

Als pflichtbewusster Neffe besuchte der Oberste Wächter seine zahlreichen Tanten regelmäßig, obwohl es den meisten von ihnen lieber gewesen wäre, er hätte *nicht genau* gewusst, wo sie wohnten.

Doch die Anhaltspunkte, die Simon geliefert hatte, genügten dem Jäger. Kaum war der Oberste Wächter fort, nahm er sich seine detaillierten Karten der Marram-Marschen vor, und schon nach kurzer Zeit hatte er mit großer Wahrscheinlichkeit bestimmt, wo sich Tante Zeldas Hütte befand. Die Jagd konnte weitergehen.

Und so begab sich der Jäger mit einer gewissen Beklommenheit zu DomDaniel.

DomDaniel weilte oben im Zaubererturm. Er hatte die Zeit der großen Kälte dazu genutzt, die alten Bücher über die dunklen Künste hervorzuholen, die Alther in einem Schrank eingeschlossen hatte, und zwei kleine und extrem hässliche Magogs als Bibliotheksassistenten zu sich zu holen. Auf die Magogs war er nach seinem Sprung vom Turm gestoßen. Normalerweise lebten sie tief unter der Erde und sahen deshalb aus wie große blinde Würmer mit langen, knochenlosen Armen. Sie hatten keine Beine und krochen nach Raupenart auf einer Schleimspur über den Boden, doch wenn sie wollten, konnten sie überraschend schnell sein. Sie hatten eine gelblich weiße Farbe, keinerlei Haare, und auf den ersten Blick schienen sie auch keine Augen zu haben. Aber sie hatten eines. Ein einzelnes kleines Auge. Es war ebenfalls gelblich weiß und saß direkt über zwei glänzenden Löchern, die sich dort befanden, wo man normalerweise Nase und Mundöffnung vermutete. Der Schleim, den sie absonderten, war unangenehm klebrig und hatte einen widerlichen Geruch, den DomDaniel selbst freilich ganz angenehm fand.

Die beiden Magogs hätten wahrscheinlich einen Meter zwanzig gemessen, wenn sie sich zu ihrer vollen Größe aufgerichtet hätten, doch das hatten sie nie versucht. Es gab bessere Möglichkeiten, sich die Zeit zu vertreiben, wie zum Beispiel mit den Fingernägeln an einer Schiefertafel zu kratzen oder einen Eimer voll Froschlaich zu verspeisen. Niemand berührte einen Magog, höchstens aus Versehen. Ihr Schleim war so eklig, dass sich einem bei der bloßen Erinnerung an den Geruch der Magen umdrehte. Magogs schlüpften unter der Erde aus Eiern, die im Körper ahnungsloser, Winterschlaf haltender Tiere wie Igel oder Haselmaus abgelegt worden waren. Schildkröten mieden sie, da die jungen Magogs Mühe hatten, ihre Panzer zu durchdringen. Sowie die ersten Strahlen der Frühlingssonne die Erde erwärmten, krochen die Larven aus dem Tier, fraßen auf, was noch von ihm übrig war, und bohrten sich tiefer in den Boden, bis sie auf eine Magogkammer stießen. DomDaniel hatte hunderte solcher Kammern rund um sein Versteck in den Ödlanden und so immer genug Magogs auf Lager. Sie waren ausgezeichnete Wächter. Von ihrem Biss bekamen die meisten Menschen eine Blutvergiftung und starben innerhalb weniger Stunden. Durch Magogkrallen beigebrachte Kratzer entzündeten sich so schlimm, dass sie nie ganz verheilten. Doch abschreckender als alles andere war ihr Aussehen. Ihr knolliger, gelblich weißer, scheinbar augenloser Kopf mit dem kleinen Mund, der ständig auf- und zuklappte und mehrere Reihen gelber spitzer Zähne aufwies, bot einen grausigen Anblick und hielt die meisten Leute auf Distanz.

Die Magogs waren kurz vor Einbruch der großen Kälte eingetroffen. Der Lehrling war zu Tode erschrocken, was DomDaniel erheitert und ihm obendrein einen Vorwand geliefert hatte, den bibbernden Jungen vor die Tür zu schicken, damit er endlich seine Dreizehnerreihe lernte.

Auch den Jäger brachten die Magogs etwas aus der Fassung. Als er nämlich die Wendeltreppe erklommen hatte und auf dem Treppenabsatz am Lehrling vorbeieilte, ohne ihn eines Blickes zu würdigen, rutschte er auf der Schleimspur aus, die in DomDaniels Wohnung führte. Er fing sich zwar noch rechtzeitig ab, hörte aber, wie der Lehrling hinter ihm kicherte.

Wenig später hatte der Lehrling erneut einen Grund zum Kichern, denn DomDaniel schrie zur Abwechslung mal einen anderen an als immer nur ihn. Entzückt lauschte er der wutentbrannten Stimme des Meisters, die überdeutlich durch die dicke lila Tür drang.

»Nein, nein und nochmals nein!«, brüllte DomDaniel. »Sie müssen mich für völlig verrückt halten, wenn Sie glauben, dass ich Sie noch einmal allein auf die Jagd lasse. Sie sind ein närrischer Stümper, und wenn ich einen anderen damit beauftragen könnte, würde ich es tun, das können Sie mir glauben. Sie warten gefälligst, bis ich Ihnen sage, wann Sie aufbrechen sollen. Und dann unterstehen Sie meiner Aufsicht. Unterbrechen Sie mich nicht! Nein! Ich will nichts hören! Und jetzt raus mit Ihnen – oder soll einer meiner Magogs nachhelfen?«

Der Lehrling sah, wie die lila Tür aufflog und der Jäger herausstürzte, über die Schleimspur schlitterte und so schnell er konnte die Treppe hinunterpolterte. Danach widmete sich der Lehrling wieder seiner Dreizehnerreihe. Er kam immerhin bis zu dreizehn mal sieben. So weit wie noch nie.

Alther, der gerade fleißig damit beschäftigt gewesen war, DomDaniels Socken in Unordnung zu bringen, hatte alles mit angehört. Er blies das Kaminfeuer aus, folgte dem Jäger aus dem Turm und löste just in dem Moment eine gewaltige Schneelawine aus, als der Jäger unter dem Großen Bogen durchging. Es dauerte Stunden, bis sich jemand dazu herabließ, den Jäger auszubuddeln, doch dies war Alther nur ein schwacher Trost. Die Dinge standen nicht zum Besten.

Tief im kalten Wald stellten die Wendronhexen ihre Fallen auf. Vielleicht gelang es ihnen, ein oder zwei unvorsichtige Wolverinen zu fangen, die ihnen über die bevorstehende magere Zeit hinweghelfen konnten. Anschließend zogen sie sich in ihre Gemeinschaftshöhle im Schieferbruch zurück, wo sie Tag und Nacht ein Feuer in Gang hielten und sich, in ihre Pelze gehüllt, gegenseitig Geschichten erzählten.

Die Bewohner des Baumhauses umlagerten den Holzofen in der großen Hütte und aßen sich durch Galens Vorrat an Nüssen und Beeren. Sally Mullin kuschelte sich in einen Haufen Wolverinenfelle, trauerte still um ihr Café und knabberte zum Trost einen Berg Haselnüsse. Sarah und Galen hielten an den langen kalten Tagen den Ofen in Gang und tauschten sich über Kräuter und Heiltränke aus.

Die vier jungen Heaps bauten sich in einiger Entfernung vom Baumhaus am Boden ein Schneelager und führten ein freies und ungebundenes Leben. Sie fingen Eichhörnchen und brieten sie wie alle anderen Tiere, die sie erbeuteten. Galen missbilligte ihr Treiben, sagte aber kein Wort. So waren sie wenigstens beschäftigt, blieben dem Baumhaus fern und verschonten die Wintervorräte, die Sally Mullin in rasendem Tempo aufzehrte. Sarah besuchte die Jungen jeden Tag, und wenn es sie anfangs auch beunruhigte, dass sie allein im Wald lebten, so war sie doch beeindruckt von den Iglus, die sie bauten. Außerdem hatte sie bemerkt, dass einige jüngere Wendronhexen regelmäßig bei ihnen vorbeischauten und ihnen Kleinigkeiten zu essen und zu trinken brachten. Bald war es ganz normal, dass Sarah bei den Jungen wenigstens zwei oder drei junge Hexen antraf, die ihnen beim Kochen halfen oder lachend am Lagerfeuer saßen und Witze erzählten. Erstaunlich fand Sarah nur, wie sehr sich die Jungen veränderten, seit sie sich selbst versorgen mussten. Alle wirkten auf einmal so erwachsen, selbst Jo-Jo, der jüngste, der ja erst dreizehn war. Nach einiger Zeit kam sich Sarah in ihrem Lager wie ein Störenfried vor. Dennoch setzte sie ihre täglichen Besuche fort, teils um sie im Auge zu behalten, teils weil sie an Eichhörnchenbraten Geschmack gefunden hatte.

# ★ 29 ★

## PYTHONS UND RATTEN

Am Morgen nach dem großen Kälteeinbruch öffnete Nicko die Vordertür der Hütte und stand vor einer Schneewand. Er holte Tante Zeldas Kohleschaufel und grub einen ungefähr zwei Meter langen Tunnel durch den Schnee. Als er endlich draußen stand, kamen hinter ihm Jenna und Junge 412 aus dem Tunnel gekrochen und blinzelten in die helle Wintersonne.

»Wie das blendet«, sagte Jenna und schützte ihre Augen vor dem gleißenden Licht des Schnees, das beinahe schmerzte. Die große Kälte hatte die Hütte in ein Rieseniglu verwandelt, und aus den Marschen war eine weite Polarlandschaft geworden, der die

Schneeverwehungen und die langen Schatten der tief stehenden Sonne ein völlig verändertes Aussehen verliehen. Maxie vervollständigte das Bild, indem er herumtollte und sich im Schnee wälzte, bis er wie ein übermütiger Eisbär aussah.

Jenna und Junge 412 halfen Nicko, einen Fußpfad zum zugefrorenen Mott zu schaufeln. Anschließend plünderten sie Tante Zeldas großen Besenvorrat und gingen daran, die Eisdecke des Kanals vom Schnee zu befreien, damit sie Schlittschuh laufen konnten. Jenna begann schon zu fegen, während sich die beiden Jungs eine Schneeballschlacht lieferten. Junge 412 entpuppte sich als guter Werfer, und am Ende sah Nicko beinahe so aus wie Maxie.

Das Eis war bereits fünfzehn Zentimeter dick und so glatt und rutschig wie Glas. Unzählige kleine Bläschen schwebten im gefrorenen Wasser und trübten das Eis ein wenig, doch es war noch so klar, dass man die eingefrorenen Grashalme und alles andere darunter sehen konnte. Und als Jenna ihre erste Bahn Schnee wegfegte, blickte sie plötzlich in die starren gelben Augen einer Riesenschlange.

»Iiiih!«, kreischte sie.

»Was ist denn, Jen?«, fragte Nicko.

»Augen. Schlangenaugen. Da liegt eine riesige Schlange unter dem Eis.«

Junge 412 und Nicko liefen zu ihr.

»Mann, ist die riesig«, sagte Nicko.

Jenna kniete sich hin und kratzte etwas Schnee weg. »Seht mal, da ist ihr Schwanz. Direkt neben dem Kopf. Die muss so lang sein, dass sie um die ganze Insel herumreicht.«

»Das kann nicht sein«, widersprach Nicko.

»Es muss so sein.«

»Bestimmt sind es mehrere.«

»Es gibt nur eine Möglichkeit, das herauszufinden.« Jenna hob den Besen wieder auf und fegte weiter. »Los, legt euch ins Zeug«, sagte sie zu den Jungen. Nicko und Junge 412 nahmen widerwillig ihre Besen und legten sich ins Zeug.

Am späten Nachmittag hatten sie den Beweis. Es war tatsächlich nur eine einzige Schlange.

»Die muss ein bis zwei Kilometer lang sein«, sagte Jenna, als sie endlich zu ihrem Ausgangspunkt zurückkehrten. Die Marschpython starrte sie grimmig durch die Eisdecke an. Sie konnte es nicht leiden, wenn sie angegafft wurde, schon gar nicht von etwas Fressbarem. Zwar mochte sie Ziegen und Luchse lieber, doch fressbar war für sie alles, was Beine hatte, und so verschlang sie gelegentlich auch Reisende, wenn einer aus Leichtsinn in einen Kanal fiel und zu lange darin herumplantschte. Doch im Allgemeinen verschmähte sie Zweibeiner. Ihre vielen Häute waren schwer verdaulich, und besonders gegen Stiefel war sie allergisch.

Die große Kälte setzte ein. Tante Zelda beschloss, einfach ihr Ende abzuwarten, so wie sie es jedes Jahr tat, und klärte die ungeduldige Marcia darüber auf, dass für Silas jetzt keine Möglichkeit mehr bestehe, mit ihrem Talisman zurückzukehren. Die Marram-Marschen seien von der Außenwelt völlig abgeschnitten. Marcia würde sich wie alle anderen bis zum großen Tauen gedulden müssen.

Doch das große Tauen ließ lange auf sich warten. Nacht für

Nacht steigerte sich der Nordwind zum heulenden Schneesturm und warf noch höhere Schneewehen auf.

Es wurde noch kälter, und selbst das Schlammloch des Boggart fror zu. Er flüchtete in die Badhütte an der heißen Quelle und döste dort zufrieden im Dampf.

Die Marschpython lag gefangen im Mott. Sie ernährte sich mehr schlecht als recht von Fischen und Aalen, die ihr unvorsichtigerweise zu nahe kamen, und träumte vom Tag ihrer Befreiung, an dem sie so viele Ziegen verschlingen wollte, bis sie nicht mehr konnte.

Nicko und Jenna liefen Schlittschuh. Am Anfang begnügten sie sich damit, auf dem zugefrorenen Mott ihre Bahnen zu ziehen und die Python zu ärgern, doch nach einer Weile wagten sie sich weiter in die weiße Landschaft hinaus. Stundenlang glitten sie über zugefrorene Kanäle, lauschten dem Knirschen des Eises unter ihren Kufen oder dem Heulen des Windes, wenn er weiteren Schnee ankündigte. Jenna fiel auf, dass von den Marschbewohnern kein Laut mehr zu hören war. Verstummt waren das geschäftige Rascheln der Wühlmäuse und das sanfte Plätschern der Wasserschlangen. Die Wabberschlammbraunlinge waren tief im Boden eingefroren und ließen nicht das leiseste Kreischen vernehmen. Die Wassernixen schliefen und warteten, mit ihren Saugnäpfen an der Unterseite der Eisdecke festgefroren, auf das große Tauen.

Lange ereignislose Wochen gingen ins Land, und der Wind brachte immer neuen Schnee aus dem Norden. Während Jenna und Nicko stundenlang auf dem Mott Schlittschuh liefen und Schlitterbahnen anlegten, blieb Junge 412 in der Hütte. Er fror noch immer, wenn er längere Zeit draußen blieb. Es war, als sei seit damals, als er vor dem Zaubererturm unter dem Schnee begraben worden war, ein Teil von ihm nie wieder richtig warm geworden. Manchmal saß Jenna mit ihm am Kamin. Sie mochte ihn, auch wenn sie nicht sagen konnte, warum eigentlich. Er sprach zum Beispiel nie mit ihr. Sie nahm es nicht persönlich, denn seit sie in der Hütte waren, hatte er mit niemandem ein Wort gewechselt. Sie selbst sprach am liebsten über Petroc Trelawney, an dem auch Junge 412 Gefallen gefunden hatte.

Manchmal saßen sie nachmittags auf dem Sofa, und Junge 412 sah zu, wie sie das Steintier aus der Tasche nahm. Jenna saß oft mit Petroc am Kamin, denn er erinnerte sie an Silas. Sie brauchte ihn einfach nur in der Hand zu halten, und schon glaubte sie fest daran, dass Silas wohlbehalten zurückkommen würde.

»Hier, halt du ihn mal«, sagte sie immer wieder zu Junge 412 und legte ihm den glatten grauen Stein in die schmutzige Hand.

Petroc Trelawney mochte Junge 412. Er mochte ihn, weil seine Hand meist etwas klebrig war und nach Essen roch. Petroc Trelawney streckte dann seine vier Stummelbeine aus, schlug die Augen auf und leckte an der Hand. Mmm, dachte er, nicht schlecht. Er konnte deutlich Aal herausschmecken, und war da nicht noch ein Hauch von Kohl? Petroc Trelawney aß gerne Aal und leckte noch einmal an der Hand. Seine Zunge war trocken und etwas rau wie die einer kleinen Katze, und Junge 412 musste dann immer lachen. Es kitzelte.

»Er mag dich«, sagte Jenna dann lächelnd. »Mir hat er nie die Hand geleckt.«

An vielen Tagen saß Junge 412 einfach nur vor dem Kamin, las in Tante Zeldas Büchern und tauchte in eine ganz neue Welt ein. Bevor er in die Hüterhütte gekommen war, hatte er kein einziges Buch gelesen. Bei der Jungarmee hatte er zwar lesen gelernt, aber alles, was man dort lesen durfte, waren die langen Listen der Feinde, Tagesbefehle und Schlachtpläne. Nun aber versorgte ihn Tante Zelda mit einer unterhaltsamen Mischung aus Abenteuergeschichten und Zauberbüchern, deren Inhalt er aufsaugte wie ein trockener Schwamm. Es war an einem dieser Tage, etwa sechs Wochen nach dem Kälteeinbruch – Jenna und Nicko wollten an dem Tag ausprobieren, ob sie mit Schlittschuhen bis nach Port laufen konnten –, als Junge 412 eine Beobachtung machte.

Er wusste bereits, dass Tante Zelda aus irgendeinem Grund jeden Morgen zwei Laternen entzündete und im Tränkeschrank unter der Treppe verschwand. Zuerst hatte er sich nichts dabei gedacht. Schließlich war es im Tränkeschrank dunkel, und Tante Zelda hatte nach vielen Tränken zu sehen. Er wusste, dass Tränke, die im Dunkeln aufbewahrt werden mussten, die unbeständigsten waren und dauernd kontrolliert werden mussten. Erst gestern hatte Tante Zelda ein amazonisches Gegengift, das in der Kälte trüb und klumpig geworden war, stundenlang filtern müssen. An diesem Morgen jedoch fiel Junge 412 auf, wie still es im Tränkeschrank war. Tante Zelda war im Allgemeinen nämlich nicht gerade leise. Jedes Mal, wenn sie an den Einmachgläsern vorbeiging, wackelten und klirrten sie, und wenn sie in der Küche war, klapperten Töpfe und Pfannen. Wie, so fragte sich Junge 412, brachte sie es dann fertig, in dem engen Tränkeschrank so leise zu sein? Und wozu benötigte sie zwei Laternen?

Er legte sein Buch weg und schlich auf Zehenspitzen zur Schranktür. Es war wirklich merkwürdig still, wenn man bedachte, dass Tante Zelda da drin auf engstem Raum mit hunderten kleinen Flaschen war, die leicht klirrten. Er klopfte sachte an die Tür. Es kam keine Antwort. Er horchte noch einmal. Stille. Er wusste, dass er eigentlich zu seinem Buch zurückkehren sollte, doch irgendwie war *Wundertätigkeit und Hexerei: Wozu die Mühe?* nicht halb so interessant wie die Frage, was Tante Zelda in diesem Moment machte. Und so drückte er die Tür auf und spähte hinein.

Der Tränkeschrank war leer.

Im ersten Moment dachte er, das Ganze sei ein Scherz und Tante Zelda würde plötzlich aus einer Ecke hervorspringen. Doch dann begriff er, dass sie tatsächlich nicht da war. Und er sah auch, warum. Die Falltür stand offen, und aus dem Tunnel wehte ihn der feuchte Modergeruch an, an den er sich noch gut erinnerte. Er verharrte an der Tür, unschlüssig, was er tun sollte. Ein Gedanke schoss ihm durch den Kopf. Vielleicht war Tante Zelda versehentlich durch die Falltür gefallen und brauchte Hilfe. Doch andererseits: Wäre sie tatsächlich gefallen, wäre sie auf halbem Weg stecken geblieben, denn Tante Zelda sah erheblich breiter aus als die Falltür.

Während er noch darüber nachdachte, wie es Tante Zelda gelungen war, sich durch die Falltür zu quetschen, sah er in der Öffnung im Boden den schwachen gelben Schein einer Laterne. Und dann hörte er das Knirschen von Tante Zeldas Stiefeln auf dem sandigen Boden und ein Keuchen. Sie stapfte den steilen Gang zu der Holzleiter herauf. Als sie die ersten Sprossen erklomm, schloss Junge 412 leise die Schranktür und huschte zu seinem Platz am Kamin zurück.

Ein paar Minuten später streckte eine atemlose Tante Zelda argwöhnisch den Kopf aus der Schranktür und blickte zu Junge 412 herüber, der mit leidenschaftlichem Interesse in *Wundertätigkeit und Hexerei: Wozu die Mühe?* las.

Bevor sie dazu kam, wieder im Schrank zu verschwinden, flog die Haustür auf, und Nicko trat ein, dicht gefolgt von Jenna. Sie warfen ihre Schlittschuhe in die Ecke und hielten etwas in die Höhe, das aussah wie eine tote Ratte.

»Seht mal, was wir gefunden haben«, rief Jenna.

Junge 412 verzog das Gesicht. Er verabscheute Ratten. Er hatte mit zu vielen zusammenleben müssen, als dass er ihre Gesellschaft schätzen könnte.

»Lasst sie draußen«, sagte Tante Zelda. »Es bringt Unglück, wenn man ein totes Tier ins Haus holt, außer man hat die Absicht, es zu essen. Und das da esse ich auf keinen Fall.«

»Sie ist nicht tot, Tante Zelda«, sagte Jenna. »Sieh doch.« Sie hielt ihr den braunen Fellstreifen hin. Tante Zelda beäugte ihn misstrauisch.

»Wir haben sie vor der alten Hütte am Rand der Marschen gefunden«, berichtete Jenna. »Du weißt doch, die bei Port. Wo der Mann mit einem Esel wohnt. Er hat viele Käfige mit toten Ratten. Wir haben durchs Fenster gelinst – es war schrecklich. Und dann ist er aufgewacht und hat uns bemerkt, da sind Nicko und ich davongelaufen, und dabei haben wir die Ratte hier entdeckt. Ich glaube, sie war ihm gerade entwischt. Ich habe sie aufgehoben und in die Jacke gesteckt, und dann sind wir abgedüst. Mit den Schlittschuhen. Aber er hat uns nicht eingeholt, stimmt's, Nicko?«

»Nein«, sagte Nicko wortkarg.

»Jedenfalls glaube ich, dass es die Botenratte ist, mit einer Nachricht von Dad«, sagte Jenna.

»Ausgeschlossen!«, rief Tante Zelda. »Die Botenratte war fett.«

Die Ratte in Jennas Händen protestierte mit einem leisen Quieken.

»Und die hier«, fuhr Tante Zelda fort und bohrte der Ratte den Finger in die Rippen, »ist spindeldürr. Aber vermutlich war es richtig, dass ihr sie hereingebracht habt, ganz gleich, was für eine Ratte es ist.«

Und so kam es, dass Stanley fast sechs Wochen, nachdem ihn die Rattenzentrale losgeschickt hatte, doch noch ans Ziel gelangte. Wie alle guten Botenratten war er dem Werbeslogan der Rattenzentrale gerecht geworden: Nichts hält eine Botenratte auf.

Doch für die Übermittlung der Botschaft war Stanley zu schwach. Er lag völlig entkräftet auf einem Kissen vor dem Kamin und ließ sich von Jenna mit püriertem Aal füttern. Er hatte für Aal nie etwas übrig gehabt, schon gar nicht in pürierter Form, aber nach sechs Wochen Gefangenschaft, in denen er nur Wasser getrunken und keinen Bissen zu sich genommen hatte, schmeckte selbst pürierter Aal herrlich. Und auf einem Kissen am warmen Kamin zu liegen, statt auf dem Boden eines schmutzigen Käfigs zu bibbern, war noch herrlicher. Obwohl Berta verstohlene Blicke auf ihn warf, wenn gerade niemand hersah.

Marcia gab ihm den Befehl »Sprich, Rattus Rattus«, nachdem Jenna darauf bestanden hatte, doch Stanley gab keinen Ton von sich und lag nur schlapp auf dem Kissen.

»Ich bin noch nicht davon überzeugt, dass es die Botenratte ist«, sagte Marcia ein paar Tage später, als Stanley noch immer nicht gesprochen hatte. »Die Botenratte hat ununterbrochen geplappert, wenn ich mich recht erinnere. Und dabei fast nur dummes Zeug von sich gegeben.«

Stanley sah sie so finster an, wie er nur konnte, aber sie nahm davon keine Notiz.

»Sie ist es, Marcia«, versicherte ihr Jenna. »Ich hatte schon viele Ratten und kann sie gut auseinander halten. Die hier ist eindeutig die Botenratte vom letzten Mal.«

Und so fieberten alle dem Tag entgegen, an dem Stanley wieder so weit bei Kräften war, dass er die lang ersehnte Nachricht übermitteln konnte. Es war eine Zeit zwischen Hoffen und Bangen. Die Ratte bekam Fieber und lag im Delirium, murmelte stundenlang unverständliches Zeug und trieb Marcia fast zum Wahnsinn. Tante Zelda brühte Unmengen von Weidenrindentee auf, und Jenna träufelte ihn der Ratte mithilfe eines kleinen Tropfenzählers geduldig in den Mund. Nach einer langen und nervenaufreibenden Woche klang das Fieber schließlich ab.

Am späten Nachmittag, als Tante Zelda sich im Tränkeschrank eingeschlossen hatte (seit Junge 412 hineingespäht hatte, schloss sie immer ab) und Marcia an Tante Zeldas Schreibtisch an irgendwelchen mathematischen Zaubern tüftelte, ließ Stanley ein Hüsteln vernehmen und setzte sich auf. Maxie bellte und Berta fauchte vor Überraschung, doch die Botenratte beachtete sie nicht.

Sie hatte eine Botschaft zu überbringen.

# ⋆ 30 ⋆

## BOTSCHAFT AN MARCIA

Bald hatte Stanley ein erwartungsvolles Publikum um sich geschart. Er humpelte steif vom Kissen, richtete sich auf und holte tief Luft. Dann rief er mit zittriger Stimme: »Zunächst muss ich fragen: Ist hier eine gewisse Marcia Overstrand?«

»Das wissen Sie doch«, erwiderte Marcia ungeduldig.

»Ich muss trotzdem fragen, Euer Gnaden, so will es die Vorschrift«, sagte Stanley und fuhr fort: »Ich bin hier, um Marcia Overstrand, der Außergewöhnlichen Zauberin ... äh ... der ehemaligen Außergewöhnlichen Zauberin, eine Botschaft zu ...«

»*Was?*«, brach es aus Marcia heraus. »*Der ehemaligen?* Was meint die blöde Ratte damit?«

»Beruhige dich, Marcia«, sagte Tante Zelda. »Warte doch ab, was sie zu sagen hat.«

Stanley fuhr fort. »Die Nachricht ist um sieben Uhr früh am ...«

Er hielt inne und rechnete nach, wie viele Tage inzwischen vergangen waren. Als pflichtbewusste Botenratte hatte Stanley während seiner Gefangenschaft Buch geführt und für jeden Tag eine Kerbe in einen Gitterstab seines Käfigs geritzt. Er wusste, dass er neununddreißig Tage bei Mad Jack geschmachtet hatte, aber er hatte keine Ahnung, wie lange er hier vor dem Kamin im Delirium gelegen hatte. »... äh ... vor geraumer Zeit von einem Bevollmächtigten abgeschickt worden. Der Adressat ist ein gewisser Silas Heap, wohnhaft in ...«

»Was heißt denn, von einem Bevollmächtigten?«, fragte Nicko.

Stanley wippte ungeduldig mit dem Fuß. Er hatte es nicht gern, wenn er unterbrochen wurde, zumal wenn die Botschaft so alt war, dass er fürchtete, er könnte sich nicht mehr genau an sie erinnern. Er hüstelte ungeduldig.

»Hier die Nachricht:

*Liebe Marcia,*
*ich hoffe, es geht euch gut. Ich bin in der Burg und wohlauf. Ich wäre dir dankbar, wenn wir uns so bald wie möglich vor dem Palast treffen könnten. Es ist etwas geschehen. Ich werde um Mitternacht am Palasttor sein, jede Nacht, bis du kommst.*
*Ich freue mich auf ein Wiedersehen und*
*verbleibe mit besten Grüßen,*
*dein Silas Heap.*

Ende der Nachricht.«

Stanley sank auf sein Kissen zurück und stieß einen Seufzer der

Erleichterung aus. Auftrag erledigt. Er hatte für die Übermittlung der Botschaft möglicherweise länger gebraucht als irgendeine Botenratte vor ihm, aber er hatte es geschafft. Er gestattete sich ein leichtes Lächeln, obgleich er noch im Dienst war.

Einen Augenblick lang herrschte Stille, dann ging Marcia in die Luft. »Das ist doch wieder typisch! Er unternimmt nicht einmal den Versuch, vor dem großen Tauen zurückzukommen, und dann bequemt er sich endlich, eine Nachricht zu schicken, erwähnt aber meinen Talisman mit keinem Wort. Ich geb's auf. Ich hätte selbst gehen sollen.«

»Und was ist mit Simon?«, fragte Jenna ängstlich. »Hat Dad ihn gefunden? Und warum hat er *uns* keine Nachricht geschickt?«

»Klingt jedenfalls nicht nach Dad«, grunzte Nicko.

»Nein«, pflichtete Marcia ihm bei. »Die Botschaft war viel zu höflich.«

»Nun ja, sie war ja auch von einem Bevollmächtigten«, sagte Tante Zelda unsicher.

»Was heißt denn das, von einem Bevollmächtigten?«, fragte Nicko wieder.

»Jemand anders hat die Botschaft für ihn in der Rattenzentrale aufgegeben. Wahrscheinlich konnte er selbst nicht hingehen. Das war ja zu erwarten. Ich frage mich nur, wer der Bevollmächtigte war.«

Stanley schwieg, obwohl er genau wusste, dass der Oberste Wächter der »Bevollmächtigte« war. Auch wenn er keine Vertrauensratte mehr war, so war er doch an die Vorschriften der Rattenzentrale gebunden. Und danach waren alle Gespräche in der

Zentrale streng vertraulich. Trotzdem regte sich sein Gewissen. Diese Zaubererleute hatten ihn befreit und gepflegt, ihm wahrscheinlich sogar das Leben gerettet. Er rutschte nervös hin und her und blickte zu Boden. Hier war etwas im Busch, und er wollte nichts damit zu tun haben. Der ganze Auftrag war von Anfang an ein einziger Albtraum gewesen.

Marcia ging hinüber zum Schreibtisch und knallte ihr Buch zu.

»Woher nimmt Silas die Frechheit, etwas so Wichtiges wie meinen Talisman zu vergessen?«, polterte sie. »Weiß er denn nicht, dass es die oberste Pflicht eines Gewöhnlichen Zauberers ist, der Außergewöhnlichen Zauberin zu dienen? Ich werde mir seinen Ungehorsam nicht länger gefallen lassen. Ich habe die Absicht, ihn zu suchen und ihm gründlich die Meinung zu sagen.«

»Halten Sie das für klug?«, fragte Tante Zelda ganz ruhig.

»Noch bin ich die Außergewöhnliche Zauberin«, erklärte Marcia. »Ich lasse mich nicht für dumm verkaufen.«

»Ich schlage vor, Sie schlafen eine Nacht darüber«, sagte Tante Zelda beschwichtigend. »Morgen früh sieht alles schon ganz anders aus.«

Spät in der Nacht lag Junge 412 im flackernden Schein des Kaminfeuers und lauschte Nickos Schniefen und Jennas gleichmäßigen Atemzügen. Aufgewacht war er durch Maxies lautes Schnarchen, das durch die Decke dröhnte. Eigentlich sollte Maxie unten schlafen, doch wenn er glaubte, damit durchzukommen, schlich er sich immer noch gelegentlich nach oben und legte sich auf Silas' Bett. Und Junge 412 war daran nicht ganz unschuldig. Jedes Mal, wenn Maxie unten schlief und zu schnarchen anfing, gab er ihm einen Stoß und brachte ihn erst auf die Idee. Heute Nacht freilich hörte Junge 412 neben dem krankhaften Schnarchen des Wolfshundes noch etwas anderes.

Knarrende Fußbodendielen über ihm … heimliche Schritte auf der Treppe … das Quietschen der zweitletzten Stufe … Was war das? *Wer* war das? Alle Gespenstergeschichten, die er jemals gehört hatte, kamen ihm in den Sinn, als er das leise Schleifen eines Umhangs auf den Steinfliesen hörte. Wer oder was da auch gehen mochte, er war im selben Raum mit ihm.

Er setzte sich langsam auf und starrte ins Dunkel. Sein Herz raste. Eine Gestalt schlich zu dem Buch, das Marcia auf dem Schreibtisch hatte liegen lassen. Die Gestalt nahm das Buch und steckte es in ihren Umhang, dann sah sie das Weiße in den Augen von Junge 412, der sie aus dem Dunkel beobachtete.

»Ich bin's«, flüsterte Marcia und winkte ihn zu sich. Er schlüpfte lautlos unter der Decke hervor und tappte über die Fliesen zu ihr.

»Wie man mit diesem Tier in einem Zimmer schlafen soll, ist mir ein Rätsel«, zischte Marcia ärgerlich. Junge 412 grinste verlegen. Er behielt lieber für sich, dass er Maxie mehr oder weniger die Treppe hinaufgescheucht hatte.

»Ich gehe heute Nacht noch zurück«, sagte Marcia. »Ich will die Minuten um Mitternacht nutzen, um mir Gewissheit zu verschaffen. Du solltest dir merken, dass die Minuten vor und nach Mitternacht die beste Zeit sind, um sicher zu reisen. Besonders wenn draußen jemand ist, der dir Böses will. Und davon gehe ich aus. Ich werde mich zum Palasttor begeben und diesem Silas Heap den Kopf waschen. Wie spät haben wir's?«

Sie zückte ihre Taschenuhr.

»Zwei Minuten vor Mitternacht. Ich bin bald wieder zurück. Vielleicht könntest du Zelda Bescheid sagen.« Marcia sah Junge 412 an, und da fiel ihr ein, dass ihm kein Wort mehr über die Lippen gekommen war, seit er ihnen im Zaubererturm seinen Rang und seine Nummer genannt hatte. »Was soll's, so wichtig ist es auch wieder nicht. Sie kann sich ja denken, wo ich bin.«

Da fiel Junge 412 etwas Wichtiges ein. Er kramte in der Tasche seines Pullovers und zog den Charm hervor, den Marcia ihm gegeben hatte, als sie ihn fragte, ob er ihr Lehrling werden wolle. Er betrachtete das kleine silberne Schwingenpaar in seiner Hand mit leichtem Bedauern. Es schimmerte silbern und golden in dem magischen Licht, das Marcia bereits umgab. Er hielt ihr die Schwingen hin – er durfte sie nicht behalten, denn er konnte unmöglich ihr Lehrling werden –, doch sie schüttelte den Kopf und kniete neben ihm nieder.

»Nein«, flüsterte sie. »Ich habe die Hoffnung noch nicht aufgegeben, dass du deine Meinung änderst und doch noch mein Lehrling wirst. Denk darüber nach, solange ich fort bin. Jetzt ist es nur noch eine Minute bis Mitternacht … Tritt zurück.«

Die Luft um Marcia wurde kalt, und die Schwingungen eines mächtigen Zaubers hüllten sie ein und luden die Luft elektrisch auf. Erschrocken, aber auch fasziniert wich Junge 412 zurück zum Kamin. Marcia schloss die Augen und murmelte einen langen und komplizierten Spruch in einer Sprache, die er noch nie gehört hatte, und vor seinen Augen erschien derselbe magische Schleier, den er schon auf der *Muriel* im Deppen Ditch gesehen hatte. Marcia warf den Umhang über sich, sodass er sie von Kopf bis Fuß bedeckte, und das Lila des magischen Schleiers vermischte sich mit dem Lila des Umhangs. Dann ertönte ein lautes Zischen wie von Wasser, das auf heißes Metall spritzt, und Marcia verschwand, einen schwachen Schatten hinterlassend, der sich nach ein paar Sekunden vollends auflöste.

Zwanzig Minuten nach Mitternacht wachte am Palasttor ein Zug Gardisten, wie in jeder der letzten fünfzig bitterkalten Nächte. Die Männer froren und stellten sich auf eine weitere langweilige Nacht ein, in der sie nichts weiter zu tun haben würden, als von einem Fuß auf den anderen zu treten. Und das nur, weil der Oberste Wächter sich einbildete, dass die ehemalige Außergewöhnliche Zauberin ausgerechnet hier auftauchen würde. Einfach so. Natürlich war sie noch nicht aufgetaucht und würde wohl auch nicht mehr auftauchen. Trotzdem schickte er sie jede Nacht hinaus, und sie mussten sich in der Kälte die Beine in den Bauch stehen.

Deshalb trauten die Gardisten ihren Augen nicht, als in ihrer Mitte plötzlich ein schwacher lila Schatten erschien.

»Das ist sie«, flüsterte einer, der vor den magischen Kräften Angst bekam, die plötzlich in der Luft wirbelten und schmerzhafte Stromstöße durch ihre schwarzen Metallhelme schickten. Die Gardisten zogen ihre Schwerter und beobachteten, wie sich der verschwommene Schatten zu einer hohen Gestalt verdichtete, die in den lila Umhang der Außergewöhnlichen Zauberin gehüllt war.

Marcia Overstrand war in die Falle getappt, die ihr der Oberste Wächter gestellt hatte. Sie wurde überrumpelt. Ohne ihren Talisman und den Schutz der Minuten um Mitternacht – sie kam zwanzig Minuten zu spät – konnte sie den Hauptmann der Garde nicht daran hindern, ihr das Echnaton-Amulett vom Hals zu reißen.

Zehn Minuten später lag sie auf dem Boden von Verlies Nummer eins, einem tiefen finsteren Schacht in den Kellergewölben der Burg. Sie war in einem Strudel von Schatten gefangen, den DomDaniel mit größtem Vergnügen eigens für sie herbeigezaubert hatte. Es wurde die schlimmste Nacht ihres Lebens. Sie lag hilflos in einer stinkenden Wasserlache, unter sich die Gebeine früherer Häftlinge, und musste das Gejammer und Geschrei der Schatten ertragen, die um sie herumwirbelten und alle magischen Kräfte aus ihr heraussogen. Erst am nächsten Morgen, als ein alter Geist, der sich verlaufen hatte, zufällig am Verlies Nummer eins vorbeikam, erfuhr jemand außer DomDaniel und dem Obersten Wächter, wo sie war.

Der alte Geist holte Alther, doch der konnte nichts weiter tun, als bei ihr sitzen und ihr Mut zusprechen, damit sie am Leben blieb. Er musste seine ganze Überredungskunst aufbieten, denn Marcia war verzweifelt. In ihrem Zorn gegen Silas hatte sie sich zu einem unbedachten Schritt hinreißen lassen und alles verloren, wofür Alther gekämpft hatte, als er DomDaniel absetzte. Jetzt trug DomDaniel wieder das Echnaton-Amulett um seinen fetten Hals. Er, und nicht sie, war jetzt der Außergewöhnliche Zauberer.

# ★ 31 ★

## DIE RATTE KEHRT ZURÜCK

Tante Zelda besaß keine Uhr. Uhren gingen in der Hüterhütte nie genau, weil unter der Erde zu starke magische Kräfte wirkten. Nur leider hatte sie es nie für nötig gehalten, Marcia davon zu erzählen, da ihr selbst die genaue Uhrzeit nicht wichtig war. Wenn sie wissen wollte, wie spät es war, warf sie einfach einen Blick auf die Sonnenuhr und hoffte, dass die Sonne gerade schien. Viel wichtiger war ihr der Wechsel der Mondphasen.

Am Tag von Stanleys Befreiung hatte Tante Zelda nach Einbruch der Dunkelheit mit Jenna einen Spaziergang über die Insel unternommen. Der Schnee lag höher denn je und war so verharscht, dass Jenna zwar mühelos darauf laufen konnte, Tante Zelda aber mit ihren großen Stiefeln einsank. Sie gingen ans Ende der Insel, wo die Lichter der Hütte nicht mehr zu sehen waren, und Tante Zelda deutete zum dunklen Nachthimmel, an dem hunderttausende Sterne funkelten, mehr, als Jenna je zuvor gesehen hatte.

»Heute Nacht«, sagte Tante Zelda, »ist Dunkelmond.«

Jenna zitterte. Nicht vor Kälte, sondern weil es ein seltsames Gefühl war, hier auf der Insel zu stehen, mitten in dieser unendlichen Weite von Sternen und Dunkelheit.

»Heute Nacht«, fuhr Tante Zelda fort, »wirst du den Mond nicht sehen, und wenn du deine Augen noch so anstrengst. Niemand auf der Erde wird den Mond heute Nacht sehen. In einer solchen Nacht wagt man sich nicht allein hinaus in die Marschen, und wären die Geschöpfe und Geister der Marschen nicht alle unter der Erde eingefroren, hätten wir uns jetzt mit einem Zauber in der Hütte eingeschlossen. Aber ich dachte mir, du würdest die Sterne gerne einmal ohne das Mondlicht sehen. Deine Mutter hat sich immer gern die Sterne angesehen.«

Jenna schluckte. »Meine Mutter? Meinst du meine richtige?«

»Ja«, antwortete Tante Zelda. »Ich meine die Königin. Sie hat die Sterne geliebt. Deshalb dachte ich mir, du vielleicht auch.«

»Ja«, flüsterte Jenna. »Zu Hause habe ich sie immer von meinem Fenster aus gezählt, wenn ich nicht einschlafen konnte. Aber … woher kennst du meine Mutter?«

»Sie hat mich jedes Jahr hier besucht, bis sie … na ja, bis alles anders geworden ist. Und ihre Mutter, deine reizende Großmutter, hat mich auch jedes Jahr besucht.«

Mutter. Großmutter … Jenna begann zu begreifen, dass sie eine ganze Familie hatte, über die sie nichts wusste. Aber Tante Zelda wusste offenbar etwas.

»Tante Zelda«, begann sie langsam. Endlich wagte sie, die Frage zu stellen, die sie beschäftigte, seit sie wusste, wer sie in Wirklichkeit war.

»Hmm?« Tante Zelda blickte über das Marschland.

»Was ist mit meinem Vater?«

»Deinem Vater? Ach ja, er war aus den Fernlanden. Er war nicht da, als du geboren wurdest.«

»Er war nicht da?«

»Er hatte ein Schiff und war fortgesegelt, um etwas zu holen«, antwortete Tante Zelda geheimnisvoll. »Kurz nach deiner Geburt soll er nach Port zurückgekehrt sein, das Schiff voll beladen mit Schätzen für dich und deine Mutter. Doch als er die Schreckensnachricht erfuhr, ist er mit der nächsten Flut wieder ausgelaufen.«

»Wie … wie hieß er?«, fragte Jenna.

»Das weiß ich nicht«, antwortete Tante Zelda, die sich, wie die meisten Leute, nie sonderlich für den Gemahl der Königin interessiert hatte. Die Tochter folgte der Mutter auf den Thron, und die Männer in der Familie konnten so leben, wie es ihnen beliebte.

Etwas in Tante Zeldas Stimme hatte Jennas Aufmerksamkeit erregt, und sie wandte den Blick von den Sternen ab und Tante Zelda zu, die aufmerksam in die Marschen hinausblickte. Der Atem stockte ihr. Zum ersten Mal nahm sie die Augen der Weißen Hexe richtig wahr. Ihr helles Blau drang durch die Nacht und leuchtete in der Dunkelheit.

»So«, sagte Tante Zelda plötzlich, »es wird Zeit, dass wir nach Hause gehen.«

»Aber …«

»Im Sommer erzähle ich dir mehr. Da haben sie mich immer besucht, am Mittsommertag. Dann werde ich auch dich hinbringen.«

»Hinbringen?«, fragte Jenna. »Wohin denn?«

»Komm«, sagte Tante Zelda, »der Schatten da drüben gefällt mir nicht.«

Tante Zelda packte Jenna an der Hand und lief mit ihr durch den Schnee zurück. Draußen in den Marschen brach ein ausgehungerter Marschluchs die Jagd ab und machte kehrt. Er war mittlerweile zu schwach, um die Verfolgung aufzunehmen. Wäre es ein paar Tage früher gewesen, hätte er sich satt fressen und über den Winter retten können. So aber kroch er in seine Schneekuhle zurück und kaute kraftlos an seiner letzten gefrorenen Maus.

Nach Dunkelmond zeigte sich der erste schmale Lichtschimmer des neuen Mondes am Himmel. Jede Nacht wurde er ein bisschen größer. Es schneite nicht mehr und der Himmel war jetzt klar. Nacht für Nacht beobachtete Jenna den Mond vom Fenster aus, während die Panzerkäfer sich verträumt in ihren Einmachgläsern regten und auf den Augenblick ihrer Befreiung warteten.

»Beobachte ihn weiter«, sagte Tante Zelda zu ihr. »Wenn der Mond zunimmt, zieht er die Dinge aus dem Boden. Und die Hütte zieht die Menschen an, die hierher kommen wollen. Bei Vollmond ist die Anziehungskraft am stärksten, genau da bist auch du gekommen.«

Dann, als ein Viertel des Mondes am Himmel stand, ging Marcia.

»Wieso ist Marcia gegangen?«, wollte Jenna von Tante Zelda an jenem Morgen wissen, als sie entdeckten, dass sie fort war. »Ich dachte, Dinge würden zurückkommen, wenn der Mond zunimmt, und nicht fortgehen.«

Tante Zelda schaute bei Jennas Frage missmutig drein. Sie ärgerte sich über Marcias überstürzte Abreise. Außerdem konnte sie es nicht leiden, wenn jemand etwas tat, was ihre Mondtheorien durcheinander brachte.

»Manchmal«, sagte sie geheimnisvoll, »müssen Dinge gehen, um wiederkommen zu können.« Damit stapfte sie in ihren Tränkeschrank und verschloss die Tür hinter sich.

Nicko warf Jenna einen teilnahmsvollen Blick zu, winkte mit ihren Schlittschuhen und grinste. »Wer zuerst beim großen Sumpf ist.«

Jenna lachte. »Letztes Mal gab es ein totes Rennen.«

Bei dem Wort »tot« schreckte Stanley aus dem Schlaf hoch. Die Ratte schlug gerade noch rechtzeitig die Augen auf, um zu sehen, wie Nicko und Jenna ihre Schlittschuhe schnappten und verschwanden.

Als Marcia bei Vollmond noch nicht zurück war, machten sich alle ernsthaft Sorgen.

»Ich habe zu ihr gesagt, dass sie eine Nacht drüber schlafen soll«, sagte Tante Zelda. »Aber nein, aus Ärger über Silas steht sie mitten in der Nacht auf und verschwindet. Seitdem keine Nachricht. Wirklich unmöglich. Dass Silas bei der Kälte nicht zurückkommt, kann ich ja noch verstehen. Aber Marcia?«

»Vielleicht kommt sie heute Nacht«, wagte Jenna zu sagen. »Wo doch Vollmond ist.«

»Vielleicht«, erwiderte Tante Zelda. »Vielleicht auch nicht.«

Natürlich kam Marcia in dieser Nacht nicht zurück. Wie in den zehn vorausgegangenen Nächten lag sie entkräftet im schmutzigen Wasser von Verlies Nummer eins, mitten in einem Wirbel von Schatten. Neben ihr saß Alther Mella und bot alle ihm zu Gebote stehende Geistermagie auf, um sie am Leben zu erhalten. Menschen überlebten den Sturz in Verlies Nummer eins nur selten, und wenn, dann nicht lange, denn nach kurzer Zeit sanken sie hinab zu den Knochen, die dicht unter der Oberfläche des abgestandenen Wassers lagen. Ohne Alther wäre Marcia ohne Zweifel das gleiche Schicksal beschieden gewesen.

Als in besagter Nacht, der Vollmondnacht, der Mond aufging, wickelten sich Jenna und Tante Zelda in Decken und hielten am Fenster nach Marcia Ausschau. Jenna schlief bald ein, doch Tante Zelda wachte die ganze Nacht, bis der Untergang des Vollmonds und der Aufgang der Sonne ihre allerletzte Hoffnung auf eine Rückkehr Marcias zunichte machten.

Am Tag nach Vollmond fühlte sich Stanley kräftig genug, die Heimreise anzutreten. Auch eine Ratte vertrug pürierten Aal nur bis zu einer bestimmten Grenze, und Stanley fand, dass diese Grenze jetzt erreicht war.

Doch bevor er gehen konnte, musste er entweder einen neuen Auftrag erhalten oder ohne Botschaft entlassen werden. So gab er an jenem Morgen ein höfliches Hüsteln von sich und sagte: »Wenn

ich um Ihre Aufmerksamkeit bitten dürfte, meine Herrschaften.«
Alle sahen Stanley an. Er hatte während seiner Genesung sehr wenig gesprochen, und so waren sie es nicht gewöhnt, seine Stimme zu hören.

»Es wird Zeit, dass ich in die Rattenzentrale zurückkehre. Ich müsste schon längst zurück sein. Aber ich muss fragen: Haben Sie mir eine Botschaft mitzugeben?«

»Für Dad!«, rief Jenna. »Nehmen Sie eine für Dad mit?«

»Darf ich fragen, wer Dad ist?«, erkundigte sich Stanley. »Und wo er zu finden ist?«

»Wissen wir nicht«, sagte Tante Zelda barsch. »Wir haben keine Botschaft für Sie, vielen Dank. Sie sind entlassen.«

Stanley verbeugte sich, zutiefst erleichtert.

»Ich danke Ihnen, Madam«, sagte er. »Und, äh, danke für ihre Freundlichkeit. Ihnen allen. Ich bin Ihnen sehr dankbar.«

Alle sahen der Ratte nach, als sie, mit Pfoten und Schwanz im Schnee eine Spur hinterlassend, von dannen eilte.

»Ich hätte ihr so gern eine Nachricht mitgegeben«, sagte Jenna traurig.

»Lieber nicht«, erwiderte Tante Zelda. »Mit der Ratte stimmt etwas nicht. Sie war irgendwie anders als beim letzten Mal.«

»Na ja, sie war viel dünner«, bemerkte Nicko.

»Hm«, machte Tante Zelda. »Da ist etwas im Busch. Ich fühle es.«


Stanleys Heimreise verlief ohne Zwischenfälle. Erst als er die Rattenzentrale betrat, nahmen die Dinge eine ungünstige Wendung.

Er kletterte durch das Regenrohr, das kürzlich erst aufgetaut war, nach oben und klopfte an die Tür des Büros.

»Herein!«, bellte die schwarze Ratte, die nach ihrer verspäteten Bergung aus dem zugefrorenen Büro eben erst den Dienst wieder aufgenommen hatte.

Stanley schlich hinein, denn er wusste, dass eine Erklärung von ihm erwartet wurde.

»*Sie!*«, donnerte die schwarze Ratte. »Das wird aber auch Zeit! Wie können Sie es wagen, mich zum Narren zu halten? Ist Ihnen klar, wie lange Sie weg gewesen sind?«

»Sechzig Tage«, murmelte Stanley. Es wusste nur zu gut, wie lange er weg gewesen war, und begann sich zu fragen, was Dawnie wohl dazu sagen würde.

»*Sechzig Tage, Sir!*«, brüllte die schwarze Ratte und schlug mit ihrem Schwanz auf den Tisch. »Haben Sie eine Ahnung, in welch unangenehme Lage Sie mich gebracht haben?«

Stanley sagte nichts und dachte im Stillen: Na, dann hat die schreckliche Reise wenigstens etwas Gutes gehabt.

»Das wird Sie teuer zu stehen kommen«, blaffte die schwarze Ratte. »Ich werde persönlich dafür sorgen, dass Sie keinen Auftrag mehr erhalten. Nicht, solange ich hier etwas zu sagen habe.«

»Aber ...«

»Aber, *Sir*!«, schrie die schwarze Ratte. »Wie oft soll ich es noch sagen? Reden Sie mich gefälligst mit *Sir* an!«

Stanley schwieg. Er konnte sich viele passende Anreden für die schwarze Ratte vorstellen, aber »Sir« war ganz sicher nicht darunter. Plötzlich spürte er eine Bewegung hinter sich. Er drehte sich um und erblickte die beiden größten Ratten, die er je gesehen hatte. Wahre Muskelprotze. Sie standen drohend in der Tür, sodass kein Tageslicht herein- und niemand hinauskonnte, und dabei verspürte er plötzlich den unwiderstehlichen Drang, ins Freie zu rennen.

Die schwarze Ratte war über ihren Anblick erfreut.

»Ah, schön, die Jungs sind da. Nehmt ihn mit, Jungs.«

»Wohin denn?«, quiekte Stanley. »Wohin bringen Sie mich?«

»Wohin ... bringen ... Sie ... mich ... *Sir*«, stieß die schwarze Ratte zwischen den Zähnen hervor. »Erst mal zu dem Bevollmächtigten, der die Botschaft abgeschickt hat. Er möchte wissen, wo genau Sie den Empfänger gefunden haben. Und da Sie keine Vertrauensratte mehr sind, werden Sie es ihm natürlich sagen müssen. Bringt ihn zum Obersten Wächter.«

# ★ 32 ★

## DAS GROSSE TAUEN

Am Tag nach der Abreise der Botenratte setzte das große Tauen ein. Es begann in den Marram-Marschen, wo es immer etwas wärmer war als anderswo, zog dann den Fluss hinauf, durch den Wald und zur Burg. Die Burgbewohner atmeten auf. Ihre Lebensmittel gingen zur Neige, weil die Wächterarmee viele Vorratskammern geplündert hatte, um DomDaniel mit allem Nötigen für seine häufigen Bankette zu versorgen.

Erleichtert über das Tauwetter war auch eine gewisse Botenratte, die niedergeschlagen und zitternd in einer Rattenfalle unter dem Fußboden der Damentoilette saß. Stanley war dort eingesperrt worden, weil er sich geweigert hatte, die genaue Lage von Tante Zeldas Hütte preiszugeben. Er sollte nie erfahren, dass der

Jäger sie mithilfe der Auskünfte, die Simon Heap dem Obersten Wächter gegeben hatte, bereits herausgefunden hatte. Ebenso wenig sollte er erfahren, dass niemand die Absicht hatte, ihn jemals freizulassen, obwohl er es sich denken konnte, erfahren, wie er war. Er hielt sich so gut es ging am Leben. Er aß, was er kriegen konnte, hauptsächlich Spinnen und Kakerlaken, leckte Wassertropfen von den auftauenden Abflussrohren und dachte beinahe wehmütig an Mad Jack. Dawnie hatte inzwischen die Hoffnung aufgegeben, dass er noch am Leben war, und war zu ihrer Schwester gezogen.

Der Schnee schmolz so schnell, dass die Marram-Marschen unter Wasser gesetzt wurden. Bald schimmerte überall grünes Gras durch, und der Boden wurde nass und schwer. Das Eis im Mott und in den Kanälen taute zuletzt, doch als die Marschpython spürte, dass es wärmer wurde, begann sie sich zu regen, schlug ungeduldig mit dem Schwanz und dehnte ihre vielen hundert steif gewordenen Rippen. In der Hütte warteten alle mit angehaltenem Atem darauf, dass die riesige Schlange aus ihrem eisigen Gefängnis ausbrach. Sie wussten nicht genau, wie hungrig sie war, oder wie verärgert. Nicko hatte Maxie mit einem dicken Seil an ein Tischbein gebunden, damit er in der Hütte blieb. Er war sich ziemlich sicher, dass frisches Wolfshundfleisch ganz oben auf dem Speisezettel der Marschpython stand, wenn sie erst einmal frei war.

Es geschah am dritten Tag nach Einsetzen des großen Tauens. Plötzlich knackte es laut, und das Eis über dem mächtigen Kopf der Python zerbarst und spritzte hoch in die Luft. Die Schlange bäumte sich auf, und Jenna, die als Einzige in der Nähe war, flüchtete hinter das Hühnerboot. Die Python blickte kurz in ihre Richtung, hatte aber keine Lust, auf Jennas schweren Stiefeln herumzukauen, und so setzte sie sich mühsam in Bewegung und kroch langsam im Mott herum, um den Ausgang zu suchen. Als sie ihn endlich gefunden hatte, bekam sie Schwierigkeiten: Sie konnte nicht weiter. Mehrmals versuchte sie, ihren riesigen Leib in die andere Richtung zu krümmen, doch es ging nicht. Sie konnte nur noch im Kreis schwimmen, immer im Mott herum, mehr nicht. Jedes Mal, wenn sie in den Kanal abbiegen wollte, der hinaus in die Marschen führte, versagten ihre Muskeln den Dienst.

Tagelang lag die Schlange gefangen im Mott, schnappte nach Fischen und funkelte jeden zornig an, der sich ihr näherte. Was freilich keiner mehr tat, nachdem sie einmal ihre lange gespaltene Zunge hatte herausschnellen lassen und Junge 412 durch die Luft geschleudert hatte. Schließlich, eines Morgens, kam die Frühlingssonne heraus und wärmte die Schlange so, dass ihre steifen Muskeln wieder locker wurden. Schwerfällig und wie ein rostiges Gartentor quietschend schwamm sie davon, um sich ein paar Ziegen zu suchen, und nach ein paar Tagen war sie fast wiederhergestellt. Aber nur fast. Nach diesem Vorfall zog die Python beim Schwimmen immer ein wenig nach rechts.

Als das große Tauen die Burg erreichte, begab sich DomDaniel mit seinen beiden Magogs flussaufwärts zur Miesbucht, wo die drei mitten in der Nacht ein schmales vermodertes Fallreep überquerten und an Bord seines Dunkelschiffs, der *Vergeltung*, gingen. Dort warteten sie einige Tage, bis die Springflut kam, die DomDaniel brauchte, um mit dem Schiff aus der Bucht zu segeln.

Am Morgen nach Einsetzen des großen Tauens berief der Oberste Wächter eine Sitzung des Wächterrats ein, ohne zu ahnen, dass er tags zuvor vergessen hatte, die Tür der Damentoilette abzuschließen. Simon war nicht mehr an das Rohr gekettet, denn der Oberste Wächter sah in ihm mittlerweile eher einen guten Bekannten als eine Geisel. Am späten Vormittag saß Simon da und wartete geduldig auf den üblichen Besuch des Obersten Wächters. Er lauschte gern dessen Klatsch über DomDaniels unzumutbare Forderungen und Wutausbrüche und war daher enttäuscht, als zur gewohnten Stunde niemand erschien. Er sollte nie erfahren, dass der Oberste Wächter, der sich in letzter Zeit in seiner Gesellschaft etwas gelangweilt hatte, in diesem Augenblick fröhlich an einem Plan bastelte, den DomDaniel »Operation Komposthaufen« nannte, bei der nicht nur Jenna, sondern die gesamte Familie Heap beseitigt werden sollte, Simon eingeschlossen.

Nach einer Weile probierte er die Tür, nicht um zu fliehen, mehr aus Langeweile. Zu seinem Erstaunen ging sie auf, und er blickte auf einen leeren Korridor. Er sprang zurück in die Toilette und schlug in panischem Schrecken die Tür zu. Was sollte er tun? Sollte er fliehen? Wollte er denn überhaupt fliehen?

Er lehnte sich gegen die Tür und dachte nach. Der einzige Grund zu bleiben war das vage Versprechen des Obersten Wächters, ihn zu DomDaniels Lehrling zu machen. Doch er hatte das Versprechen nie wiederholt. Und Simon hatte in den sechs Wochen, die er in der Damentoilette zugebracht hatte, eine Menge vom Obersten Wächter erfahren. Dabei war ihm vor allem eines klar geworden: Dem Wort des Obersten Wächters war nicht zu trauen. Und noch etwas: Er musste sich jetzt auf das Wichtigste konzentrieren. Und das Wichtigste in Simon Heaps Leben war ab sofort Simon Heap.

Simon öffnete erneut die Tür. Der Korridor war noch leer. Er fasste sich ein Herz und trat aus der Toilette.

Silas ging traurig den Zaubererweg entlang. Er hob den Blick zu den schmutzigen Fenstern über den Läden und Kontoren, und fragte sich, ob Simon womöglich irgendwo in den dunklen Winkeln dahinter gefangen gehalten wurde. Ein Zug Gardisten marschierte vorbei. Silas schlüpfte in einen Hauseingang und hielt krampfhaft Marcias Talisman fest. Hoffentlich funktionierte er noch.

»Pst«, machte Alther.

»Was?« Silas zuckte zusammen. Er hatte Alther in letzter Zeit nicht oft gesehen, da der Geist die meiste Zeit bei Marcia im Verlies Nummer eins verbrachte.

»Wie geht es Marcia heute?«, flüsterte Silas.

»Etwas besser«, antwortete Alther grimmig.

»Ich finde immer noch, dass wir Zelda benachrichtigen sollten«, sagte Silas.

»Hör auf meinen Rat, Silas, und bleib der Rattenzentrale fern. DomDaniels Ratten aus den Ödlanden haben den Laden übernommen. Das ist eine Bande gemeiner Verbrecher. Aber keine Sorge, mir fällt schon noch was ein. Es muss doch eine Möglichkeit geben, sie hier herauszubringen.«

Silas wirkte mutlos. Marcia fehlte ihm mehr, als er es sich eingestehen mochte.

»Kopf hoch, Silas«, sagte Alther. »In der Schänke wartet jemand auf dich. Ich bin ihm begegnet, als ich von Marcia kam. Er ist im Palast herumgeirrt. Ich habe ihn durch den Tunnel hinausgeschmuggelt. Beeil dich, bevor er es sich anders besinnt und wieder verschwindet. Er hat es faustdick hinter den Ohren, dein Simon.«

»*Simon!*« Silas strahlte übers ganze Gesicht. »Alther, warum hast du das nicht gleich gesagt? Geht es ihm gut?«

»Es scheint so«, antwortete Alther knapp.

Simon war seit zwei Wochen wieder bei seiner Familie, als Tante Zelda am Tag vor Vollmond auf der Türschwelle ihrer Hütte stand und auf ein Geräusch in der Ferne lauschte.

»Jungs«, sagte sie zu Nicko und Junge 412, die mit Besenstielen fochten, »nicht jetzt. Ich muss mich konzentrieren.«

Nicko und Junge 412 unterbrachen ihr Duell. Tante Zelda wurde ganz still, und ihr Blick nahm einen abwesenden Ausdruck an.

»Da kommt jemand«, sagte sie nach einer Weile. »Ich schicke den Boggart los.«

»Na endlich!«, sagte Jenna. »Ich frage mich, ob es Dad oder Marcia ist. Vielleicht ist Simon bei ihnen. Oder Mum. Vielleicht kommen sie alle!«

Im Nu war Maxie auf den Beinen, sprang hinüber zu Jenna und wedelte wie verrückt mit dem Schwanz. Manchmal schien er genau zu verstehen, was sie sagte. Nur nicht, wenn sie »Zeit zum Baden, Maxie!« sagte oder »Es gibt keine Kekse mehr, Maxie!«.

»Ganz ruhig, Maxie«, sagte Tante Zelda und kraulte dem Wolfshund die seidigen Ohren. »Ich habe das ungute Gefühl, da kommen Fremde.«

»Oh«, sagte Jenna, »aber wer weiß denn sonst noch, dass wir hier sind?«

»Ich habe keine Ahnung«, antwortete Tante Zelda. »Aber wer diese Leute auch sein mögen, sie sind jetzt in den Marschen. Gerade angekommen. Ich fühle es. Mach Platz, Maxie. Braver Junge. Wo steckt denn dieser Boggart?«

Tante Zelda stieß einen Pfiff aus. Die gedrungene braune Gestalt kletterte aus dem Mott und kam zur Hütte heraufgewatschelt.

»Nich so laut«, beschwerte er sich und rieb sich die kleinen runden Ohren. »Das geht einem ja durch Mark und Bein.« Er bedachte Jenna mit einem Nicken. »'n Abend, Miss.«

»Hallo, Mr Boggart.« Jenna lächelte. Der Boggart brachte sie immer zum Lächeln.

»Boggart«, sagte Tante Zelda, »da kommt jemand durch die Marschen. Wahrscheinlich sind es mehrere. Ich bin mir nicht sicher. Könnten Sie mal nachsehen, wer es ist?«

»Kein Problem«, sagte der Boggart. »Ich schwimm kurz hin. Wird nicht lange dauern.« Jenna sah zu, wie er zum Mott zurückwatschelte und leise platschend ins Wasser tauchte.

»Bis er zurückkommt, sollten wir die Einmachgläser fertig machen«, schlug Tante Zelda vor. »Nur für den Fall.«

»Aber Dad hat doch gesagt, dass du die Hütte nach dem Überfall der Braunlinge verzaubert hast«, sagte Jenna. »Bedeutet das nicht, dass wir sicher sind?«

»Nur vor den Braunlingen«, antwortete Tante Zelda, »und auch dieser Schutz lässt mittlerweile nach. Und wer immer die Leute sind, die da durch die Marschen kommen: Ich fühle, dass sie größer sind als Braunlinge.«

Tante Zelda ging, um das Zauberbuch zu den eingemachten Panzerkäfern zu holen.

Jenna betrachtete die Einmachgläser, die noch immer aufgereiht auf den Fensterbänken standen. In der dickflüssigen grünen Masse warteten die Panzerkäfer. Die meisten schliefen, aber einige regten sich, als ahnten sie, dass sie möglicherweise bald gebraucht wurden. Wofür?, fragte sich Jenna. Oder besser: gegen wen?

»So«, sagte Tante Zelda, als sie zurückkam. Sie legte das Buch auf den Tisch, schlug die erste Seite auf, nahm einen kleinen Silberhammer heraus und reichte ihn Jenna.

»Nimm, das ist der Aktivator«, sagte sie zu ihr. »Würdest du bitte herumgehen und damit an jedes Glas klopfen, dann sind sie einsatzbereit.«

Jenna nahm den Silberhammer, ging an den Gläsern entlang und klopfte auf jeden Deckel. Sofort erwachten die Bewohner der Gläser und standen stramm. Bald wartete eine Armee von sechsundfünfzig Panzerkäfern darauf, freigelassen zu werden. Jenna gelangte an das letzte Glas, das mit dem ehemaligen Tausendfüßler. Sie schlug mit dem Hammer auf den Deckel. Zu ihrer Überraschung flog der Deckel weg, der Panzerkäfer schoss in einem Schwall grüner Pampe heraus und landete auf ihrem Arm.

Jenna schrie.

Der befreite Panzerkäfer kauerte mit gezücktem Schwert auf

ihrem Unterarm. Sie stand wie versteinert da und wartete darauf, dass er sich umdrehte und sie angriff. Sie hatte völlig vergessen, dass seine einzige Aufgabe darin bestand, seine Befreierin vor ihren Feinden zu schützen. Und nach denen hielt er jetzt Ausschau.

Der Panzerkäfer war klein, aber gefährlich und bereit zum Angriff. Die grünen Schuppen seines Panzers bewegten sich fließend, als er sich drehte und im Zimmer umsah. Sein dicker rechter Arm hielt ein rasierklingenscharfes Schwert, das im Kerzenlicht funkelte, und seine kurzen kräftigen Beine trippelten unablässig, während er sein Gewicht von einem Fuß auf den anderen verlagerte und den möglichen Feind abschätzend musterte.

Aber der Feind war ein enttäuschender Haufen.

Da war nur ein großes Flickenzelt, das ihn aus hellblauen Augen ansah.

»Leg einfach die Hand über den Käfer«, raunte das Zelt seiner Befreierin zu. »Dann rollt er sich zu einer Kugel zusammen, und wir können versuchen, ihn wieder ins Glas zu sperren.«

Die Befreierin beäugte das scharfe kleine Schwert, mit dem der Käfer herumfuchtelte, und zögerte.

»Wenn du willst, tu ich es«, sagte das Zelt und kam näher. Der Käfer wirbelte drohend herum. Das Zelt blieb abrupt stehen und fragte sich, was hier nicht stimmte. Sie hatten doch alle Käfer geprägt, oder etwa nicht? Eigentlich hätte er erkennen müssen, dass keiner von ihnen der Feind war. Aber das tat er offenbar nicht. Er kauerte auf Jennas Arm und hielt weiter nach Feinden Ausschau.

Dann hatte er entdeckt, was er suchte. Zwei junge Krieger mit kampfbereit erhobenen Spießen. Und einer trug einen roten Hut.

Dunkel erinnerte er sich an diesen roten Hut aus einem fernen früheren Leben. Der Krieger hatte ihm Böses getan. Er wusste zwar nicht mehr genau, was, aber das war gleichgültig.

Er hatte den Feind gesichtet.

Mit einem Furcht erregenden Kreischen sprang der Käfer von Jennas Arm, schlug mit seinen schweren Flügeln und flog sirrend durch die Luft. Wie eine kleine ferngelenkte Rakete schoss er mit erhobenem Schwert direkt auf Junge 412 zu. Dazu schrie er mit weit geöffnetem Mund und entblößte eine Reihe kleiner spitzer grüner Zähne.

»Schlag zu!«, rief Tante Zelda. »Los, hau ihm auf den Kopf!«

Junge 412 schlug mit seinem Besenstiel nach dem angreifenden Käfer, verfehlte ihn aber. Nicko ließ einen gezielten Hieb folgen, doch der Käfer wich im letzten Moment aus, kreischte und schwang sein Schwert gegen Junge 412, der ihn und das spitze Schwert nur fassungslos anstarrte.

»Halt still«, flüsterte Tante Zelda mit heiserer Stimme. »Rühr dich nicht von der Stelle.«

Junge 412 sah entsetzt zu, wie der Käfer auf seiner Schulter landete, zielstrebig in Richtung Hals vorrückte und das Schwert wie einen Dolch erhob.

Jenna sprang vor.

»Nein!«, schrie sie. Der Käfer drehte sich nach seiner Befreierin um. Er verstand nicht, was sie sagte, doch als sie ihre Hand über ihn legte, steckte er das Schwert in die Scheide und rollte sich gehorsam zu einer Kugel zusammen. Junge 412 ließ sich auf den Fußboden plumpsen.

Tante Zelda brachte das leere Glas, und Jenna versuchte, den Panzerkäfer hineinzuzwängen. Doch es ging nicht. Zuerst hing der linke Arm heraus, dann der rechte. Und als Jenna ihm die Arme verschränkte, musste sie feststellen, dass sich ein großer grüner Fuß aus dem Glas gestrampelt hatte. Sie drückte und quetschte, aber der Käfer wehrte sich mit aller Macht dagegen, wieder in das Glas gesperrt zu werden.

Jenna fürchtete, er könnte in Wut geraten und wieder zum Schwert greifen, doch so verzweifelt er auch um seine Freiheit kämpfte, das Schwert ließ er stecken. Die Sicherheit seiner Befreierin war sein Hauptanliegen. Und wie konnte die Befreierin sicher sein, wenn ihr Beschützer wieder im Glas war?

»Du wirst ihn draußen lassen müssen«, seufzte Tante Zelda. »Ich kenne niemanden, der einen Käfer wieder hineinbekommen hat. Manchmal habe ich das Gefühl, sie schaden mehr, als sie nützen. Aber Marcia musste ja ihren Kopf durchsetzen. Wie immer.«

»Aber was ist mit Junge 412?«, fragte Jenna. »Wird der Käfer ihn nicht wieder angreifen, wenn er draußen bleibt?«

»Nein, jetzt wo du ihn von seiner Schulter genommen hast, passiert wahrscheinlich nichts mehr.«

Junge 412 sah nicht sehr überzeugt aus. »Wahrscheinlich« war nicht ganz das Wort, das er hören wollte. »Ganz bestimmt« wäre dem, was ihm vorschwebte, näher gekommen.

Der Panzerkäfer ließ sich auf Jennas Schulter nieder. Ein paar Minuten lang beobachtete er jeden misstrauisch, doch sobald er eine Bewegung machte, legte Jenna die Hand über ihn, und er beruhigte sich wieder.

Bis etwas an der Tür kratzte.

Alle erstarrten.

Draußen kratzte etwas mit Krallen an der Tür.

Ritz … ratz … ritz.

Maxie winselte.

Der Panzerkäfer stand auf und zückte sein Schwert. Diesmal beruhigte Jenna ihn nicht. Der Käfer lauerte sprungbereit auf ihrer Schulter.

»Berta, sieh nach, ob es ein Freund ist«, sagte Tante Zelda ruhig. Die Ente watschelte zur Tür, legte den Kopf auf die Seite und horchte, dann miaute sie kurz.

»Es ist ein Freund«, sagte Tante Zelda. »Das kann nur der Boggart sein. Obwohl ich nicht verstehe, warum er so kratzt.«

Tante Zelda öffnete die Tür und stieß einen Schrei aus: »Boggart! Oh, Boggart!«

Der Boggart lag blutend auf der Stufe vor der Haustür.

Tante Zelda kniete sich neben ihn, und alle anderen drängten sich um sie. »Boggart, lieber Boggart. Was ist passiert?«

Der Boggart sagte nichts. Seine Augen waren geschlossen, sein Fell war stumpf und blutverklebt. Er hatte sich mit letzter Kraft zur Hütte geschleppt und war dann zu Boden gesackt

»Oh, Boggart … machen Sie die Augen auf, Boggart …«, rief Tante Zelda. Er reagierte nicht. »Helft mir, ihn hochzuheben. Schnell.«

Nicko sprang vor und half ihr, den Boggart aufzurichten, doch er war schlüpfrig und schwer, und so mussten alle mit anpacken, um ihn hineinzuschaffen. Sie trugen ihn in die Küche, wobei sie versuchten, nicht auf das Blut zu achten, das auf den Boden tropfte, und hievten ihn auf den Küchentisch.

Tante Zelda legte ihm die Hand auf die Brust.

»Er atmet noch, aber schwach. Und sein Herz flattert wie ein Vogel. Er ist sehr schwach.« Sie unterdrückte einen Seufzer, schüttelte sich und gab sich einen Ruck.

»Jenna, sprich mit ihm, während ich meine Medizintruhe hole. Sprich mit ihm und lass ihn spüren, dass wir da sind. Pass auf, dass er nicht stirbt. Nicko, bring heißes Wasser aus dem Topf.«

Junge 412 half Tante Zelda beim Schleppen der Medizintruhe. Unterdessen hielt Jenna dem Boggart die feuchten und schlammigen Pfoten und sprach leise auf ihn ein. Sie konnte nur hoffen, dass sie ruhiger klang, als sie es in Wirklichkeit war.

»Mr Boggart, es ist alles in Ordnung, Mr Boggart. Sie werden bald wieder gesund. Ganz bestimmt. Können Sie mich hören, Mr Boggart? Mr Boggart? Drücken Sie meine Hand, wenn Sie mich hören können.«

Die mit Schwimmhäuten versehenen Finger drückten ganz leicht Jennas Hand.

»So ist es gut, Mr Boggart. Wir sind noch da. Sie werden wieder gesund. Sie werden …«

Tante Zelda und Junge 412 kamen mit der großen Holztruhe zurück und setzten sie auf dem Boden ab. Nicko stellte eine Schüssel mit heißem Wasser auf den Tisch.

»So«, sagte Tante Zelda. »Danke, euch allen. Aber jetzt möchte ich, dass ihr mich mit Boggart alleine lasst. Geht und leistet Maxie und Berta Gesellschaft.«

Sie ließen den Boggart jetzt nur ungern allein.

»Macht schon«, drängte Tante Zelda.

Jenna ließ widerstrebend die schlaffe Pfote des Boggart los und folgte den beiden Jungs aus der Küche. Die Tür wurde fest hinter ihnen zugemacht.

Die drei setzten sich traurig auf den Fußboden vor dem Kamin. Nicko kuschelte sich an Maxie. Jenna und Junge 412 stierten nur gedankenverloren in die Flammen.

Junge 412 dachte an seinen Zauberring. Vielleicht, so überlegte er, konnte Tante Zelda den Boggart wieder gesund machen, wenn er ihr den Ring gab. Aber wenn er ihr den Ring gab, wollte sie bestimmt wissen, wo er ihn gefunden hatte. Und eine innere Stimme sagte ihm, dass sie sauer werden würde, wenn sie erfuhr, woher er ihn hatte. Stocksauer. Ihn vielleicht sogar fortjagen würde. Immerhin war es Diebstahl, oder etwa nicht? Er hatte den Ring gestohlen. Er gehörte nicht ihm. Aber vielleicht konnte er den Boggart retten ...

Je länger er darüber nachdachte, desto klarer wurde ihm, was er zu tun hatte. Er musste Tante Zelda den Drachenring geben.

»Tante Zelda hat gesagt, dass wir sie allein lassen sollen«, sagte Jenna, als er aufstand und zur Küchentür ging.

Junge 412 ging unbeirrt weiter.

»Nicht!«, fuhr ihn Jenna an. Sie sprang auf, um ihn aufzuhalten, doch im nächsten Augenblick ging die Küchentür auf.

Tante Zelda kam heraus. Sie war käseweiß und sah mitgenommen aus. Ihre Schürze war voller Blut.

»Auf Boggart ist geschossen worden«, sagte sie.

# ★ 33 ★

## ABWARTEN UND BEOBACHTEN

Die Kugel lag auf dem Küchentisch. Ein kleines Bleigeschoss, an dem noch ein Büschel Boggartfell klebte. Es lag drohend mitten auf Tante Zeldas frisch gescheuertem Tisch.

Der Boggart lag reglos in einer Zinnbadewanne, die auf dem Boden stand, aber er war nicht mehr der Boggart, den sie alle kannten und gern hatten. Er sah zu klein, zu mager und unnatürlich sauber aus. Ein breiter Verband aus zerrissenen Laken war um seinen Bauch gewickelt, aber schon breitete sich ein roter Fleck auf dem weißen Stoff aus.

Seine Augenlider zitterten leicht, als Jenna, Nicko und Junge 412 in die Küche schlichen.

»Er muss so oft wie möglich mit einem Schwamm und warmem Wasser abgerieben werden«, sagte Tante Zelda. »Sonst trocknet er aus. Aber gebt Acht, dass die Schusswunde nicht nass wird. Und er muss sauber bleiben. Kein Schlamm, mindestens drei Tage lang. Ich habe Schafgarbenblätter auf die Wunde gelegt und koche ihm gerade Weidenrindentee. Der lindert die Schmerzen.«

»Aber er wird doch wieder gesund?«, fragte Jenna.

»Ja, er wird es überstehen.« Tante Zelda rang sich ein schwaches Lächeln ab, während sie in einem großen Kupfertopf mit Weidenrinde rührte.

»Aber die Kugel. Ich meine, wer tut so etwas?« Jennas Blick wurde von der schwarzen Bleikugel angezogen, diesem unwillkommenen und bedrohlichen Eindringling, der so viele unangenehme Fragen aufwarf.

»Ich weiß es nicht«, antwortete Tante Zelda leise. »Ich habe ihn gefragt, aber er kann nicht sprechen. Ich glaube, wir sollten heute Nacht Wache halten.«

Während Tante Zelda also den Boggart pflegte, gingen Jenna, Nicko und Junge 412 mit den Einmachgläsern nach draußen.

Kaum in der kalten Nachtluft, schlug bei Junge 412 die militärische Ausbildung durch. Er schaute sich nach einem Platz um, wo sie sich verstecken und alle Wege und Kanäle, die zur Insel führten, im Auge behalten konnten. Bald hatte er gefunden, was er suchte. Das Hühnerboot.

Es war eine gute Wahl. Bei Nacht waren die Hühner im Laderaum eingesperrt, und das Deck war frei. Junge 412 kletterte an Bord und duckte sich hinter das morsche Ruderhaus, dann gab er Jenna und Nicko ein Zeichen, nachzukommen. Sie stiegen in das Hühnerboot und reichten Junge 412 die Einmachgläser hinauf. Dann gesellten sie sich zu ihm ins Ruderhaus.

Es war eine bewölkte Nacht. Die meiste Zeit war der Mond verdeckt, doch dann und wann kam er heraus und goss ein klares weißes Licht auf die Marschen, sodass man kilometerweit in alle Richtungen gut sehen konnte. Junge 412 beobachtete die Umgebung mit geschultem Auge und hielt nach verdächtigen Bewegungen oder irgendwelchen verräterischen Anzeichen Ausschau, wie es ihm der furchtbare Hilfsjäger Catchpole beigebracht hatte. Junge 412 erinnerte sich noch mit Grausen an Catchpole. Er war ein extrem großer Mann, und das war einer der Gründe, warum er es nie zum Jäger gebracht hatte – er war einfach zu leicht zu entdecken. Es gab noch viele weitere Gründe, wie zum Beispiel sein unberechenbares Temperament, seine Angewohnheit, mit den Fingern zu schnalzen, wenn er nervös war, wodurch er sich häufig verriet, wenn er sich an die Beute anpirschte, und seine Abneigung gegen zu häufiges Baden, was denen, die er jagte, ebenfalls das Leben retten konnte, vorausgesetzt, sie hatten eine feine Nase und der Wind blies aus der richtigen Richtung. Doch der Hauptgrund, warum er es nie zum Jäger gebracht hatte, war einfach der, dass ihn niemand mochte.

Junge 412 mochte ihn auch nicht, aber er hatte viel von ihm gelernt, als er sich an die Wutausbrüche, den Geruch und das Schnalzen gewöhnt hatte. Und eine Sache, an die sich Junge 412 noch erinnerte, war *abwarten und beobachten*. Das hatte ihm Catchpole so lange eingebläut, bis es wie eine lästige Melodie nicht mehr aus dem Kopf ging. Abwarten und beobachten, abwarten und beobachten, *abwarten und beobachten, Junge.*

Der Gedanke dabei war: Wenn der Beobachter nur lange genug wartete, würde sich die Beute irgendwann verraten. Zum Beispiel durch das leichte Wippen eines Zweiges, das kurze Rascheln von Laub oder das Aufscheuchen eines kleinen Tiers oder eines Vogels. Irgendwann passierte es mit Sicherheit. Der Beobachter brauchte nur abzuwarten. Natürlich musste er das verräterische Zeichen erkennen, wenn es kam. Das war das Schwierigste dabei und nicht unbedingt die Stärke von Junge 412. Diesmal aber, so sagte er sich, diesmal würde er es erkennen – ohne den stinkenden Atem des widerlichen Catchpole im Nacken. Davon war er überzeugt.

Es war kalt im Ruderhaus, doch in der Ecke lag ein Haufen alter Säcke. Sie holten sich welche und wickelten sich ein, machten es sich gemütlich und warteten. Und beobachteten. Und warteten.

In den Marschen regte sich nichts. Am Himmel jagten die Wolken vorüber. Immer wieder schoben sie sich vor den Mond und tauchten die Landschaft in tiefe Dunkelheit, doch schon im nächsten Augenblick zogen sie weiter, und Mondlicht überflutete das Marschland. In einem solchen Augenblick, als der Mond plötzlich das Gewirr von Kanälen beleuchtete, geschah es. Junge 412 sah etwas. Oder glaubte, etwas zu sehen. Aufgeregt stupste er Nicko an und deutete in die Richtung, doch just in diesem Augenblick schob sich die nächste Wolke vor den Mond. Und so kauerten sie weiter im Ruderhaus und warteten. Und beobachteten. Und warteten.

Die lange schmale Wolke schien eine Ewigkeit zu brauchen, um am Mond vorbeizuziehen, und während sie warteten, wurde Jenna bewusst, was sie am wenigsten sehen wollte: jemanden, der durch die Marschen auf sie zukam. Wer immer auf den Boggart geschossen hatte – hoffentlich war ihm plötzlich eingefallen, dass er einen Kochtopf auf dem Herd stehen gelassen hatte, und hoffentlich hatte er beschlossen, umzukehren und ihn herunterzunehmen, bevor sein Haus abbrannte. Doch sie wusste, dass er nicht umgekehrt war, denn plötzlich war der Mond hinter der Wolke hervorgekommen, und Junge 412 deutete wieder auf etwas.

Zuerst konnte Jenna nichts erkennen. Das flache Marschland dehnte sich unter ihr, und sie spähte aus dem Ruderhaus wie ein Fischer, der das Meer nach einem Fischschwarm absucht. Dann sah sie es. In der Ferne glitt ein langer schwarzer Schatten langsam durch einen der Kanäle.

»Das ist ein Kanu ...«, flüsterte Nicko.

Jennas Herz tat einen Sprung. »Ist es Dad?«

»Nein«, antwortete Nicko. »Es sind zwei. Oder drei. Ich bin mir nicht sicher.«

»Ich sage Tante Zelda Bescheid«, sagte Jenna und stand auf, doch Junge 412 hielt sie am Arm fest.

»Was ist?«, flüsterte sie.

Junge 412 schüttelte den Kopf und legte den Finger auf die Lippen.

»Ich glaube, er hat Angst, du könntest ein Geräusch machen und uns verraten«, flüsterte Nicko. »Bei Nacht wird der Schall in den Marschen weit getragen.«

»Warum sagt er es dann nicht?«, erwiderte Jenna gereizt.

Und so blieb Jenna im Ruderhaus und beobachtete, wie das Kanu langsam, aber zielstrebig durch das Labyrinth der Kanäle steuerte, alle anderen Inseln links liegen ließ und genau auf ihre zuhielt. Es kam immer näher. Etwas an den Gestalten kam Jenna schrecklich bekannt vor. Die größere im Bug hatte die konzentrierte Haltung eines Tigers, der sich an seine Beute anpirscht. Einen Augenblick lang hatte sie Mitleid mit der Beute, bis ihr schockartig klar wurde, wer die Beute war.

Sie war die Beute.

Es war der Jäger, und er war ihretwegen gekommen.

# ★ 34 ★

## Im Hinterhalt

Als das Kanu noch näher kam, konnten die Beobachter auf dem Hühnerboot den Jäger und seine Begleiter deutlich erkennen. Der Jäger saß ganz vorn und paddelte mit schnellen Stößen. Hinter ihm saß der Lehrling und hinter dem Lehrling ein … eine Kreatur. Die Kreatur hockte ganz hinten auf dem Rand des Kanus, spähte in die Runde und grapschte von Zeit zu Zeit nach einem Insekt oder einer Fledermaus, die vorbeiflogen. Der Lehrling zog furchtsam den Kopf vor ihr ein, doch der Jäger schien sie nicht zu beachten. Er hatte jetzt an wichtigere Dinge zu denken.

Jenna erschauerte, als sie die Kreatur sah. Sie flößte ihr fast noch mehr Angst ein als der Jäger. Der Jäger war wenigstens ein Mensch, wenn auch ein sehr gefährlicher. Aber was war das für ein

Geschöpf, das hinten auf dem Boot hockte? Um sich etwas zu beruhigen, nahm sie den Panzerkäfer von ihrer Schulter, wo er die ganze Zeit friedlich gesessen hatte, hielt ihn vorsichtig in der Hand und deutete auf das nahende Kanu und seine drei grausigen Insassen.

»Feinde«, flüsterte sie. Der Panzerkäfer verstand. Seine scharfen grünen Augen, die im Dunkeln hervorragend sahen, blickten in die Richtung, in die ihr zitternder Finger zeigte, sein Blick heftete sich auf die Gestalten im Kanu.

Der Panzerkäfer war glücklich.

Er hatte einen Feind.

Er hatte ein Schwert.

Bald würde der Feind sein Schwert zu spüren bekommen.

Das Leben war einfach, wenn man ein Panzerkäfer war.

Die Jungen ließen die übrigen Panzerkäfer frei. Nacheinander schraubten sie alle Deckel von den Einmachgläsern. Wenn sie einen Deckel hoben, sprang der Panzerkäfer in einem Schwall grüner Pampe aus dem Glas heraus und zückte sein Schwert. Nicko und Junge 412 zeigten jedem Käfer das rasch näher kommende Kanu. Bald hockten sechsundfünfzig Panzerkäfer wie Sprungfedern nebeneinander auf der Reling des Hühnerboots. Nummer siebenundfünfzig blieb in unerschütterlicher Treue zu seiner Befreierin auf Jennas Schulter sitzen.

Jetzt mussten die drei auf dem Hühnerboot nur noch abwarten. Und beobachten. Und das taten sie, mit lautem Herzklopfen. Sie beobachteten, wie sich die schattenhaften Gestalten in die gefürchteten Gegner verwandelten, die sie vor Monaten an der Mündung des Deppen Ditch gesehen hatten. Der Jäger und der Lehrling sahen genauso gemein und gefährlich aus wie damals.

Aber die Kreatur blieb eine schattenhafte Gestalt.

Das Kanu hatte einen schmalen Kanal erreicht, von dem die Abzweigung abging, die zum Mott führte. Die drei Beobachter hielten den Atem an und warteten, bis es an die Abzweigung kam. Jenna klammerte sich an einen Strohhalm. Vielleicht, so sagte sie sich, funktionierte der Zauber besser, als Tante Zelda dachte, und der Jäger konnte die Hütte gar nicht sehen.

Das Kanu bog in den Mott ab. Der Jäger konnte die Hütte nur zu gut sehen.

Der Jäger ging im Kopf noch einmal die drei Stufen seines Plans durch:

STUFE EINS: *Die Prinzessin dingfest machen. Gefangen nehmen und ins Kanu bringen, wo der Magog sie bewacht. Nur im Notfall erschießen. Zu DomDaniel schaffen, der diesen »Job« diesmal selbst erledigen möchte.*
STUFE ZWEI: *Das Gesindel erschießen, d. h. die Hexe und den Zaubererjungen. Und den Hund.*
STUFE DREI: *Ein privates Nebengeschäft. Den Deserteur der Jungarmee gefangen nehmen. Der Jungarmee ausliefern. Belohnung kassieren.*

Zufrieden mit seinem Plan paddelte der Jäger lautlos durch den Mott in Richtung Landungssteg.

Junge 412 sah ihn nahen und gab Jenna und Nicko ein Zeichen, sich still zu verhalten. Die kleinste Bewegung konnte sie verraten. Die Phase des *Abwartens und Beobachtens* war vorbei. Die nächste Phase hieß *Überfall aus dem Hinterhalt.* Und bei einem Überfall aus dem Hinterhalt, so hatte ihm Catchpole eingeschärft, hing alles davon ab, dass man sich absolut still verhielt.

Bis zum Augenblick des Losschlagens.

Die sechsundfünfzig Panzerkäfer, die aufgereiht auf der Reling saßen, begriffen genau, was Junge 412 tat. Nicht umsonst stammte ein großer Teil des Zaubers, mit dessen Hilfe sie erschaffen worden waren, aus dem Ausbildungshandbuch der Jungarmee. Junge 412 und die Panzerkäfer handelten wie ein Mann.

Der Jäger, der Lehrling und der Magog ahnten nicht, dass sie sehr bald Zielscheibe eines Überfalls werden sollten. Der Jäger hatte am Landungssteg festgemacht und versuchte gerade, dem Lehrling aus dem Kanu zu helfen, ohne dass dieser ein Geräusch machte oder ins Wasser fiel. Normalerweise hätte er sich keinen Deut darum geschert, wenn der Junge hineingefallen wäre. Ja, er hätte ihm sogar noch einen Schubs gegeben. Nur hätte es dann mächtig geklatscht, und mit Sicherheit hätte der Junge laut geschrien. Und so nahm er sich im Stillen vor, die lästige kleine Nervensäge bei der nächsten sich bietenden Gelegenheit ins kalte Wasser zu stoßen. Lautlos stieg er aus dem Kanu und zog den Lehrling auf den Steg.

Der Magog rutschte hinunter ins Kanu, stülpte sich seine

schwarze Kapuze über sein Blindschleichenauge, das vom hellen Mondlicht tränte, und rührte sich nicht mehr vom Fleck. Was auf der Insel geschah, ging ihn nichts an. Er war hier, um die Prinzessin zu bewachen und das Kanu während der Fahrt vor den Marschenbewohnern zu schützen. Bisher hatte er seine Aufgabe tadellos erfüllt, wenn man einmal von einem ärgerlichen Zwischenfall absah, der aber allein auf das Konto des Lehrlings ging. Kein Marschgeist oder Braunling hatte es gewagt, sich dem Kanu zu nähern, solange er auf dem Heck saß, und an dem Schleim, mit dem er den Rumpf des Kanus überzogen hatte, waren die Wassernixen mit ihren Saugnäpfen abgerutscht und hatten sich empfindlich verbrannt.

Der Jäger war mit dem bisherigen Verlauf der Jagd zufrieden. Er lächelte sein übliches Lächeln, das nie seine Augen erreichte. Immerhin hatten sie nach einer anstrengenden Fahrt durch die Marschen und dem Zusammenstoß mit diesem dummen Marschenbewohner, der ihnen in die Quere gekommen war, das Versteck der Weißen Hexe gefunden. Das Lächeln des Jägers erstarb, als er an die Begegnung mit dem Boggart dachte. Er konnte es nicht gutheißen, wenn Kugeln verschwendet wurden. Man wusste nie, ob man sie später noch brauchen würde. Er wiegte seine Pistole in der Hand und lud sie ganz langsam und bedächtig mit einer Silberkugel.

Jenna sah die Pistole im Mondlicht blitzen. Sie sah die sechsundfünfzig Panzerkäfer gefechtsbereit in einer Reihe sitzen und beschloss, ihren eigenen Käfer dazubehalten. Für alle Fälle. Und so legte sie die Hand über ihn, um ihn zu beruhigen. Der Käfer schob gehorsam das Schwert in die Scheide und rollte sich zu einer Kugel zusammen. Jenna steckte ihn in die Tasche. So wie der Jäger eine Pistole hatte, so hatte sie eben einen Käfer.

Der Jäger befahl dem Lehrling, ihm zu folgen, und schlich lautlos den schmalen Pfad hinauf, der vom Steg zur Hütte führte. Auf der Höhe des Hühnerboots blieb er stehen. Er hatte etwas gehört. Das Klopfen eines Menschenherzens. Das sehr schnelle Klopfen von drei Menschenherzen. Er hob die Pistole ...

*Aaaeeeiiigh!!*

Das Geschrei von sechsundfünfzig Panzerkäfern geht durch Mark und Bein. Es versetzt die drei Hörknöchelchen im Ohr in Aufruhr und ruft eine unglaubliche Panik hervor. Wer sich mit Panzerkäfern auskennt, wird das Einzige tun, was zu tun bleibt: Er hält sich die Ohren zu und hofft darauf, die Panik zu bezwingen. Genau das tat der Jäger. Er stand reglos da, steckte sich die Finger tief in die Ohren, und wenn er überhaupt in Panik zu geraten drohte, dann nicht länger als eine Sekunde lang.

Der Lehrling kannte sich mit Panzerkäfern natürlich nicht aus. Also tat er das, was jeder tun würde, wenn er einen Schwarm kleiner grüner Dinger auf sich zufliegen sieht, die skalpellscharfe Schwerter schwingen und so hoch schrillen, dass einem die Trommelfelle zu platzen drohen. Er rannte davon. So schnell, wie er noch nie in seinem Leben gerannt war, flitzte er hinunter zum Mott, um in das Kanu zu springen und sich paddelnd in Sicherheit zu bringen.

Der Jäger wusste, dass ein Panzerkäfer immer ein bewegliches Ziel angreift und ein unbewegliches ignoriert, wenn er vor die Wahl gestellt wird, und genau das geschah. Zur großen Genugtuung des Jägers erkannten alle sechsundfünfzig Panzerkäfer in dem Lehrling den Feind und verfolgten ihn hinunter zum Mott, wo der entsetzte Junge ins eiskalte Wasser sprang, um dem grünen Schwarm zu entrinnen.

Die unerschrockenen Panzerkäfer taten, was sie tun mussten, nämlich den Feind bis zum Ende zu verfolgen, und setzten dem Lehrling nach. Nur leider war das Ende in diesem Fall ihr eigenes. Kaum hatten sie nämlich auf dem Wasser aufgeschlagen, gingen sie unter wie ein Stein und wurden von der schweren Rüstung auf den schlammigen Grund gezogen. Vor Angst und Kälte nach Atem ringend, hievte sich der Lehrling ans Ufer, schlüpfte unter einen Busch und blieb zitternd dort liegen.

Der Magog beobachtete die Szene ohne jedes erkennbare Interesse. Dann, als der Lärm sich gelegt hatte, suchte er mit seinen langen Armen den schlammigen Grund ab und fischte nacheinander die ertrunkenen Käfer heraus. Er saß zufrieden im Kanu, saugte die Käfer aus und zerkaute sie dann mit seinen scharfen gelben Zähnen samt Rüstung und Schwert zu einem feinen grünen Brei, ehe er sie hinunterschlang.

Der Jäger lächelte und hob den Blick zum Ruderhaus des Hühnerboots. Dass er so leichtes Spiel haben würde, hatte er nicht erwartet. Alle drei waren ihm so gut wie sicher.

»Kommt ihr runter oder soll ich raufkommen und euch holen?«, fragte er kalt.

»Lauf«, zischte Nicko Jenna zu.

»Und was ist mit dir?«

»Mach dir um mich keine Sorgen. Er ist hinter dir her. Hau einfach ab. Los.«

Nicko hob die Stimme und rief dem Jäger zu: »Bitte nicht schießen. Ich komme runter.«

»Nicht bloß du, Kleiner. Ihr kommt alle runter. Das Mädchen zuerst.«

Nicko stieß Jenna weg. »Lauf«, zischte er.

Jenna stand wie angewurzelt da. Auf dem Hühnerboot fühlte sie sich sicher, sie wollte nicht weg. Junge 412 sah das Entsetzen in ihrem Gesicht. Wie oft hatte er sich bei der Jungarmee genauso gefühlt! Da wurde ihm klar: Wenn er Jenna jetzt nicht schnappte, so wie ihn einst Junge 409 geschnappt hatte, um ihn vor den Waldwolverinen zu retten, würde sie sich nicht von der Stelle rühren. Und wenn *er* sie nicht schnappte, würde der Jäger sie schnappen. Er stieß sie aus dem Ruderhaus, packte sie an der Hand und sprang mit ihr auf der dem Jäger abgewandten Seite vom Boot. Im selben Moment, als sie auf einem Haufen Hühnermist landeten, hörten sie den Jäger fluchen.

»Lauft!«, zischte Nicko.

Junge 412 riss Jenna hoch, aber sie wollte noch immer nicht laufen.

»Wir können Nicko nicht allein lassen«, keuchte sie.

»Ich komm schon zurecht, Jen. Lauf endlich!«, brüllte Nicko, ohne an den Jäger und seine Pistole zu denken.

Am liebsten hätte der Jäger den Jungen auf der Stelle erschossen, aber die Prinzessin war wichtiger als das Zauberergesindel. Und so kam es, dass der Jäger, als Jenna und Junge 412 vom Misthaufen sprangen, über den Drahtzaun kletterten und um ihr Leben liefen, ihnen nachjagte, als gehe es auch um sein Leben.

Ohne Jennas Hand loszulassen, rannte Junge 412 hinter die Hütte und schlug sich in Tante Zeldas Obstbüsche. Gegenüber dem Jäger hatte er den Vorteil, dass er sich auf der Insel auskannte, aber das kümmerte den Jäger nicht. Der wusste genau, wie man eine Beute verfolgte, zumal wenn sie jung und verängstigt war. Wohin konnten die beiden schon flüchten? Es war nur eine Frage der Zeit, bis er sie erwischte.

Junge 412 und Jenna preschten geduckt durch die Büsche und ließen den Jäger, der sich mühsam einen Weg durchs dornige Gestrüpp bahnen musste, weit hinter sich. Doch allzu bald hörten die Büsche auf, und sie gelangten auf die Wiese, die zum Ententeich hinabführte. Hier hatten sie keine Deckung. Im selben Augenblick brach der Mond durch die Wolken, und der Jäger sah seine Beute, die sich deutlich gegen das Marschland abhob.

Junge 412 rannte weiter und zog Jenna hinter sich her, doch der Jäger holte langsam auf, und im Gegensatz zu Jenna, die immer schwerere Beine bekam, wurde er anscheinend nicht müde. Sie liefen um den Ententeich herum und dann den grasbewachsenen Hügel am Ende der Insel hinauf. Dicht hinter sich hörten sie den Jäger. Seine Schritte kamen bedrohlich näher und begannen zu dröhnen, als er den Hügel erreichte und über den hohlen Boden rannte.

Junge 412 lief, Jenna mitschleppend, im Zickzack zwischen den vereinzelten Büschen umher, doch er spürte, dass ihnen der Jäger beinahe so nahe war, dass er Jenna schnappen konnte.

Und dann war der Jäger nahe genug. Mit einem Satz hechtete er nach Jennas Füßen.

»Jenna!«, schrie Junge 412, entriss sie dem Griff des Jägers und sprang mit ihr in ein Gebüsch.

Jenna landete krachend hinter Junge 412 im Gebüsch, aber plötzlich war da kein Gebüsch mehr, und sie purzelte kopfüber in eine dunkle, kalte, endlose Leere.

Ihr Sturz endete jäh auf sandigem Boden. Einen Augenblick später hörte sie neben sich einen dumpfen Aufschlag, und Junge 412 lag im Dunkeln neben ihr.

Jenna setzte sich benommen auf und rieb sich den Hinterkopf, den sie sich angeschlagen hatte. Etwas sehr Seltsames war geschehen. Sie versuchte sich zu erinnern. Es war nicht ihre Flucht vor dem Jäger und auch nicht der Sturz ins Leere. Es war etwas noch Seltsameres. Sie schüttelte den Kopf, um wieder klar denken zu können. Das war es. Jetzt fiel es ihr wieder ein.

Junge 412 hatte gesprochen.

# ★ 35 ★

## UNTER DER ERDE

D u kannst ja sprechen«, sagte Jenna und rieb sich die Beule am Kopf.

»Klar kann ich sprechen«, erwiderte Junge 412.

»Aber warum hast du es dann nicht getan? Du hast nie ein Wort gesagt. Bis auf deinen Namen. Ich meine, deine Nummer.«

»Mehr sollen wir auch nicht sagen, wenn wir in Gefangenschaft geraten. Dienstgrad und Nummer. Sonst nichts. Und das habe ich getan.«

»Du warst doch gar nicht in Gefangenschaft. Wir haben dich gerettet.«

»Ich weiß. Das heißt, heute weiß ich es. Damals habe ich es nicht gewusst.«

Jenna fand es sehr merkwürdig, sich nach all der Zeit mit Junge 412 zu unterhalten. Und noch merkwürdiger war, dass sie es in einem stockfinsteren Loch taten.

»Wenn wir doch nur Licht hätten«, sagte sie. »Ich muss ständig daran denken, dass der Jäger da oben herumschleicht.« Sie erschauderte.

Junge 412 fasste in seinen Hut, zog den Drachenring heraus und steckte ihn an seinen rechten Zeigefinger. Er passte perfekt. Er legte die andere Hand über den Ring, um ihn zu wärmen und dazu zu bringen, sein goldenes Licht zu spenden. Der Ring sprach darauf an, und ein sanftes Leuchten ging von seinen Händen aus, bis er Jenna, die im Dunkeln zu ihm herübersah, deutlich erkennen konnte. Junge 412 war überglücklich. Der Ring leuchtete heller denn je, und bald saßen sie in einem warmen Lichtkreis auf dem sandigen Boden im Tunnel.

»Das ist ja irre!«, sagte Jenna. »Wo hast du ihn gefunden?«

»Hier unten«, antwortete Junge 412.

»Was? Du hast ihn eben gefunden? Gerade eben?«

»Nein, früher schon.«

»Wann früher?«

»Früher eben – weißt du noch, wie wir uns im Nebel verlaufen haben?«

Jenna nickte.

»Na ja, damals bin ich hier heruntergefallen. Ich dachte, hier kommst du nie wieder raus. Und dann fand ich den Ring. Es ist ein magischer Ring. Er hat zu leuchten angefangen und mir den Weg nach draußen gezeigt.«

So war das also gewesen, dachte Jenna. Jetzt war ihr alles klar. Nicko und sie waren damals stundenlang herumgeirrt und hatten ihn gesucht, und er hatte gemütlich in der Hütte gesessen, als sie endlich durchgefroren und durchnässt nach Hause kamen. Sie hatte doch gewusst, dass er irgendein Geheimnis hatte. Und dann war er die ganze Zeit mit dem Ring herumgelaufen und hatte ihn niemandem gezeigt. Da steckte mehr dahinter.

»Es ist ein schöner Ring«, sagte sie und betrachtete den goldenen Drachen, der sich um seinen Finger wand. »Kann ich ihn mal haben?«

Etwas widerstrebend zog er ihn vom Finger und gab ihn ihr. Sie nahm ihn vorsichtig, doch das Licht begann zu verblassen, und rings um sie wurde es wieder dunkel. Bald war das Licht des Ringes erloschen.

»Hast du ihn etwa fallen lassen?«, fragte Junge 412 vorwurfsvoll.

»Nein«, sagte Jenna, »ich halte ihn noch in der Hand. Aber bei mir funktioniert er nicht.«

»Natürlich funktioniert er. Es ist ein magischer Ring. Komm, gib ihn wieder her. Ich zeige es dir.« Er nahm den Ring, und sofort wurde es im Tunnel wieder hell. »Siehst du, es ist ganz einfach.«

»Für dich vielleicht«, sagte Jenna, »aber nicht für mich.«

»Wieso denn nicht?«, fragte Junge 412 verwirrt. »Das verstehe ich nicht.«

Aber Jenna hatte verstanden. Sie hatte es oft genug erlebt. Nicht umsonst war sie in einer Zaubererfamilie aufgewachsen. Sie wusste nur zu gut, dass sie selbst keine magischen Kräfte hatte, doch sie spürte es genau, wenn ein anderer welche besaß.

»Nicht der Ring hat magische Kräfte«, erklärte sie Junge 412, »sondern du.«

»Ich habe keine magischen Kräfte«, sagte Junge 412. Das klang so bestimmt, dass Jenna nicht widersprach.

»Na egal, auf jeden Fall ist es besser, wenn du den Ring behältst«, sagte sie. »Und wie kommen wir jetzt hier raus?«

Junge 412 steckte sich den Drachenring an und machte sich auf den Weg durch den Gang. Selbstbewusst führte er Jenna um all die Kurven und Biegungen, die ihn beim ersten Mal so verwirrt hatten, bis sie auf dem Treppenabsatz anlangten.

»Aufpassen«, sagte er. »Letztes Mal bin ich da runtergefallen und habe den Ring fast verloren.«

Am Fuß der Treppe blieb Jenna stehen. Ein eisiger Schauer lief ihr über den Rücken.

»Hier bin ich schon mal gewesen«, flüsterte sie.

»Wann?«, fragte Junge 412, leicht säuerlich. Der Gang war seine Entdeckung!

»Im Traum«, murmelte Jenna. »Ich kenne diesen Ort. Ich habe im Sommer von ihm geträumt, als ich noch zu Hause war. Aber im Traum war er größer ...«

»Los, weiter«, sagte Junge 412 bestimmt.

»Ich frage mich, ob er tatsächlich größer ist und ob es ein Echo gibt.« Sie hatte beim Sprechen die Stimme gehoben.

*Ob es ein Echo gibt, ob es ein Echo gibt, ob es ein Echo gibt, ob es ein Echo gibt,* hallte es aus allen Richtungen wider.

»Pst«, machte Junge 412. »Er könnte uns hören. Durch den Boden. Die lernen, wie Hunde zu hören.«

»Wer?«

»Die Jäger.«

Jenna verstummte. Sie hatte den Jäger ganz vergessen, und sie wollte auch nicht an ihn erinnert werden.

»Hier gibt es überall Wandmalereien«, flüsterte sie Junge 412 zu. »Und ich weiß, dass ich von ihnen geträumt habe. Sie sehen ziemlich alt aus. Es ist, als ob sie eine Geschichte erzählen.«

Junge 412 hatte den Bildern bisher kaum Beachtung geschenkt, aber jetzt hielt er den Ring an die Wände, die in diesem Teil des Gangs aus glattem Marmor bestanden. Er erkannte einfache, fast primitive Formen in kräftigen Blau-, Rot- und Gelbtönen, die anscheinend Drachen, ein halb fertiges Boot, einen Leuchtturm und ein Schiffswrack darstellten.

Jenna deutete auf weitere Bilder ein Stück weiter. »Und die sehen aus wie Pläne für einen Turm oder so was.«

»Das ist der Zaubererturm«, sagte Junge 412. »Sieh dir die Pyramide an der Spitze an.«

»Ich wusste gar nicht, dass der Zaubererturm so alt ist«, sagte Jenna. Sie strich mit dem Finger über die Farbe und stellte sich dabei vor, dass sie vielleicht der erste Mensch seit Jahrtausenden war, der diese Malereien sah.

»Der Zaubererturm ist sehr alt«, sagte Junge 412. »Niemand weiß, wann er erbaut wurde.«

»Woher weißt du das?«, fragte Jenna, verdutzt über die Bestimmtheit, mit der er das sagte.

Junge 412 holte tief Luft und sagte mit eintöniger Stimme: »*Der Zaubererturm ist ein altes Bauwerk. Wertvolle Mittel wurden vom Außergewöhnlichen Zauberer dafür verschwendet, dem Turm ein prunkvolles Gepräge zu geben, Mittel, die dafür hätten verwendet werden können, die Kranken zu heilen und die Burg für alle Bewohner sicherer zu machen.* Siehst du, ich weiß noch alles. Solche Sachen mussten wir jede Woche im Fach ›Lerne deinen Feind kennen‹ auswendig hersagen.«

»Igitt«, sagte Jenna mitfühlend. »He, ich wette, Tante Zelda würde das hier brennend interessieren«, flüsterte sie und folgte Junge 412 weiter durch den Gang.

»Sie kennt es längst«, sagte Junge 412 in Erinnerung daran, dass Tante Zelda aus dem Tränkeschrank verschwunden war. »Und ich glaube, sie weiß auch, dass ich es kenne.«

»Wieso? Hat sie was gesagt?«, fragte Jenna und wunderte sich darüber, dass sie von all dem nichts mitbekommen hatte.

»Nein«, antwortete Junge 412. »Aber sie hat mich so komisch angesehen.«

»Sie sieht jeden komisch an«, erwiderte Jenna. »Aber deswegen glaubt sie doch nicht gleich, dass er in einem Geheimgang war.«

Sie gingen ein Stück weiter. Die Malereien hatten aufgehört, und vor ihnen tauchte eine steile Treppe auf. Jenna sah einen Stein vor der untersten Stufe liegen. Sie hob ihn auf und zeigte ihn Junge 412.

»He, sieh dir mal den an. Ist er nicht schön?«

Sie hielt einen großen, eiförmigen grünen Stein in der Hand. Seine Oberfläche war spiegelglatt, als hätte ihn jemand poliert, und im Licht des Rings glänzte er matt. Das Grün schillerte wie der Flügel einer Libelle, und er lag schwer, aber perfekt ausbalanciert in ihren hohlen Händen.

»Wie glatt er ist«, sagte Junge 412 und streichelte ihn sanft.

»Hier, du kannst ihn haben«, sagte Jenna spontan. »Er kann dein Steintier werden. So wie Petroc Trelawney, nur viel größer. Wir können Dad fragen, ob wir einen Zauber für ihn bekommen, wenn wir wieder in der Burg sind.«

Junge 412 nahm den Stein. Er wusste nicht recht, was er sagen sollte. Er hatte noch nie etwas geschenkt bekommen. Er steckte den Stein in seine Geheimtasche innen in der Schaffelljacke. Dann fiel ihm ein, was Tante Zelda immer zu ihm sagte, wenn er ihr Kräuter aus dem Garten brachte.

»Danke«, sagte er.

Seine Art zu sprechen erinnerte Jenna irgendwie an Nicko.

*Nicko!*

Nicko und der Jäger.

»Wir müssen zurück«, sagte Jenna besorgt.

Junge 412 nickte. Er wusste, dass sie nach oben mussten, ganz gleich, was sie dort erwartete. Er hatte es genossen, sich für eine Weile sicher zu fühlen.

Aber ihm war klar, dass das nicht von Dauer sein konnte.

# ★36★

## TIEFGEFROREN

Junge 412 hob die Falltür langsam ein paar Zentimeter an und spähte hinaus. Ein Schauer überfiel ihn. Die Tür zum Tränkeschrank stand weit offen, und sein Blick fiel direkt auf die schmutzigen braunen Stiefel des Jägers.

Der Jäger stand nur ein paar Schritte entfernt mit dem Rücken zum Schrank, den grünen Umhang über den Schultern, die silberne Pistole schussbereit in der Hand. Er starrte auf die Küchentür, als ob er jeden Augenblick darauf zustürmen wollte.

Junge 412 war gespannt, was er tun würde, doch der Mann tat nichts. Er schien auf etwas zu warten. Wahrscheinlich darauf, dass Tante Zelda aus der Küche kam.

In der Hoffnung, dass Tante Zelda nicht kam, fasste Junge 412 nach unten und streckte die Hand nach Jennas Panzerkäfer aus.

Jenna stand nervös auf der Leiter unter ihm. Sie spürte, dass etwas nicht stimmte. Junge 412 war so angespannt und rührte sich nicht. Als er ihr die Hand entgegenstreckte, nahm sie den zusammengerollten Panzerkäfer aus der Tasche und reichte ihn Junge 412, wie sie es vorher abgesprochen hatten. Im Stillen wünschte sie dem Käfer viel Glück. Sie hatte ihn ins Herz geschlossen und trennte sich nur ungern von ihm.

Junge 412 nahm ihr den Käfer vorsichtig ab und schob ihn langsam durch die offene Falltür. Er setzte die gepanzerte grüne Kugel auf den Boden, ließ sie aber nicht los und drehte sie in die richtige Richtung.

In Richtung Jäger.

Dann erst ließ er los. Sofort streckte sich der Käfer, richtete die durchdringenden grünen Augen auf den Jäger und zückte mit einem leisen Klirren sein Schwert. Bei dem Geräusch hielt Junge 412 den Atem an. Hoffentlich hatte der Jäger es nicht gehört. Doch der stämmige Mann in Grün rührte sich nicht. Junge 412 atmete langsam aus und gab dem Käfer einen leichten Stups mit dem Finger. Der Käfer stieg in die Luft und stürzte sich mit einem schrillen Schrei auf seinen Gegner.

Der Jäger tat nichts.

Er drehte sich nicht um, ja, er zuckte nicht einmal, als der Käfer auf seiner Schulter landete und das Schwert zum Hieb erhob. Junge 412 war beeindruckt. Er wusste, dass der Jäger ein harter Bursche war, aber das war mit Sicherheit nicht mehr normal.

Und dann erschien Tante Zelda.

»Achtung!«, schrie Junge 412. »Der Jäger!«

Tante Zelda erschrak. Aber nicht vor dem Jäger, sondern weil sie Junge 412 noch nie sprechen gehört hatte und deshalb nicht

354

wusste, wer gerufen hatte. Oder wo die fremde Stimme hergekommen war.

Doch es kam noch merkwürdiger. Tante Zelda pflückte den Panzerkäfer von der Schulter des Jägers und gab ihm einen Klaps, damit er sich zusammenrollte.

Und der Jäger tat noch immer nichts.

Tante Zelda steckte den Käfer rasch in eine ihrer vielen Flickentaschen und sah sich um. Von wo war die Stimme nur hergekommen? Dann entdeckte sie Junge 412, der unter der Falltür hervorlugte.

»Bist du das?«, stieß sie hervor. »Gott sei Dank ist dir nichts passiert. Wo ist Jenna?«

»Hier«, antwortete Junge 412 zögerlich, da er fürchtete, der Jäger könnte ihn hören. Doch der Jäger hatte ihn anscheinend nicht gehört, und Tante Zelda schenkte ihm nicht mehr Beachtung als einem sperrigen Möbelstück. Sie umkurvte seine reglose Gestalt, hob die Falltür und half Junge 412 und Jenna heraus.

»Wie schön, euch zu sehen«, rief sie fröhlich. »Ihr seid beide wohlauf. Ich habe mir solche Sorgen gemacht.«

»Aber ... was ist mit ihm?« Junge 412 deutete auf den Jäger.

»Eingefroren«, antwortete Tante Zelda mit zufriedener Miene. »Er ist eingefroren und bleibt es auch, bis ich weiß, was mit ihm geschehen soll.«

»Wo ist Nicko? Ist er okay?«, fragte Jenna beim Herausklettern.

»Es geht ihm gut«, antwortete Tante Zelda. »Er ist hinter dem Lehrling her.«

Sie hatte den Satz kaum beendet, da flog krachend die Tür auf und der Lehrling taumelte triefnass ins Zimmer, gefolgt von einem ebenfalls triefnassen Nicko, der ihn am Kragen hatte.

»Du Schwein«, fauchte Nicko und knallte die Tür zu. Er ließ den Jungen los und ging zum Kamin, um sich am Feuer zu trocknen.

Der Lehrling stand traurig und triefend da und blickte Hilfe suchend zum Jäger. Und er wurde noch trauriger, als er sah, was geschehen war. Der Jäger war mitten im Sprung mit der Pistole in der Hand erstarrt und stierte ins Leere. Der Lehrling schluckte – eine große Frau in einem weiten Flickenkleid kam zielstrebig auf ihn zu, und von den bebilderten Feindkarten, die er sich vor Beginn der Jagd hatte ansehen müssen, wusste er nur zu gut, wer sie war.

Sie war die verrückte Weiße Hexe, Zelda Zanuba Heap.

Und dort standen der Zaubererjunge Nickolas Benjamin Heap und Nummer 412, der verachtete Ausreißer und Deserteur. Sie waren alle hier, genau wie man es ihm gesagt hatte. Aber wo war die eine, deretwegen sie eigentlich gekommen waren? Wo war die Prinzessin?

Der Lehrling sah sich um und entdeckte Jenna im Schatten hinter Junge 412. In ihrem langen dunklen Haar glänzte ein goldenes Diadem, und ihre Augen waren violett, genau wie auf dem Bild auf der Feindkarte (das Linda Lane, die Spionin, sehr gekonnt gezeichnet hatte). Die Prinzessin war etwas größer, als er erwartet hatte, aber kein Zweifel, sie war es.

Ein leichtes Lächeln umspielte seine Lippen, als ihm die Idee kam, sich die Prinzessin ganz allein zu schnappen. Der Meister wäre hoch zufrieden mit ihm. Bestimmt würde er alle seine früheren Patzer vergessen und nicht mehr damit drohen, ihn als Entbehrlichen in die Jungarmee zu stecken. Zumal nicht einmal dem Jäger dieses Kunststück geglückt war.

Er wollte es versuchen.

Obwohl ihn die nassen Kleider behinderten, preschte er zur Überraschung aller Anwesenden vor und packte Jenna. Er war erstaunlich stark für seine Größe. Er nahm sie in den Schwitzkasten, sodass sie kaum noch Luft bekam, und zerrte sie in Richtung Tür.

Tante Zelda machte einen Schritt auf ihn zu, doch er klappte sein Taschenmesser auf und hielt Jenna die Klinge an die Kehle.

»Wenn mich jemand aufhalten will, steche ich zu«, fauchte er. Er schleppte Jenna zur Tür hinaus und den Weg hinunter in Richtung Kanu. Der Magog, der im Kanu wartete, schenkte der Szene nicht die geringste Beachtung. Er war gerade damit beschäftigt, seinen fünfzehnten ertrunkenen Panzerkäfer zu verflüssigen, und seine Arbeit begann erst, wenn die Gefangene im Kanu saß.

Und das war nicht mehr lange hin.

Doch Nicko wollte seine Schwester dem Lehrling nicht kampflos überlassen. Er jagte ihm nach und warf sich auf ihn. Der Lehrling prallte gegen Jenna und ging mit ihr zu Boden. Ein Schrei ertönte. Es rann Blut.

Nicko riss den Lehrling zur Seite.

»Jen!«, stieß er hervor. »Bist du verletzt?«

Jenna sprang auf und starrte auf das Blut auf dem Weg.

»Ich … ich glaube nicht«, stammelte sie. »Aber er. Ich glaube, er ist verletzt.«

»Geschieht ihm ganz recht«, sagte Nicko und beförderte das Messer mit einem Fußtritt außer Reichweite.

Nicko und Jenna zogen den Lehrling auf die Füße. Er hatte eine Schnittwunde am Arm, sonst schien er unverletzt. Aber er war leichenblass. Der Lehrling konnte kein Blut sehen, schon gar nicht sein eigenes. Er bekam es mit der Angst, als sie ihn zur Hütte zurückschleppten. Was hatten die Zauberer mit ihm vor? Er unternahm einen letzten Fluchtversuch. Er entwand sich Jennas Griff und trat Nicko kräftig gegen das Schienbein.

Ein Kampf entbrannte. Der Lehrling versetzte Nicko einen Faustschlag in den Magen und wollte ihn gerade ein zweites Mal treten, da drehte ihm Nicko den Arm auf den Rücken.

»Lass den Quatsch«, rief Nicko. »Glaub bloß nicht, du kommst ungestraft davon, wenn du versuchst, meine Schwester zu entführen, du Schwein.«

»Er wäre nie entkommen«, spottete Jenna. »Er ist zu dumm.«

Der Lehrling konnte es auf den Tod nicht ausstehen, wenn ihn jemand dumm nannte. Sein Meister nannte ihn immer so. Dummkopf. Spatzenhirn. Trottel. Das konnte er nicht ausstehen.

»Ich bin nicht dumm.« Er sog hörbar Luft ein, als Nicko seinen Griff anzog. »Ich kann alles tun, was ich will. Ich hätte sie erschießen können, wenn ich gewollt hätte. Sie wäre heute Nacht nicht die Erste gewesen. Damit ihr's wisst.«

Schon in der nächsten Sekunde bereute der Lehrling seine Worte. Vier Augenpaare starrten ihn vorwurfsvoll an.

»Was meinst du damit?«, fragte Tante Zelda ganz ruhig. »Sie wäre nicht die Erste gewesen?«

Der Lehrling beschloss, nicht klein beizugeben.

»Das geht euch nichts an. Ich kann schießen, wann ich will. Und wenn ich auf eine fette Pelzkugel schießen will, die mir bei einem offiziellen Auftrag in die Quere kommt, dann tu ich es auch.«

Entsetztes Schweigen folgte. Nicko brach es.

»Dieses Schwein hat auf den Boggart geschossen!«

»*Autsch!*«, heulte der Lehrling.

»Bitte keine Gewalt, Nicko«, sagte Tante Zelda. »Ganz gleich was er getan hat, er ist nur ein Junge.«

»Ich bin nicht nur ein Junge«, widersprach der Lehrling hochnäsig. »Ich bin Lehrling bei DomDaniel, dem größten Zauberer und Schwarzkünstler. Ich bin der siebte Sohn eines siebten Sohns.«

»Was?«, fragte Tante Zelda. »Was sagst du da?«

»Ich bin Lehrling bei DomDaniel, dem größten ...«

»Nicht das. Das wissen wir. Die schwarzen Sterne auf deinem Gürtel sind ja nicht zu übersehen.«

»Ich sagte«, sprach der Lehrling mit stolzer Stimme und froh, dass ihn endlich jemand ernst nahm, »dass ich der siebte Sohn eines siebten Sohns bin. Ich verfüge über magische Kräfte.« Auch wenn sich das noch nicht gezeigt hat, dachte er bei sich. Aber das wird schon noch kommen.

»Ich glaube dir nicht«, sagte Tante Zelda mit ausdrucksloser Stimme. »Mir ist noch nie jemand begegnet, der weniger vom siebten Sohn eines siebten Sohns hat.«

»Aber ich bin es«, beteuerte der Lehrling beleidigt. »Ich bin Septimus Heap.«

# ⋆ 37 ⋆

## SPIEGELMAGIE

Er lügt«, rief Nicko und stapfte wütend im Zimmer auf und ab, während der Lehrling triefend am Kamin stand.

Die grünen Wollkleider des Lehrlings verströmten einen unangenehmen Modergeruch, den Tante Zelda kannte. Es war der Geruch nach misslungenen Zaubern und schaler schwarzer Magie. Sie öffnete ein paar Gläser Gestankschutz, und bald duftete es im Zimmer angenehm nach Zitronenbaisertorte.

»Das sagt er nur, um uns zu ärgern«, rief Nicko empört. »Dieser Blödian heißt niemals Septimus Heap.«

Jenna legte den Arm um Nicko.

Junge 412 hätte gern verstanden, worum es hier ging. »Wer ist denn Septimus Heap?«, fragte er.

»Unser Bruder«, antwortete Nicko.

Junge 412 sah jetzt noch verwirrter aus.

»Er ist schon als Baby gestorben«, erklärte Jenna. »Wenn er am Leben geblieben wäre, hätte er heute erstaunliche Zauberkräfte. Unser Dad war auch ein siebter Sohn, aber deshalb ist man nicht automatisch ein besserer Zauberer, verstehst du?«

»Wofür Silas der lebende Beweis ist«, murmelte Tante Zelda.

»Dad und Mum bekamen sieben Söhne«, fuhr Jenna fort. »Zuerst hatten sie Simon, Sam, Fred und Erik, Jo-Jo und Nicko. Und dann kam Septimus. Er war der siebte Sohn eines siebten Sohns. Aber er ist kurz nach der Geburt gestorben.« Sie musste daran denken, was ihr Sarah eines Sommerabends, als sie in ihrem Schrankbett lag, erzählt hatte. »Ich dachte immer, er sei mein Zwillingsbruder. Aber dann stellte sich heraus, dass er es doch nicht war ...«

»Oh«, machte Junge 412. Anscheinend war es ziemlich kompliziert, wenn man eine Familie hatte.

»Deshalb kann er unmöglich unser Bruder sein«, sagte Nicko. »Und wenn er es wäre, würde ich nichts von ihm wissen wollen. Er ist nicht mein Bruder.«

»Nun gut«, sagte Tante Zelda. »Es gibt nur einen Weg, es herauszufinden. Wir können feststellen, ob er die Wahrheit sagt, was ich sehr bezweifele. Obwohl ich mich immer gefragt habe, ob Septimus ... Ich hatte immer das Gefühl, dass da etwas nicht stimmte.« Sie öffnete die Tür und sah nach dem Mond.

»Der Mond ist beinahe voll«, sagte sie. »Keine schlechte Zeit für Spiegelmagie.«

»Was?«, fragten Jenna, Nicko und Junge 412 mit einer Stimme.

»Ich werd's euch zeigen. Kommt mit.«

Dass sie am Ententeich landen würden, hätte keiner erwartet, und doch standen sie jetzt alle dort und betrachteten, Tante Zeldas Anweisung folgend, das Spiegelbild des Mondes im stillen schwarzen Wasser.

Nicko und Junge 412 hatten den Lehrling vorsorglich in die Mitte genommen, falls er noch mal ausbüchsen wollte. Junge 412 freute sich, dass Nicko ihm endlich vertraute. Vor kurzem war er selbst noch von Nicko am Ausbüchsen gehindert worden. Und jetzt stand er hier und beobachtete genau die Art von Zauberei, vor der man ihn bei der Jungarmee gewarnt hatte: Eine Weiße Hexe mit funkelnden blauen Augen fuchtelte bei Vollmond mit den Armen in der Luft herum und sprach von toten Kindern. Er konnte es kaum glauben. Und zwar nicht, dass es geschah, sondern dass es ihm inzwischen ganz normal vorkam. Und nicht nur das. Ihm wurde auch klar, dass die Menschen, mit denen er am Ententeich stand – Jenna, Nicko und Tante Zelda –, ihm mehr bedeuteten, als ihm irgendjemand sonst in seinem ganzen Leben bedeutet hatte. Abgesehen von Junge 409, natürlich.

Nur auf den Lehrling könnte ich gut verzichten, dachte Junge 412. Der Lehrling erinnerte ihn an die vielen Leute, die ihn in seinem früheren Leben gequält hatten. *In seinem früheren Leben.* Genau das sollte es sein, beschloss er. Ganz gleich was geschah, er würde nie in die Jungarmee zurückkehren. Niemals.

Tante Zelda sprach mit leiser Stimme. »Jetzt werde ich den Mond bitten, uns Septimus Heap zu zeigen.«

Junge 412 bekam eine Gänsehaut und starrte in das glatte dunkle Wasser des Teichs. In der Mitte prangte ein vollkommenes Spiegelbild des Mondes, das so klar war, dass er die Meere und Gebirge des Mondes deutlicher sah als je zuvor.

Tante Zelda hob den Blick zum Himmel und sprach: »Bruder Mond, Bruder Mond, zeige uns, wenn du magst, den siebten Sohn von Silas und Sarah. Zeige uns, wo er jetzt ist. Zeige uns Septimus Heap.«

Alle hielten den Atem an und beobachteten gespannt die Oberfläche des Teichs. Septimus war tot. Was würden sie sehen? Einen kleinen Knochenhaufen? Ein kleines Grab?

Es wurde still. Das Spiegelbild des Mondes wurde größer und größer, bis ein riesiger und fast vollkommener weißer Kreis den Ententeich ausfüllte. Zuerst zeigten sich dunkle Schatten in dem Kreis. Langsam wurden sie deutlicher, und dann sahen sie … ihre eigenen Spiegelbilder.

»Seht ihr«, sagte der Lehrling. »Ihr habt mich sehen wollen, und da bin ich. Ich hab's euch gesagt.«

»Das hat gar nichts zu bedeuten«, brauste Nicko auf. »Das sind nur unsere Spiegelbilder.«

»Vielleicht«, sagte Tante Zelda nachdenklich. »Vielleicht auch nicht.«

»Können wir sehen, was mit Septimus nach seiner Geburt geschehen ist?«, fragte Jenna. »Dann würden wir vielleicht erfahren, ob er noch am Leben ist, oder?«

»Ja, das würden wir. Ich werde darum bitten. Aber es ist viel schwieriger, in die Vergangenheit zu blicken.« Tante Zelda holte tief Luft und sagte: »Bruder Mond, Bruder Mond, zeige uns, wenn du magst, den ersten Tag im Leben des Septimus Heap.«

Der Lehrling schniefte und hustete.

»Ruhe bitte«, zischte Tante Zelda.

Langsam verschwanden ihre Spiegelbilder von der Wasseroberfläche, und an ihre Stelle trat ein Bild, das gestochen scharf aus dem mitternächtlichen Dunkel hervorleuchtete.

Es zeigte einen Ort, den Jenna und Nicko gut kannten: ihr Zuhause in der Burg. Wie ein Gemälde lag es vor ihnen. Die Menschen im Zimmer waren unbeweglich, erstarrt in der Zeit. Sarah lag in einem behelfsmäßigen Bett, im Arm ein Neugeborenes, neben sich Silas. Jenna stockte der Atem. Auf einmal wurde ihr bewusst, wie sehr sie ihr Zuhause vermisste. Sie blickte zu Nicko. Sein Gesicht hatte diesen konzentrierten Ausdruck, den sie von ihm kannte, wenn er sich *nicht* aufregte.

Plötzlich zogen alle hörbar die Luft ein. Die Gestalten begannen sich zu bewegen. Lautlos und mit flüssigen Bewegungen wie in einem Film spielten sie eine Szene vor, und die Zuschauer waren hingerissen – bis auf einen.

»Die Camera obscura meines Meisters ist hundertmal besser als dieser alte Ententeich«, sagte der Lehrling verächtlich.

»Halt die Klappe«, zischte Nicko zornig.

Der Lehrling seufzte und zappelte herum. Ist doch alles Quatsch, dachte er. Hat mit mir überhaupt nichts zu tun.

Der Lehrling irrte. Die Ereignisse, die er beobachtete, hatten sein Leben verändert.

*Das Zimmer der Heaps sieht etwas anders aus. Alles ist neuer und sauberer. Und Sarah Heap ist viel jünger. Ihr Gesicht ist voller, und in ihren Augen wohnt keine Traurigkeit. Ja, sie sieht rundum glücklich*

*aus und hält ihren neugeborenen Jungen Septimus im Arm. Auch Silas*
*ist jünger. Sein Haar ist nicht so zottelig, und sein Gesicht hat weniger*
*Sorgenfalten. Außerdem sind sechs kleine Jungs da, die ruhig mitei-*
*nander spielen.*

Jenna lächelte wehmütig. Der kleinste mit dem widerspenstigen
Wuschelhaar musste Nicko sein. Er sah so süß aus, wie er aufgeregt
hin und her hüpfte und das Baby sehen wollte.

*Silas hebt Nicko hoch, damit er seinen neuen Bruder sehen kann.*
*Nicko streckt seine kleine Patschhand aus und streichelt dem Baby sanft*
*die Wange. Silas sagt etwas zu ihm und setzt ihn ab, und er läuft zu sei-*
*nen älteren Brüdern zurück, um weiterzuspielen.*

*Jetzt verabschiedet sich Silas von Sarah und dem Baby mit einem*
*Kuss. Er hält inne und sagt etwas zu Simon, dem Ältesten, und dann*
*ist er fort.*

Das Bild verblasst, Stunden verstreichen.

*Jetzt erhellt Kerzenlicht das Zimmer der Heaps. Sarah stillt das*
*Kind, und Simon liest seinen jüngeren Brüdern eine Geschichte vor.*
*Eine dickleibige Gestalt in dunkelblauer Tracht wuselt geschäftig hin*
*und her. Die Oberhebamme. Sie nimmt Sarah das Baby ab und legt es*
*in die Holzkiste, die als Kinderbett dient. Mit dem Rücken zu Sarah*
*zieht sie ein Fläschchen mit einer schwarzen Flüssigkeit aus ihrer Tasche*
*und taucht ihren Finger hinein. Dann schaut sie sich um, als ob sie sich*
*beobachtet fühlt, und streicht mit ihrem schwarzen Finger über die Lip-*
*pen des Babys. Sofort erschlafft Septimus.*

*Die Oberhebamme wendet sich Sarah zu und hält ihr das schlaffe*
*Baby hin. Sarah ist verzweifelt. Sie legt ihren Mund über den des Ba-*
*bys und versucht, ihm Leben einzuhauchen, doch Septimus bleibt so*

*schlaff wie ein Lappen. Bald wirkt das Gift auch bei Sarah. Benommen sinkt sie in ihr Kissen zurück.*

*Unter den entsetzten Augen der sechs kleinen Jungs zieht die Oberhebamme eine riesige Verbandsrolle aus ihrer Tasche und wickelt Septimus ein. Sie beginnt an den Füßen und arbeitet sich mit geübter Hand nach oben. Am Kopf angekommen, hält sie einen Augenblick inne und vergewissert sich, ob das Kind noch atmet. Zufrieden fährt sie mit dem Einwickeln fort, lässt aber die Nase herausschauen. Am Ende sieht Septimus wie eine kleine ägyptische Mumie aus.*

*Plötzlich wendet sich die Oberhebamme mit Septimus zur Tür. Sarah erwacht in dem Augenblick aus ihrer Betäubung, als die Hebamme die Tür aufreißt und mit Silas zusammenprallt, der sich seinen Umhang fest um den Leib gewickelt hat. Die Hebamme stößt ihn beiseite und eilt den Korridor hinunter.*

*Die Korridore in den Anwanden werden von hell brennenden Fackeln erleuchtet, die tanzende Schatten auf die dunkle Gestalt der Oberhebamme werfen. Im Laufen drückt sie Septimus an sich. Nach einiger Zeit tritt sie in die Nacht hinaus. Es schneit. Sie drosselt ihre Schritte und sieht sich ängstlich um. Dann eilt sie, über das Baby gebeugt, durch die menschenleeren Gassen, bis sie auf einen großen freien Platz gelangt.*

Junge 412 stockte der Atem. Es war der gefürchtete Exerzierplatz der Jungarmee.

*Die rundliche Gestalt huscht über den verschneiten Exerzierplatz wie ein schwarzer Käfer über ein weißes Tischtuch. Der Wachmann am Kasernentor salutiert und lässt sie durch.*

*Einmal im Innern der trostlosen Kaserne, geht die Hebamme lang-*

*samer. Sie steigt vorsichtig eine steile schmale Treppe hinunter und betritt einen Kellerraum, in dem mehrere Reihen leerer Kinderbettchen stehen. Hier wird die Kinderkrippe der Jungarmee entstehen, in der alle verwaisten oder unerwünschten männlichen Kinder aus der Burg großgezogen werden. (Die Mädchen kommen in die Hauswirtschaftsschule.) Vier Bettchen sind bereits belegt. In dreien liegen die bedauernswerten Drillinge eines Gardisten, der es gewagt hatte, einen Scherz über den Bart des Obersten Wächters zu machen. Im vierten ist der Sohn der Hebamme untergebracht. Er ist sechs Monate alt und wird hier gehütet, wenn sie zu arbeiten hat. Die Kinderfrau, ein altes Mütterchen mit chronischem Husten, ist auf ihrem Stuhl zusammengesackt und schläft unruhig zwischen Hustenanfällen. Die Oberhebamme legt Septimus rasch in ein leeres Bettchen und wickelt seine Bandagen ab. Septimus gähnt und öffnet seine kleinen Fäuste.*

*Er lebt.*

Jenna, Nicko, Junge 412 und Tante Zelda starrten auf die Szene vor ihnen im Teich. Was der Lehrling gesagt hatte, schien leider zu stimmen. Junge 412 hatte ein flaues Gefühl im Magen. Der Anblick der Kaserne war ihm zuwider.

*Im halbdunklen Kinderzimmer der Jungarmee setzt sich die Oberhebamme müde hin. Immer wieder blickt sie nervös zur Tür, als erwarte sie jemanden. Es kommt niemand.*

*Nach ein oder zwei Minuten stemmt sie sich aus dem Stuhl, geht hinüber zu dem Bettchen, in dem ihr eigener Sohn schreit, und hebt ihn heraus. Im selben Augenblick fliegt die Tür auf, und die Oberhebamme fährt erschrocken herum, ganz weiß im Gesicht.*

*Eine große, schwarz gekleidete Frau steht in der Tür. Über ihrem*

*schwarzen, tadellos gebügelten Kleid trägt sie den gestärkten weißen*
*Kittel einer Krankenschwester, doch auf ihrem blutroten Gürtel pran-*
*gen die drei schwarzen Sterne DomDaniels.*

*Sie kommt, um Septimus Heap zu holen.*

Dem Lehrling gefiel überhaupt nicht, was er sah. Er wollte die fragwürdige Familie nicht sehen, aus der man ihn gerettet hatte – sie bedeutete ihm nichts. Ebenso wenig wollte er sehen, was ihm als Kind widerfahren war. Was ging ihn das heute noch an? Außerdem hatte er es satt, mit dem Feind hier draußen in der Kälte zu stehen.

Wütend gab er der neben ihm sitzenden Ente einen Fußtritt. Mit einem lauten Klatschen landete Berta im Teich, und das Bild zerfiel in tausend tanzende kleine Lichter.

Der Zauber war gebrochen.

Der Lehrling flüchtete. So schnell er konnte rannte er den Weg entlang in Richtung Mott, wo das schmale schwarze Kanu lag. Er kam nicht weit. Berta, die ihm den Tritt verübelte, nahm die Verfolgung auf. Der Lehrling hörte das Flattern der kräftigen Flügel erst im letzten Moment, bevor ihm die Ente mit dem Schnabel ins Genick hackte und so an seinem Kragen zerrte, dass es ihm die Luft abschnürte. Dann bekam sie seine Kapuze zu fassen und zog ihn in Richtung Nicko.

»Du meine Güte!«, rief Tante Zelda besorgt.

»Um den würde ich mir keine Sorgen machen«, sagte Nicko zornig, als er den Lehrling einholte und festhielt.

»Tu ich auch nicht«, erwiderte Tante Zelda. »Ich hatte nur Angst, dass Berta ihren Schnabel überanstrengt.«

# ⋆ 38 ⋆

## AUFGETAUT

Der Lehrling kauerte in der Ecke am Kamin, und Berta hing immer noch an seinem herabhängenden feuchten Ärmel. Jenna und Nicko verriegelten alle Türen und Fenster, dann betrauten sie Junge 412 mit der Bewachung des Lehrlings und gingen in die Küche, um nachzusehen, wie es dem Boggart ging.

Er lag in der Zinnbadewanne, ein kleines braunes Fellknäuel auf einem weißen Bettlaken, das Tante Zelda unter ihn gelegt hatte. Er öffnete halb die Augen und betrachtete die Besucher mit trübem Blick.

»Hallo, Mr Boggart. Geht es Ihnen besser?«, fragte Jenna.

Der Boggart antwortete nicht. Tante Zelda tauchte einen Schwamm in einen Eimer mit warmem Wasser und wusch ihn sachte ab.

»Boggarts muss man immer feucht halten«, sagte sie. »Ein trockener Boggart ist kein glücklicher Boggart.«

»Er sieht nicht gut aus«, flüsterte Jenna Nicko zu, als sie mit Tante Zelda auf Zehenspitzen aus der Küche schlichen.

Der Jäger stand immer noch sprungbereit vor der Küchentür und sah Jenna hasserfüllt an. Seine stechenden hellblauen Augen hefteten sich auf sie und folgten ihr quer durch den Raum. Aber der Rest von ihm blieb so unbeweglich wie zuvor.

Jenna spürte seinen Blick und schaute auf. Ein kalter Schauer lief ihr den Rücken hinunter. »Er guckt mich an!«, rief sie. »Seine Augen folgen mir!«

»Ach du grüne Neune«, sagte Tante Zelda. »Er taut langsam auf. Besser, ich nehme das Ding da an mich, bevor noch was passiert.«

Sie zog die Silberpistole aus der gefrorenen Hand des Jägers. Seine Augen funkelten zornig, als sie die Waffe sachkundig öffnete und eine kleine silberne Kugel aus der Kammer nahm.

»Hier«, sagte sie und reichte die Kugel Jenna. »Zehn Jahre lang hat sie dich gesucht, jetzt ist die Suche vorbei. Dir kann nichts mehr passieren.«

Jenna lächelte unsicher und ließ die Silberkugel mit einem Gefühl des Widerwillens auf ihrem Handteller herumrollen. Sie konnte nicht anders, sie musste sie einfach bewundern. Sie war vollkommen. Nein, nicht ganz. Sie hob sie hoch und kniff die Augen zusammen. Die Kugel hatte eine winzige Kerbe. Zu ihrer Überraschung waren Buchstaben in das Silber geritzt: K. P.

»Was bedeutet K. P.?«, fragte sie Tante Zelda. »Das steht hier auf der Kugel.«

Tante Zelda antwortete nicht gleich. Sie wusste, was die Buchstaben bedeuteten, doch sie war sich unschlüssig, ob sie es Jenna sagen sollte.

»K. P.«, murmelte Jenna und überlegte. »K. P. ...«

»Kindprinzessin«, sagte Tante Zelda. »Eine Kugel mit Namen. Eine Kugel mit Namen findet immer ihr Ziel. Es spielt keine Rolle, wann oder wie, aber finden tut sie einen immer. So wie deine Kugel dich gefunden hat. Wenn auch nicht so, wie es beabsichtigt war.«

»Oh«, sagte Jenna ruhig. »Dann hatte die andere, die für meine Mutter bestimmt war, auch ...«

»Ja. Sie hatte ein K.«

»Ah. Kann ich auch die Pistole haben?«, fragte Jenna.

Tante Zelda sah sie überrascht an. »Nun ja, ich denke schon«, sagte sie. »Wenn du sie wirklich willst.«

Jenna nahm die Waffe und hielt sie so, wie sie es beim Jäger und bei der Mörderin gesehen hatte. Sie spürte ihr Gewicht und das seltsame Gefühl der Macht, das sie dem gab, der sie hielt.

Sie bedankte sich bei Tante Zelda und gab ihr die Pistole zurück. »Kannst du sie für mich aufbewahren? Vorläufig?«

Die Augen des Jägers folgten Tante Zelda, als sie die Pistole zum Schrank für *Unbeständige Tränke und Spezialgifte* trug und wegschloss. Und sie folgten ihr, als sie zu ihm trat und seine Ohren befühlte. Der Jäger sah wütend aus. Seine Brauen zuckten, und seine Augen blitzten zornig, aber sonst regte sich nichts.

»Gut«, befand Tante Zelda, »seine Ohren sind noch gefroren. Er kann also nicht hören, was wir sagen. Wir müssen uns entscheiden, was wir mit ihm anstellen, bevor er auftaut.«

371

»Kannst du ihn nicht einfach wieder einfrieren?«, fragte Jenna.

Tante Zelda schüttelte den Kopf. »Leider nein. Man soll niemanden wieder einfrieren, wenn er bereits angetaut ist. Das ist riskant. Er kann Gefrierbrand kriegen. Oder sonst irgendwie matschig werden. Kein schöner Anblick. Aber trotzdem, der Jäger ist gefährlich und wird die Jagd nicht aufgeben. Niemals. Irgendwie müssen wir ihn davon abbringen, uns zu jagen.«

Jenna überlegte. »Wir müssen dafür sorgen, dass er alles vergisst. Sogar, wer er ist.« Sie kicherte. »Wir könnten ihn dazu bringen, dass er sich für einen Löwenbändiger hält oder so was.«

»Und dann geht er zum Zirkus«, setzte Nicko hinzu, »und stellt fest, dass er keiner ist, und zwar kurz nachdem er seinen Kopf in das Maul eines Löwen gesteckt hat.«

»Wir dürfen die Magie nicht dazu missbrauchen, ein Leben in Gefahr zu bringen«, rief ihnen Tante Zelda ins Gedächtnis.

»Dann wird er eben ein Clown«, sagte Jenna. »Komisch aussehen tut er ja.«

»Wie ich gehört habe, soll in den nächsten Tagen ein Zirkus nach Port kommen. Da findet er bestimmt Arbeit.« Tante Zelda grinste. »Die nehmen jeden, habe ich mir sagen lassen.«

Sie holte ein altes zerfleddertes Buch mit dem Titel *Magische Erinnerungen*.

»Du kannst so was gut«, sagte sie zu Junge 412 und reichte ihm das Buch. »Würdest du mir bitte den richtigen Zauber heraussuchen? Ich glaube, er heißt Schurkengedächtnis.«

Junge 412 blätterte in dem modrigen Buch. Es gehörte zu denen, in denen die meisten Charms fehlten, aber auf den letzten Seiten fand er, was er suchte: ein kleines verknotetes Taschentuch, auf dessen Rand in verschmierten schwarzen Buchstaben etwas geschrieben stand.

»Gut«, sagte Tante Zelda. »Könntest du den Zauber für uns sprechen?«

»Ich?«, fragte Junge 412 überrascht.

»Wenn es dir nichts ausmacht«, antwortete Tante Zelda. »Meine Augen lassen mich bei dem Licht im Stich.« Sie fasste dem Jäger an die Ohren. Sie waren warm. Der Jäger kniff die Augen zusammen und durchbohrte sie mit dem bekannten eisigen Blick. Niemand nahm davon Notiz.

»Er kann jetzt hören«, sagte sie. »Wir sollten die Sache hinter uns bringen, bevor er auch wieder sprechen kann.«

Junge 412 las sorgfältig die Anleitung zu dem Zauber. Dann hielt er das Taschentuch mit dem Knoten darin in die Höhe und sagte:

»Was du im Leben auch immer getan,
es sei dir verloren von Stunde an.«

Junge 412 wedelte mit dem Taschentuch vor den Augen des Jägers herum, dann löste er den Knoten. Der Blick des Jägers wurde leer. Er war nicht mehr drohend, sondern verwirrt und vielleicht sogar etwas ängstlich.

»Gut«, sagte Tante Zelda. »So weit hat anscheinend alles geklappt. Würdest du bitte weitermachen?«

Junge 412 sprach ruhig:

»So vernimm nun dein neues Werden und Wesen,
Und merke dir, wie es anders gewesen.«

Tante Zelda baute sich vor dem Jäger auf und sagte mit fester Stimme zu ihm: »Hier ist die Geschichte deines Lebens. Du kamst in Port in einem Viehschuppen zur Welt.«

»Du warst ein schreckliches Kind«, fuhr Jenna fort. »Und du hattest Pickel.«

»Keiner mochte dich«, fügte Nicko hinzu.

Der Jäger sah immer unglücklicher aus.

»Bis auf deinen Hund«, sagte Jenna, die ein klein wenig Mitleid mit ihm bekam.

»Und der ist gestorben«, sagte Nicko.

»*Nicko*«, protestierte Jenna, »sei nicht so gemein.«

»*Ich?* Und was ist mit ihm?«

Und so wurde das furchtbar tragische Leben des Jägers vor ihm ausgebreitet. Es war eine einzige Verkettung bedauerlicher Zufälle, dummer Missgeschicke und höchst peinlicher Situationen, die nun, da er sich plötzlich an sie erinnerte, seine aufgetauten Ohren rot anlaufen ließen. Die traurige Geschichte endete mit seiner leidvollen Lehrzeit bei einem jähzornigen Clown, den alle, die für ihn arbeiteten, nur Stinkmaul nannten.

Der Lehrling verfolgte alles mit einer Mischung aus Schadenfreude und Entsetzen. Der Jäger hatte ihn lange gepiesackt, und so war er froh, dass es ihm endlich mal jemand zeigte. Aber gleichzeitig musste er sich auch fragen, was sie wohl mit ihm selbst vorhatten.

Als die betrübliche Lebensgeschichte des Jägers endete, machte Junge 412 wieder einen Knoten in das Taschentuch und sagte:

>»Was dein Leben einst war, ist nun dahin,
ein andres Gestern gilt fürderhin.«

Mit einiger Mühe trugen sie den Jäger wie ein breites, sperriges Brett ins Freie und stellten ihn an den Mott, damit er vollends auftauen konnte, ohne im Weg zu stehen. Der Magog schenkte ihm keine Beachtung. Er hatte soeben seinen achtunddreißigsten Panzerkäfer aus dem Schlamm geschaufelt und sann nun darüber nach, ob er ihm die Flügel ausreißen sollte, bevor er ihn verflüssigte.

»Schenkt mir irgendwann mal einen schönen Gartenzwerg«, sagte Tante Zelda, während sie angewidert ihren neuen betrachtete, der, wie sie hoffte, nur vorübergehend ihren Garten verunzierte. »Das war gute Arbeit. Jetzt müssen wir nur noch herausfinden, wer der Lehrling ist.«

»Septimus ...«, grübelte Jenna. »Das kann ich nicht glauben. Was werden Mum und Dad dazu sagen? Er ist so gemein.«

»Nun ja«, sagte Tante Zelda, »er ist bei DomDaniel aufgewachsen, das ist ihm nicht gut bekommen.«

»Junge 412 ist in der Jungarmee aufgewachsen und trotzdem in Ordnung«, betonte Jenna. »Er hätte nie auf den Boggart geschossen.«

»Ich weiß«, pflichtete Tante Zelda bei, »aber vielleicht bessert sich der Lehrling ... äh ... Septimus ja mit der Zeit.«

Einige Zeit später, in den frühen Morgenstunden, als sie sich endlich schlafen gelegt hatten – Junge 412 hatte den grünen Stein, den Jenna ihm geschenkt hatte, unter seine Decke geschoben, um ihn warm zu halten und bei sich zu haben –, klopfte es zaghaft an die Tür.

Jenna setzte sich erschrocken auf. Wer war das? Sie weckte Nicko und Junge 412 mit einem Stups, kroch zum Fenster und öffnete den Laden geräuschlos einen Spalt.

Nicko und Junge 412 postierten sich, mit einem Besenstiel und einer schweren Lampe bewaffnet, an der Tür.

Der Lehrling hockte in seiner dunklen Ecke am Kamin und grinste selbstgefällig. DomDaniel hatte ihm eine Rettungsmannschaft geschickt.

Eine Rettungsmannschaft war es nicht, und dennoch erbleichte Jenna, als sie sah, wer draußen stand.

»Es ist der Jäger«, flüsterte sie.

»Der kommt mir nicht ins Haus«, sagte Nicko. »Auf keinen Fall.«

Der Jäger klopfte erneut, lauter diesmal.

»Verschwinde!«, schrie Jenna.

Tante Zelda kam aus der Küche, wo sie den Boggart gepflegt hatte.

»Frag ihn, was er will«, sagte sie, »dann können wir ihn fortschicken.«

Jenna öffnete, obwohl sich alles in ihr dagegen sträubte. Der Jäger war kaum wieder zu erkennen. Er trug zwar noch die Uniform eines Jägers, aber er sah nicht mehr wie einer aus. Er hatte sich in den dicken grünen Umhang gewickelt wie ein Bettler in eine Decke und stand verlegen und leicht gebeugt in der Tür.

»Verzeihung, wenn ich die Herrschaften zu dieser späten Stunde noch störe«, murmelte er, »aber ich habe mich verlaufen. Könnten Sie mir vielleicht den Weg nach Port zeigen?«

»Da lang«, antwortete Jenna knapp und deutete über die Marschen.

Der Jäger schien verwirrt. »Mein Orientierungssinn ist nicht der beste, Miss. Wo lang genau, wenn ich fragen darf?«

»Folgen Sie dem Mond«, riet ihm Tante Zelda. »Er wird sie führen.«

Der Jäger verbeugte sich respektvoll. »Herzlichen Dank, Madam. Verzeihen Sie die Frage, aber wissen Sie zufällig, ob ein Zirkus in der Stadt erwartet wird? Ich hoffe nämlich auf eine Anstellung als Clown.«

Jenna unterdrückte ein Lachen.

»Ja, zufällig wird einer erwartet«, antwortete ihm Tante Zelda. »Äh, würden Sie einen Augenblick warten?« Sie verschwand in der Küche und kam mit einem kleinen Beutel wieder, der Brot und Käse enthielt.

»Hier, nehmen Sie«, sagte sie, »und viel Glück in Ihrem neuen Leben.«

Der Jäger verbeugte sich abermals.

»Haben Sie vielen Dank, Madam«, sagte er. Er ging hinunter zum Mott, vorbei an dem schlafenden Magog und seinem schmalen schwarzen Kanu, das er offensichtlich nicht wieder erkannte, und dann über die Brücke.

Vier Personen standen schweigend in der Tür und blickten der einsamen Gestalt des Jägers nach, die unsicher durch die Marram-Marschen stapfte, ihrem neuen Leben in *Fishhead's and Durdle's Wanderzirkus und Tierschau* entgegen. Dann schob sich eine Wolke vor den Mond, und über die Marschen senkte sich wieder Dunkelheit.

# ★ 39 ★

## DIE VERABREDUNG

Noch in derselben Nacht entwischte der Lehrling durch die Katzenklappe.

Berta, die noch alle Instinkte einer Katze besaß, unternahm in der Nacht gerne Streifzüge, und so verschloss Tante Zelda die Tür stets mit einem Einwegzauber. So konnte Berta hinaus, aber niemand hinein. Auch Berta nicht. Tante Zelda war vor herumstrolchenden Braunlingen und Marschgespenstern auf der Hut.

Als nun alle bis auf den Lehrling eingeschlafen waren und Berta zu ihrem nächtlichen Ausflug aufbrach, kam der Lehrling auf die Idee, ihr zu folgen. Die Klappe war sehr eng, doch der Lehrling, der dünn wie eine Schlange und doppelt so wendig war, zwängte sich durch den schmalen Durchschlupf und hob dabei mit der schwarzen Magie, die in seinen Kleidern hing, Tante Zeldas Einwegzauber auf. Bald streckte er aufgeregt den Kopf in die kalte Nachtluft.

Berta empfing ihn mit einem scharfen Schnabelhieb auf die Nase, doch davon ließ er sich nicht abschrecken. Seine Angst davor, in der Klappe stecken zu bleiben, mit den Füßen drinnen und dem Kopf draußen, war größer als seine Angst vor Berta. Sein Gefühl sagte ihm, dass es niemand sonderlich eilig haben würde, ihn herauszuziehen, falls er stecken blieb. Daher beachtete er die rabiate Ente nicht und stemmte sich mit aller Kraft ins Freie.

Er lief schnurstracks zum Landungssteg, und Berta setzte ihm nach. Wieder versuchte sie, ihn am Kragen zu packen, doch diesmal war er darauf gefasst. Er schlug nach ihr. Sie stürzte zu Boden und quetschte sich einen Flügel.

Der Magog lag schlafend im Kanu und verdaute die sechsundfünfzig Panzerkäfer. Der Lehrling stieg vorsichtig über ihn hinweg. Zu seiner Erleichterung rührte sich die Kreatur nicht – Magogs nahmen ihre Verdauung sehr ernst. Vom Geruch des Magogschleims musste der Lehrling würgen, doch er ergriff das von Schleim triefende Paddel, und bald war er draußen auf dem Mott und paddelte dem Labyrinth von Kanälen entgegen, die sich durch die Marram-Marschen schlängelten und ihn zum Deppen Ditch bringen würden.

Kaum hatte er die Hütte hinter sich gelassen, wurde ihm in der mondhellen Weite der Marschen mulmig zu Mute. Da der Magog schlief, fühlte er sich schrecklich schutzlos und musste an all die Schauergeschichten denken, die er über die Marschen gehört hatte. Er paddelte so leise wie möglich, um nur ja niemanden zu stören, der nicht gestört werden wollte, oder gar jemanden, der nur darauf wartete, dass er gestört wurde. Um sich herum hörte er die nächtlichen Geräusche der Marschen. Er vernahm das gedämpfte unterirdische Kreischen einer Horde Braunlinge, die eine unvorsichtige Marschkatze in den Wabberschlamm hinunterzog. Und dann ein widerliches Scharren und Glucksen, als zwei große Wassernixen versuchten, sich mit ihren Saugnäpfen an der Unterseite des Kanus festzuhalten und durch den Boden zu nagen. Sie rutschten jedoch am Magogschleim ab.

Kaum waren die Wassernixen fort, erschien ein Marschgespenst. Es war nur ein kleiner weißer Nebelschleier, doch es strömte einen modrigen Geruch aus, der den Lehrling an den Hügel in Dom-Daniels Versteck erinnerte. Das Gespenst hockte sich hinter ihn und stimmte einen eintönigen Singsang an. Es war das traurigste und unerträglichste Lied, das der Lehrling je gehört hatte. Die Melodie schwirrte und schwirrte ihm im Kopf herum – *»Weerrghh-derr-waaah-duuuuuuuu ... Weerrghh-derr-waaah-duuuuuuuu ...«*, bis er glaubte, verrückt zu werden.

Er schlug mit dem Paddel nach dem Gespenst, doch das Holz drang durch den heulenden Nebelfetzen, ohne auf Widerstand zu stoßen. Das Kanu geriet ins Schaukeln, und um ein Haar wäre der Lehrling in das dunkle Wasser gefallen. Dann setzte die grässliche Melodie wieder ein, ein wenig spöttisch, denn das Gespenst war sich der Aufmerksamkeit des Lehrlings jetzt gewiss: *»Weerrghh-derr-waaah-duuuuuuuu ... Weerrghh-derr-waaah-duuuuuuuu ... Weerrghh-derr-waaah-duuuuuuuu ...«*

»Aufhören!«, brüllte der Lehrling, der das Gejaule nicht mehr ertragen konnte. Er hielt sich die Ohren zu und begann mit lauter Stimme zu singen, um die Gespenstermelodie zu übertönen.

*»Ich höre nicht zu, ich höre nicht zu, ich höre nicht zu«,* grölte er aus vollem Hals. Unterdessen wirbelte das Gespenst triumphierend im Kanu herum. Gewöhnlich brauchte es viel länger, um einen jungen Kerl in ein Nervenbündel zu verwandeln, aber heute Nacht hatte es einen Glückstreffer gelandet. Die Mission war erfüllt, und so dehnte sich das Marschgespenst zu einem flachen Nebelstreifen und schwebte zufrieden von dannen, um den Rest der Nacht über seinem Lieblingssumpf zu hängen.

Der Lehrling paddelte verbissen weiter, ohne sich weiter um Marschheuler, Schreckgespenster und einige sehr verführerische Marschfeuer zu kümmern, die stundenlang um sein Kanu herumtanzten. Mittlerweile war es ihm gleichgültig, was die Marschenbewohner taten, Hauptsache, sie sangen nicht.

Als die Sonne über den Marram-Marschen aufging, erkannte der Lehrling, dass er sich hoffnungslos verirrt hatte. Er befand sich mitten in einer weiten eintönigen Landschaft, die für ihn überall gleich aussah. Er paddelte müde weiter, ratlos, was er tun sollte, und erst gegen Mittag gelangte er an einen breiten und schnurgeraden Wasserlauf, der so aussah, als führe er tatsächlich irgendwohin, statt wie viele andere in einem sumpfigen Morast zu versickern. Und so bog der Lehrling, ohne es zu wissen, in den oberen Abschnitt des Deppen Ditch ein und fuhr erschöpft dem Fluss entgegen. Der Anblick der riesigen Marschpython, die auf dem Grund des Kanals lag und sich zu strecken versuchte, vermochte ihn kaum zu erschrecken. Dazu war er viel zu müde. Außerdem wollte er es jetzt wissen. Er hatte eine Verabredung mit DomDaniel, und diesmal wollte er die Sache nicht vermasseln. Dem Königsbalg würde es noch Leid tun. Ihnen allen würde es noch Leid tun. Besonders der Ente.

Am Morgen konnte niemand in der Hütte glauben, dass es dem Lehrling tatsächlich gelungen war, sich durch die Katzenklappe zu zwängen.

»Ich hätte nie gedacht, dass sein Kopf da durchpasst«, spöttelte Jenna.

Nicko ging hinaus, um die Insel nach ihm abzusuchen, kehrte aber schon nach kurzer Zeit zurück. »Das Kanu des Jägers ist fort, und das war ein schnelles Boot. Er dürfte inzwischen ziemlich weit sein.«

»Wir müssen ihn aufhalten«, sagte Junge 412, der nur zu gut wusste, wie gefährlich ihnen der Lehrling werden konnte. »Sonst verrät er bei der erstbesten Gelegenheit, wo wir sind.«

So stiegen Jenna, Nicko und Junge 412 in die *Muriel zwei* und nahmen die Verfolgung des Lehrlings auf. Und als die Wintersonne über den Marram-Marschen aufging und lange Schatten über die Sümpfe warf, trug die *Muriel zwei* sie träge durch das Gewirr der Kanäle. Sie kamen nur langsam voran, viel zu langsam für Nickos Geschmack, der wusste, wie schnell das schnittige Kanu des Jägers dieselbe Strecke zurückgelegt haben musste. Unablässig hielt er nach dem Kanu Ausschau, halb in der Erwartung, es gekentert in einem Wabbermorast der Braunlinge oder leer in einem Kanal treibend zu entdecken, doch zu seiner Enttäuschung sah er nichts außer einem langen schwarzen Baumstamm, der ihm vorübergehend Hoffnung machte.

Neben dem Marschgespenstersumpf legten sie eine kurze Rast ein und aßen belegte Brote mit Ziegenkäse und Sardinen. Die Gespenster ließen sie in Frieden. Sie waren längst fort und hatten sich in der Wärme der aufgehenden Sonne verflüchtigt.

Es war früher Nachmittag, und Nieselregen hatte eingesetzt, als sie endlich in den Deppen Ditch einbogen. Die Sumpfpython döste im Schlamm, nur halb von Wasser bedeckt, denn die Flut hatte eben erst eingesetzt. Zur großen Erleichterung der Besatzung schenkte sie der *Muriel zwei* keine Beachtung. Sie wartete auf die frischen Fische, die ihr die Flut bringen würde. Das Wasser war noch sehr niedrig, und das Kanu glitt weit unter den Ufern dahin, die zu beiden Seiten steil aufragten. So kam es, dass Jenna, Nicko und Junge 412 erst hinter der letzten Biegung des Deppen Ditch sahen, was sie erwartete.

Die *Vergeltung.*

# ✭ 40 ✭

## DIE BEGEGNUNG

Lähmende Stille legte sich über die *Muriel zwei*.
Nur eine kurze Paddelstrecke entfernt lag die *Vergeltung* im Nieselregen vor Anker, mitten in der Tiefwasserrinne des Flusses. Das große schwarze Schiff bot einen überwältigenden Anblick: Der mächtige Bug ragte wie eine Klippe steil in die Höhe, und da die Segel aufgerollt waren, stachen die beiden hohen Masten wie schwarze Knochen gegen den bewölkten Himmel ab. Im Grau des frühen Nachmittags umgab das Schiff eine unheimliche Stille. Keine Möwe kreiste über ihm in der Hoffnung auf Küchenabfälle. Kleine Boote, die auf dem Fluss fuhren, flüchteten bei seinem Anblick in die seichten Uferzonen. Lieber riskierten sie, auf Grund zu laufen, als der berüchtigten *Vergeltung* zu nahe zu kommen. Eine dicke schwarze Wolke hatte sich über den Masten zusammengeballt und warf einen dunklen Schatten auf das Schiff, und

am Heck wehte unheilvoll eine blutrote Flagge mit drei schwarzen Sternen.

Auch ohne die Flagge hätte Nicko sofort gewusst, wem das Schiff gehörte. Kein anderes Schiff war mit dem tiefschwarzen Teer gestrichen, den DomDaniel benutzte. Und kein anderes Schiff hätte eine so unheilvolle Stimmung ausstrahlen können. Wild gestikulierend gab er Jenna und Junge 412 zu verstehen, dass sie zurückpaddeln sollten, und Sekunden später lag die *Muriel zwei* sicher hinter der letzten Biegung des Deppen Ditch.

»Was ist das für ein Schiff?«, flüsterte Jenna.

»Das ist die *Vergeltung*«, antwortete Nicko ebenso leise. »DomDaniels Schiff. Es wartet bestimmt auf den Lehrling. Ich wette, dass die kleine Kröte an Bord will. Gib mir das Fernrohr, Jen.«

Nicko setzte das Fernrohr an und sah seine Befürchtung bestätigt. Im Schatten, den der hohe schwarze Rumpf des Schiffes warf, lag das Kanu des Jägers. Neben der *Vergeltung* wirkte es winzig. Es schaukelte leer auf den Wellen und war an einer Strickleiter festgemacht, die an Deck führte.

Der Lehrling hatte seine Verabredung eingehalten.

»Zu spät«, sagte Nicko. »Er ist bereits an Bord. Oh, igitt, was ist denn das? Ist ja ekelhaft. Es ist aus dem Kanu gekrochen. So was von schleimig. Aber es klettert locker die Strickleiter hoch. Wie ein hässlicher Affe.« Nicko schüttelte sich.

»Kannst du den Lehrling sehen?«, flüsterte Jenna.

Nicko ließ das Fernrohr die Strickleiter hinaufwandern. Er nickte. Tatsächlich. Der Lehrling war fast oben, hatte aber innegehalten und blickte entsetzt nach unten zu der Kreatur, die sehr schnell

386

kletterte. Augenblicke später war der Magog bei ihm und kroch, eine knallgelbe Schleimspur auf seinem Rücken hinterlassend, einfach über ihn hinweg. Beinahe hätte der Lehrling den Halt verloren. Er taumelte kurz, riss sich aber zusammen und erklomm mühsam die letzten Sprossen. An Deck brach er zusammen und blieb liegen, sodass er nicht mehr zu sehen war.

Geschieht ihm recht, dachte Nicko.

Sie beschlossen, sich die *Vergeltung* genauer anzusehen. Sie machten die *Muriel zwei* an einem Felsen fest und überquerten den Strand, auf dem sie nach ihrer Flucht aus der Burg ein Mitternachtspicknick veranstaltet hatten. Jenna bog als Erste um die Ecke. Der Schreck fuhr ihr in die Glieder. Da war schon jemand. Sie duckte sich hinter einen alten Baumstamm. Junge 412 und Nicko prallten von hinten gegen sie.

»Was ist denn?«, fragte Nicko flüsternd.

»Da ist jemand am Strand«, raunte Jenna. »Vielleicht jemand vom Schiff. Eine Wache.«

Nicko spähte um den Baumstamm herum und grinste. »Es ist niemand vom Schiff.«

»Woher willst du das wissen?«, fragte Jenna. »Könnte doch sein.«

»Weil es Alther ist.«


Alther Mella saß am Strand und starrte bedrückt in den Nieselregen. Seit Tagen wartete er hier in der Hoffnung, dass jemand aus der Hüterhütte auftauchte. Er hatte wichtige Neuigkeiten.

»Alther?«, flüsterte Jenna.

»Prinzessin!« Das von Sorgen gezeichnete Gesicht des Geistes hellte sich auf. Er schwebte zu Jenna hinüber und umarmte sie herzlich. »Oh, ich glaube, du bist gewachsen, seit wir uns das letzte Mal gesehen haben.«

Jenna legte den Finger auf die Lippen. »Pst, Alther, sie könnten uns hören.«

Er blickte überrascht. Er war es nicht gewohnt, dass Jenna ihm Vorschriften machte.

»Sie können mich nicht hören.« Er kicherte. »Nur wenn ich will. Und euch können sie auch nicht hören – ich habe einen Schreischutzschirm gezaubert. Die hören keinen Ton.«

»Ach, Alther«, sagte Jenna, »es ist so schön, dich zu sehen. Findest du nicht, Nicko?«

Nicko grinste übers ganze Gesicht. »Doch.«

Alther sah Junge 412 schelmisch an. »Hier haben wir ja noch jemanden, der gewachsen ist.« Er schmunzelte. »Die Burschen von der Jungarmee sind alle so schmal wie ein Handtuch. Ich sehe mit Freuden, dass du zugenommen hast.«

Junge 412 lief rot an.

»Er ist jetzt auch nett, Onkel Alther«, sagte Jenna zu dem Geist.

»Vermutlich war er das schon immer«, erwiderte Alther, »aber bei der Jungarmee darf man eben nicht nett sein. Es ist verboten.«

Er lächelte Junge 412 an.

Junge 412 lächelte schüchtern zurück.


Sie saßen im Regen am Strand, außer Sicht der *Vergeltung*.

»Wie geht es Mum und Dad?«, fragte Nicko.

»Und Simon?«, schob Jenna nach. »Was ist mit Simon?«

»Ach, Simon«, sagte Alther. »Simon ist nicht mehr im Wald bei eurer Mutter. Er hat sich davongeschlichen. Wie es scheint, wollten er und Lucy Gringe heimlich heiraten.«

»Wie?«, sagte Nicko. »Simon hat geheiratet?«

»Nein. Gringe hat davon Wind bekommen und Simon an die Gardewächter verraten.«

»Oh, nein!«, stöhnten Jenna und Nicko.

»Ach, macht euch um Simon keine Sorgen«, sagte Alther seltsam teilnahmslos. »Ich weiß nicht, wie er es angestellt hat, aber er war wochenlang im Gewahrsam des Obersten Wächters, und dann kam er plötzlich frei und sah aus, als hätte er Ferien gemacht. Allerdings habe ich so meine Vermutungen.«

»Was meinst du damit, Onkel Alther?«, fragte Jenna.

»Oh, es ist wahrscheinlich nichts, Prinzessin.« Alther hatte offenbar keine große Lust, mehr über Simon zu sagen.

Junge 412 brannte eine Frage auf der Zunge, nur fand er es komisch, mit einem Geist zu sprechen. Aber er musste Gewissheit haben, also fasste er sich ein Herz und fragte: »Äh, Verzeihung, aber was ist aus Marcia geworden. Geht es ihr gut?«

Alther seufzte. »Nein.«

»Nein?«, wiederholten drei Stimmen im Chor.

»Sie haben sie in eine Falle gelockt.« Alther runzelte die Stirn. »Der Oberste Wächter und die Rattenzentrale. Seine Ratten haben die Zentrale übernommen. Genauer gesagt, DomDaniels Ratten. Sie haben früher seinen Spitzeldienst in den Ödlanden geleitet. Haben einen ganz üblen Ruf. Sind vor Jahrhunderten mit den Seuchenratten hier aufgetaucht. Eine böse Sache.«

»Soll das heißen, dass die Botenratte eine von ihnen war?«, fragte Jenna, die Stanley gemocht hatte.

»Nein, nein«, antwortete Alther. »Die Strolche von der Rattenzentrale haben ihn verhaften lassen. Er ist verschwunden. Armer Kerl. Ich gebe ihm keine großen Chancen.«

»Oh, wie furchtbar«, sagte Jenna.

»Und die Botschaft für Marcia war auch nicht von Silas«, sagte Alther.

»Hab ich mir gleich gedacht«, sagte Nicko.

»Sie war vom Obersten Wächter«, fuhr Alther fort. »Als Marcia zum Palasttor kam, um sich mit Silas zu treffen, wurde sie von den Gardewächtern erwartet. Natürlich wäre das für Marcia kein Problem gewesen, wenn sie in den Minuten um Mitternacht gekommen wäre, aber ihre Uhr ging zwanzig Minuten nach. Außerdem hatte sie ihren Talisman weggegeben. Dumme Geschichte. DomDaniel hat das Amulett an sich genommen, und wir müssen leider davon ausgehen, dass er jetzt der Außergewöhnliche Zauberer ist.«

Jenna und Nicko verschlug es die Sprache. Das übertraf ihre schlimmsten Befürchtungen.

»Verzeihung«, wagte Junge 412 zu sagen. Er fühlte sich miserabel. Alles war seine Schuld. Als Marcias Lehrling hätte er ihr helfen können. Es wäre niemals so weit gekommen. »Marcia ist doch noch am ... Leben, oder?«

Alther sah Junge 412 an. Seine verblassten grünen Augen blickten freundlich, und nachdem er von seiner beunruhigenden Gabe, Gedanken zu lesen, Gebrauch gemacht hatte, sagte er: »Du hättest es nicht verhindern können, mein Junge. Sie hätten euch beide gekriegt. Sie war im Verlies Nummer eins, aber jetzt …«

Junge 412 schlug entsetzt die Hände vors Gesicht. Er wusste alles über das Verlies Nummer eins.

Alther legte ihm seinen Geisterarm um die Schulter. »Mach dir keine Sorgen. Ich war die meiste Zeit bei ihr. Es ging ihr gut, und ich nehme an, dass es ihr auch jetzt gut geht. Den Umständen entsprechend. Vor ein paar Tagen, bevor wir mit der *Molly* ausgelaufen sind, bin ich nur mal kurz weg, um mich um ein paar … äh … Angelegenheiten zu kümmern, die ich in DomDaniels Turmzimmern zu erledigen hatte. Als ich ins Verlies zurückkam, war sie fort. Ich habe überall, wo ich konnte, nachgesehen. Ich habe sogar ein paar von den Alten suchen lassen. Ihr wisst schon, die richtig alten Geister. Aber sie leiden unter Gedächtnisschwund und kommen leicht durcheinander. Die meisten kennen sich in der Burg nicht besonders gut aus – plötzlich stehen sie vor einer neuen Mauer oder Treppe und wissen nicht mehr weiter. Sie finden sich nicht mehr zurecht. Gestern musste ich einen aus einem Haufen Küchenabfälle ziehen. Anscheinend war an derselben Stelle früher sein Speisezimmer. Vor ungefähr fünfhundert Jahren. Die Alten sind süß, aber ehrlich gesagt sind sie einem mehr Last als Hilfe.« Alther seufzte. »Ich frage mich allerdings, ob …«

»Ob was?«, fragte Jenna.

»Ob Marcia nicht vielleicht auf der *Vergeltung* ist. Bedauerlicherweise kann ich nicht auf dieses verflixte Schiff, um nachzusehen.«

Alther ärgerte sich über sich selbst. Heute würde er jedem

Außergewöhnlichen Zauberer raten, zu seinen Lebzeiten möglichst viele Orte aufzusuchen, damit er als Geist in seiner Bewegungsfreiheit nicht so eingeschränkt war wie er selbst. Doch für ihn war es zu spät. Was er im Leben versäumt hatte, konnte er jetzt nicht mehr nachholen. Er musste das Beste daraus machen.

Zum Glück hatte DomDaniel kurz nach Beginn seiner Lehre wenigstens darauf bestanden, ihn auf einen langen und sehr unangenehmen Rundgang durch die dunkelsten Verliese mitzunehmen. Zu der Zeit hätte sich Alther nie träumen lassen, dass er eines Tages darüber froh sein würde. Aber hätte er damals doch nur die Einladung zu dem Fest auf der *Vergeltung* anlässlich ihres Stapellaufs angenommen ... Er war einer von mehreren jungen Lehrlingsanwärtern, die zu dem Fest auf DomDaniels neuem Spielzeug eingeladen worden waren. Doch er schlug die Einladung aus, weil Alice Nettles am selben Tag Geburtstag hatte. Frauen durften das Schiff nicht betreten. Und Alther wollte Alice an ihrem Geburtstag auf keinen Fall allein lassen. Bei dem Fest schlugen die Lehrlingsanwärter über die Stränge und richteten an Bord so großen Schaden an, dass sie beim Außergewöhnlichen Zauberer nicht einmal mehr eine Stelle als Putzhilfe bekommen hätten. Wenig später wurde Alther sein Lehrling, und danach ergab sich nie wieder eine Gelegenheit, das Schiff zu besichtigen. DomDaniel ließ es nach dem verhängnisvollen Fest zur Reparatur in die Miesbucht bringen. Die Miesbucht war ein schauriger Ankerplatz voller abgetakelter und verrottender Schiffe. Doch dem Schwarzkünstler gefiel die Bucht so gut, dass er sein Schiff dort ließ und jedes Jahr in den Sommerferien hinfuhr.

Sie saßen niedergeschlagen am nassen Strand, aßen die letzten aufgeweichten Brote mit Ziegenkäse und Sardinen und tranken die Flasche Rote-Beete- und Karottensaft vollends leer.

»Manchmal«, sagte Alther nachdenklich, »bedauere ich es sehr, dass ich nicht mehr essen kann …«

»Aber jetzt nicht?«, beendete Jenna den Satz für ihn.

»Exakt, Prinzessin.«

Jenna zog Petroc Trelawney aus der Tasche und hielt ihm einen klebrigen Klumpen zerquetschte Sardine mit Ziegenkäse hin. Petroc öffnete die Augen und begutachtete das Angebot. Das Steintier war verdutzt. Normalerweise bekam es so etwas nur von Junge 412. Jenna gab ihm sonst immer Kekse. Er aß es trotzdem, bis auf ein Stück Käse, das an seinem Kopf kleben blieb und später in Jennas Tasche wanderte.

Als das letzte matschige Brot gegessen war, sagte Alther ernst: »Kommen wir zur Sache.«

Drei besorgte Gesichter sahen ihn an.

»Hört mir alle zu. Ihr müsst unverzüglich zur Hüterhütte zurück. Und ihr müsst Tante Zelda sagen, dass sie euch alle gleich morgen früh nach Port bringen soll. Alice – sie ist dort jetzt die Oberzollinspektorin – wird euch ein Schiff besorgen. Ihr fahrt in die Fernlande, und ich versuche inzwischen hier, die Dinge zu regeln.«

»Aber …«, brach es aus Jenna, Nicko und Junge 412 hervor.

Alther schnitt ihnen das Wort ab.

»Wir treffen uns morgen früh im *Blauen Anker*, das ist eine Schänke im Hafen. Ihr müsst unbedingt kommen. Eure Eltern kommen auch, mit Simon. Sie fahren mit meinem alten Boot, der

*Molly,* bereits den Fluss hinunter. Leider wollten Sam, Erik und Edd und Jo-Jo den Wald nicht verlassen – sie sind ziemlich verwildert, aber Morwenna wird ein wachsames Auge auf sie haben.«

Eine bedrückte Stille folgte. Keinem gefiel, was Alther gesagt hatte.

»Wir sollen weglaufen?«, sagte Jenna ruhig. »Wir wollen bleiben. Und kämpfen.«

»Ich wusste, dass du das sagen würdest«, seufzte Alther. »Dasselbe hätte auch deine Mutter gesagt. Aber ihr müsst jetzt gehen.«

Nicko stand auf.

»In Ordnung«, sagte er widerwillig. »Wir sehen uns morgen in Port.«

»Fein«, sagte Alther. »Gute Fahrt. Wir sehen uns morgen in Port.« Er schwebte in die Höhe und sah zu, wie die drei mit hängenden Köpfen zur *Muriel zwei* schlichen. Er wartete noch so lange, bis sie ein gutes Stück den Deppen Ditch hinaufgepaddelt waren, dann jagte er im Tiefflug zur *Molly* zurück. Bald war er nur noch ein kleiner Punkt in der Ferne.

Im selben Augenblick wendete die *Muriel zwei* und fuhr zurück zur *Vergeltung.*

# ★ 41 ★

## DIE *VERGELTUNG*

Auf der *Muriel zwei* wurde hitzig diskutiert.

»Ich habe keinen blassen Schimmer. Vielleicht ist Marcia ja überhaupt nicht auf der *Vergeltung*.«

»Ich gehe jede Wette ein, dass sie an Bord ist.«

»Wir müssen sie finden. Ich könnte sie ganz bestimmt retten.«

»Na hör mal, nur weil du in der Armee warst, kannst du noch lange nicht ein Schiff stürmen und Menschen retten.«

»Aber versuchen kann ich es.«

»Er hat Recht, Nicko.«

»Das schaffen wir nie. Sie sehen uns kommen. Jedes Schiff hat rund um die Uhr eine Wache an Deck.«

»Aber wir könnten es mit dem Zauber versuchen, du weißt doch, mit dem ... wie hieß er noch?«

»Unsichtbarkeitszauber. Kinderleicht. Dann können wir zum Schiff paddeln, die Strickleiter raufklettern und ...«

»Halt, aufhören! Das ist gefährlich.«

»Marcia hat mich gerettet, als ich in Gefahr war.«

»Und mich auch.«

»Na schön. Ihr habt gewonnen.«

Als die *Muriel zwei* um die letzte Biegung des Deppen Ditch fuhr, fasste Junge 412 in die Innentasche seines roten Filzhuts und zog den Drachenring hervor.

»Was ist das für ein Ring?«, fragte Nicko.

»Äh, ein Zauberring. Hab ich gefunden. Unter der Erde.«

»Sieht aus wie ein Amulett«, sagte Nicko.

»Ja«, stimmte Junge 412 zu, »hab ich mir auch schon gedacht.« Er steckte ihn an seinen Finger. Sofort wurde der Ring warm. »Soll ich gleich mit dem Zauber anfangen?«, fragte er.

Jenna und Nicko nickten, und Junge 412 leierte herunter:

>»Lass in der Luft mich nun verschwinden,
>Lass keinen, der mir Böses will, mich finden,
>Lass den vorbeigehn, der mich hasst,
>Mach, dass sein Aug mich nicht erfasst.«

Junge 412 verschwand langsam im Nieselregen, nur sein Paddel schwebte noch in der Luft. Jenna nahm einen tiefen Atemzug und sprach ihrerseits die Zauberformel.

»Du bist immer noch da, Jen«, sagte Nicko. »Probier's noch mal.«

Beim dritten Versuch klappte es. Jennas Paddel schwebte neben dem von Junge 412.

»Jetzt du, Nicko«, sagte Jennas Stimme.

»Wartet einen Moment«, sagte Nicko. »Den habe ich noch nie ausprobiert.«

»Dann nimm eben deinen eigenen«, schlug Jenna vor. »Ist doch egal, Hauptsache, er funktioniert.«

»Na ja, äh, ich weiß nicht, ob er funktioniert. Und er geht ganz anders als ›Lass in der Luft mich nun verschwinden‹.«

»*Nicko!*«, protestierte Jenna.

»Schon gut, schon gut. Ich versuch's.«

»›Ungesehen, ungehört‹ ... äh ... ich weiß nicht mehr, wie es weitergeht.«

»Versuch's mal mit: ›Ungesehen, ungehört, nicht ein Flüstern, nicht ein Wort‹«, schlug Junge 412 wie aus dem Nichts vor.

»Genau, so geht es. Danke.«

Der Zauber funktionierte. Nicko löste sich langsam in Luft auf.

»Bist du in Ordnung, Nicko?«, fragte Jenna. »Ich kann dich nicht sehen.«

Es kam keine Antwort.

»Nicko?«

Nickos Paddel wackelte wild hin und her.

»Wir können ihn nicht sehen, und er kann uns nicht sehen, weil er einen anderen Zauber verwendet hat«, sagte Junge 412 leicht missbilligend. »Und wir können ihn bestimmt auch nicht hören, denn es ist hauptsächlich ein Stillezauber. Außerdem schützt er ihn nicht.«

»Nicht gerade berauschend«, sagte Jenna.

»Nein«, stimmte Junge 412 ihr zu. »Aber ich habe eine Idee. Ich versuche es mit einem Erkennungszauber. Das müsste hinhauen: ›Zwischen den Zaubern in unserer Runde, gewähre uns eine gemeinsame Stunde.‹«

»Da ist er!«, rief Jenna, als Nickos Gestalt leicht verschwommen erschien. »Kannst du uns sehen, Nicko?«, fragte sie.

Nicko grinste und reckte den Daumen nach oben.

»Wow, du bist richtig gut«, sagte Jenna zu Junge 412.

Nebel kam auf, und Nicko nutzte seinen Stillezauber, um aus dem Kanal auf den Fluss hinauszupaddeln. Es war windstill, und das Wasser kräuselte sich leicht im Nieselregen. Nicko paddelte so ruhig wie möglich, nur für den Fall, dass zwei scharfe Augen im Ausguck des Schiffs die seltsamen Wirbel an der Wasseroberfläche bemerkten, die sich langsam dem Schiff näherten.

Nicko kam zügig voran, und bald tauchte die steile schwarze Bordwand der *Vergeltung* vor ihnen aus dem dunstigen Regen auf. Unbemerkt erreichte die *Muriel zwei* die Strickleiter. Sie beschlossen, dass Nicko im Kanu bleiben sollte. Unterdessen sollten Jenna und Junge 412 versuchen herauszufinden, ob Marcia an Bord war, und sie, wenn möglich, befreien. Nicko sollte sich bereithalten, falls sie Hilfe brauchten. Aber Jenna hoffte, dass das nicht nötig sein würde, denn sein Zauber schützte ihn nicht, wenn er in Schwierigkeiten geriet. Nicko hielt das Kanu fest, während zuerst Jenna und dann Junge 412 auf die wackelige Strickleiter kletterten und den langen, gefährlichen Aufstieg in Angriff nahmen.

Nicko sah ihnen nach. Er hatte ein ungutes Gefühl. Es kam nämlich vor, dass Unsichtbare Schatten warfen und eigenartige Luftwirbel erzeugten. In dem Fall würde sie ein Schwarzkünstler wie

DomDaniel mit Leichtigkeit entdecken. Aber Nicko konnte nichts weiter tun, als ihnen im Stillen Glück zu wünschen. Er beschloss, ihnen nachzuklettern, wenn das Wasser im Deppen Ditch den mittleren Stand erreicht hatte und sie bis dahin noch nicht zurück waren, ob ihn sein Zauber nun schützte oder nicht.

Um sich die Zeit zu vertreiben, stieg er in das Kanu des Jägers um. Er sagte sich, dass er genauso gut in einem anständigen Boot warten konnte. Auch wenn es ein wenig mit Schleim verschmiert war. Und stank. Aber auf den Fischerbooten, auf denen er früher ausgeholfen hatte, hatte es manchmal noch schlimmer gestunken.

Der Aufstieg an der Strickleiter war nicht leicht. Andauernd schlug die Leiter gegen die klebrige schwarze Bordwand, und Jenna hatte Angst, man könnte sie hören, doch oben blieb alles ruhig. So ruhig, dass sie sich fragte, ob es eine Art Geisterschiff war.

Oben angekommen, blickte Junge 412 in die Tiefe, und das hätte er besser nicht getan. Alles begann sich zu drehen, ihm wurde speiübel. Er bekam schweißnasse Hände und wäre beinahe von der Strickleiter abgerutscht. Das Wasser war Schwindel erregend weit unter ihm. Das Kanu des Jägers sah winzig aus, und eine Sekunde lang glaubte er, jemand darin sitzen zu sehen. Er schüttelte den Kopf. Nicht nach unten sehen, sagte er sich streng. *Nicht nach unten sehen!*

Jenna hatte keine Höhenangst. Sie kletterte mühelos hinauf und zog Junge 412 von der Leiter an Deck. Junge 412 heftete seine Augen fest auf Jennas Stiefel, als er an Deck kroch.

Sie sahen sich um.

Auf der *Vergeltung* war es unheimlich. Die dicke Wolke, die über ihr hing, tauchte sie in einen tiefen Schatten, und bis auf das leise gleichmäßige Knarren, mit dem sie sich in der auflaufenden Flut wiegte, war es still. Jenna und Junge 412 schlichen übers Deck, vorbei an sauber aufgeschossenen Tauen, ordentlichen Reihen geteerter Fässer und mehreren Kanonen, die drohend in Richtung Marram-Marschen wiesen. Bis auf das bedrückende Schwarz und ein paar gelbe Schleimspuren an Deck deutete nichts auf den Besitzer des Schiffes hin. Sie gingen in Richtung Bug, und plötzlich spürte Junge 412 so deutlich die Gegenwart dunkler Kräfte, dass es ihn fast umwarf. Jenna spürte nichts und ging weiter, und er folgte ihr, da er sie nicht allein lassen wollte.

Die dunklen Kräfte kamen von einem imposanten Thron, der neben dem Fockmast stand und in Richtung Meer blickte. Es war ein großes und schweres Möbelstück, das an Deck eines Schiffes merkwürdig fehl am Platz wirkte, kunstvoll aus Ebenholz gezimmert und mit dunkelrotem Blattgold verziert – und darauf saß DomDaniel, der Schwarzkünstler höchstpersönlich. Er hatte die Augen geschlossen und den Mund halb geöffnet, und aus seiner Kehle drang bei jedem Atemzug ein leises Gurgeln. DomDaniel hielt seinen Nachmittagsschlaf. Unter dem Thron lag, wie ein treuer Hund, eine schlafende Kreatur in einer Lache aus gelbem Schleim.

Junge 412 packte Jenna so fest am Arm, dass sie fast aufschrie. Er deutete auf DomDaniels Taille. Jenna sah hin und blickte dann wieder verzweifelt zu Junge 412. Es stimmte also. Sie hatte Alther nicht glauben wollen, aber jetzt sah sie es mit eigenen Augen. Um

DomDaniels Taille lag, durch seinen dunklen Umhang fast verdeckt, der Gürtel der Außergewöhnlichen Zauberin. *Marcias* Gürtel.

Jenna und Junge 412 betrachteten DomDaniel mit einer Mischung aus Abscheu und Faszination. Die Hände des Schwarzkünstlers lagen auf den Ebenholzlehnen des Thrones. Seine gelben Fingernägel krümmten sich um die Enden und krallten sich wie Klauen ins Holz. Sein Gesicht hatte noch die verräterische gräuliche Blässe aus jenen Jahren, die er in der Unterwelt zugebracht hatte. Es war in vieler Hinsicht ein gewöhnliches Gesicht. Nur die Augen lagen vielleicht etwas zu tief, und der Zug um den Mund war etwas zu streng. Doch es waren die darunter liegenden dunklen Kräfte, die Jenna und Junge 412 erschaudern ließen.

Auf seinem Kopf saß ein schwarzer Zylinder. Er sah aus wie ein kurzes Ofenrohr und war ihm aus unerfindlichen Gründen immer eine Idee zu groß, wie oft er sich auch einen neuen anfertigen ließ. Das störte DomDaniel mehr, als er zugeben wollte, und er war zu der Überzeugung gelangt, dass sein Kopf seit seiner Rückkehr in den Zaubererturm schrumpfte. Im Schlaf war der Hut heruntergerutscht, sodass er jetzt auf seinen weißlichen Ohren ruhte. Der schwarze Zylinder war ein altmodischer Zaubererhut. Kein Zauberer hatte ihn mehr getragen oder tragen wollen, seit er mit der großen Zauberer-Inquisition vor vielen hundert Jahren in Verbindung gebracht wurde.

Über dem Thron war ein dunkelroter Baldachin gespannt, auf dem drei Sterne prangten. Jetzt im Regen hing er stark nach unten durch, und in regelmäßigen Abständen fiel ein Tropfen herab und landete spritzend in der Pfütze, die sich in der Einbuchtung oben auf dem Zylinder gebildet hatte.

Junge 412 hielt Jenna an der Hand fest. Er erinnerte sich an ein mottenzerfressenes Büchlein von Marcia mit dem Titel *Die hypnotische Anziehungskraft der dunklen Kräfte*, das er an einem verschneiten Nachmittag gelesen hatte, und er spürte, wie Jenna in den Bann dieser Kräfte geriet. Er zog sie von dem Schläfer fort, hin zu einer offenen Luke.

»Marcia ist hier«, raunte er ihr zu. »Ich spüre ihre Gegenwart.«

An der Luke angekommen, vernahmen sie Schritte. Jemand lief über das Unterdeck und kam dann rasch die Leiter heraufgeklettert. Sie versteckten sich hinter einem Fass. Im nächsten Moment erschien ein Seemann mit einer langen unangezündeten Fackel in der Hand. Der Mann war klein und drahtig und schwarz gekleidet wie die Gardewächter, doch im Unterschied zu den Wächtern hatte er keinen kahl geschorenen Schädel, sondern einen langen dunklen Zopf, der auf seinem Rücken baumelte. Zu einer ausgebeulten Hose, die knapp über die Knie reichte, trug er eine Jacke mit breiten schwarz-weißen Streifen. Der Matrose zückte eine Zunderbüchse, schlug einen Funken und entzündete die Fackel. Sie fing sofort Feuer, und eine orangefarbene Flamme erhellte das Grau des verregneten Nachmittags und warf tanzende Schatten übers Deck. Er trug die Fackel vor zum Bug und steckte sie in einen Fackelhalter. DomDaniel öffnete die Augen. Sein Nickerchen war vorüber.

Der Matrose verharrte nervös neben dem Thron und wartete auf Befehle des Schwarzkünstlers.

»Sind sie zurück?«, fragte eine tiefe, dumpfe Stimme, bei deren Klang sich Junge 412 die Nackenhaare sträubten.

Der Matrose mied den Blick des Schwarzkünstlers und verbeugte sich. »Der Junge ist zurückgekehrt, Exzellenz. Mit Ihrem Diener.«

»Ist das alles?«

»Jawohl, Exzellenz. Aber ...«

»Was aber?«

»Der Junge sagt, er hätte die Prinzessin gefangen, Exzellenz.«

»Das Königsbalg! Sehr schön. Es geschehen noch Zeichen und Wunder. Bring sie zu mir. Auf der Stelle!«

»Zu Befehl, Exzellenz.« Der Matrose machte eine tiefe Verbeugung.

»Und hol die Gefangene herauf. Es wird sie interessieren, ihren ehemaligen Schützling zu sehen.«

»Ihren was, Exzellenz?«

»Das Königsbalg, du Wicht. Hol sie alle rauf. Sofort!«

Der Seemann verschwand in der Luke, und wenig später spürten Jenna und Junge 412, dass sich unter Deck etwas regte. Im Bauch des Schiffes brach Geschäftigkeit aus. Seeleute purzelten aus Hängematten, legten Schnitzarbeiten, Knoten oder noch unfertige Schiffe in Flaschen weg und liefen, wie von DomDaniel befohlen, durchs Unterdeck.

DomDaniel erhob sich von seinem Thron, noch etwas steif von der Kälte, und blinzelte, als sich ein Rinnsal Regenwasser vom Deckel des Zylinders in sein Auge ergoss. Zornig weckte er den schlafenden Magog mit einem Fußtritt. Die Kreatur quoll unter dem

Thron hervor und kroch zu DomDaniel, der mit verschränkten Armen und erwartungsvoller Miene wartete.

Bald ertönten von unten schwere Tritte, und gleich darauf erschienen ein Dutzend Matrosen und nahmen als Leibwache rings um DomDaniel Aufstellung. Dann folgte die zaudernde Gestalt des Lehrlings. Er war blass, und Jenna sah, dass seine Hände zitterten. DomDaniel würdigte ihn keines Blickes. Seine Augen waren noch auf die offene Luke gerichtet und warteten darauf, dass die gefangene Prinzessin auftauchte.

Doch es kam niemand.

Die Zeit schien stehen zu bleiben. Die Matrosen, die nicht wussten, worauf sie eigentlich warteten, traten unruhig von einem Fuß auf den anderen, und der Lehrling bekam ein nervöses Zucken unter dem linken Auge. Von Zeit zu Zeit schielte er zu seinem Meister, sah aber gleich wieder weg, als fürchte er, DomDaniel könnte seinen Blick auffangen. Nach einer halben Ewigkeit fragte DomDaniel: »Nun, wo bleibt sie, Bursche?«

»W... wer, Exzellenz?«, stotterte der Lehrling, obwohl er genau wusste, wer gemeint war.

»Das Königsbalg, du Spatzenhirn. Wen sollte ich denn sonst meinen? Deine schwachsinnige Mutter?«

»N... nein, Exzellenz.«

Wieder waren unten Schritte zu hören.

»Ah«, murmelte DomDaniel. »Endlich.«

Doch es war Marcia. Ein Magog, der sie mit seiner langen gelben Klaue festhielt, schob sie durch die Luke. Sie versuchte, ihn abzuschütteln, doch die Kreatur klebte wie Leim an ihr. Ihre Kleidung war mit gelben Schleimstreifen überzogen. Sie schaute angeekelt an sich hinunter und behielt denselben Gesichtsausdruck, als sie sich DomDaniel zuwandte, der sie triumphierend ansah. Obwohl Marcia einen Monat lang in einem dunklen Kerker geschmachtet hatte und ihrer Zauberkräfte beraubt war, gab sie noch eine gute Figur ab. Ihr dunkles Haar, wirr und ungekämmt, verlieh ihr ein zorniges Aussehen. Ihr salzfleckiger Umhang war von einer schlichten Würde, und ihre Pythonschuhe waren wie immer makellos sauber. Jenna spürte, dass DomDaniel verunsichert war.

»Ah, Miss Overstrand«, murmelte er, »wie schön, dass Sie uns beehren.«

Sie antwortete nicht.

»Miss Overstrand, ich habe Sie aus folgendem Grund hier behalten. Ich wollte, dass Sie dieses kleine ... Finale miterleben. Wir haben eine interessante Neuigkeit für Sie, nicht wahr, Septimus?«

Der Lehrling nickte unsicher.

»Mein getreuer Lehrling hat Freunde von Ihnen besucht, Miss Overstrand. In dem hübschen kleinen Haus da drüben.« DomDaniel wedelte mit seinen beringten Fingern in Richtung Marram-Marschen.

Etwas in Marcias Gesicht veränderte sich.

»Ah, wie ich sehe, wissen Sie, von wem ich spreche, Miss Overstrand. Das habe ich mir fast gedacht. Nun, mein Lehrling hier hat von einer erfolgreichen Mission berichtet.«

Der Lehrling wollte etwas sagen, wurde von seinem Meister aber mit einer Geste daran gehindert.

»Auch ich kenne noch nicht alle Einzelheiten. Ich habe mir gedacht, Sie möchten bestimmt als Erste die gute Nachricht hören. Deshalb wird uns Septimus jetzt ausführlich berichten, nicht wahr, Junge?«

Der Lehrling richtete sich zögernd auf. Er wirkte sehr nervös. Mit dünner Stimme stammelte er: »Ich ... äh ...«

»Sprich lauter, Junge«, sagte DomDaniel. »Es hat keinen Sinn, wenn wir kein Wort von dem verstehen, was du sagst. Also?«

»Ich ... äh ... ich habe die Prinzessin gefunden. Das Königsbalg.«

Unter den Zuhörern entstand eine gewisse Unruhe. Jenna hatte den Eindruck, dass die Matrosen von der Neuigkeit nicht gerade angetan waren, und musste an Tante Zelda denken, die zu ihr gesagt hatte, dass DomDaniel die Seeleute niemals für sich gewinnen würde.

»Weiter, Junge«, drängte DomDaniel ungeduldig.

»Ich ... äh ... der Jäger und ich haben die Hütte gestürmt und alle gefangen genommen ... äh ... die Weiße Hexe Zelda Zanuba Heap, den Zaubererjungen Nickolas Benjamin Heap und den desertierten Entbehrlichen von der Jungarmee, Junge 412. Und ich habe die Prinzessin gefangen genommen – das Königsbalg.«

Der Lehrling machte eine Pause. Panische Angst sprach aus seinen Augen. Was sollte er sagen? Wie sollte er erklären, dass die Prinzessin gar nicht an Bord und der Jäger verschwunden war?

»Du selbst hast das Königsbalg gefangen genommen?«, erkundigte sich DomDaniel argwöhnisch.

»Jawohl, Exzellenz. Ich. Aber ...«

»Was aber?«

»Aber, nun ja, Exzellenz, die Weiße Hexe hat den Jäger überwältigt, und als er fortgegangen ist, um Clown zu werden ...«

»Clown? Willst du Schabernack mit mir treiben, Junge? Das will ich dir nicht geraten haben!«

»Nein, Exzellenz. Ich will keinen Schabernack mit Ihnen treiben, Exzellenz.« Dem Lehrling war in seinem ganzen Leben nie weniger nach Schabernack zu Mute gewesen. »Als der Jäger fort war, ist es mir gelungen, das Königsbalg eigenhändig gefangen zu nehmen, Exzellenz, und um ein Haar wäre ich auch entkommen, aber ...«

»Um ein Haar? Um ein Haar entkommen?«

»Ja, Exzellenz. Es war sehr knapp. Der verrückte Zaubererjunge Nickolas Heap hat mich mit einem Messer angegriffen. Er ist sehr gefährlich, Exzellenz. Und das Königsbalg ist entwischt.«

*»Entwischt?!«*, brüllte DomDaniel und baute sich vor dem zitternden Lehrling auf. »Und da kommst du zurück und nennst deine Mission einen Erfolg? Schöner Erfolg. Zuerst sagst du, dieser vermaledeite Jäger sei Clown geworden, dann sagst du, eine lächerliche Weiße Hexe und ein paar Rotznasen, die von zu Hause fortgelaufen sind, hätten dir einen Strich durch die Rechnung gemacht. Und jetzt erzählst du mir, dass das Königsbalg entkommen ist. Der ganze Zweck dieser Mission, ihr alleiniger Zweck bestand darin, dieses emporgekommene Königsbalg gefangen zu nehmen. Was genau meinst du eigentlich mit Erfolg?«

»Na ja, wir wissen jetzt, wo sie ist«, antwortete der Lehrling kleinlaut.

»Das wussten wir auch schon vorher. Deshalb seid ihr ja ausgerückt.«

DomDaniel hob den Blick gen Himmel. Was stimmte nur mit diesem Kohlkopf von Lehrling nicht? Müsste der siebte Sohn eines siebten Sohns mittlerweile nicht wenigstens *ein paar* magische Kräfte besitzen? Müsste er mit einem Haufen drittklassiger Zauberer, die sich am Ende der Welt verkrochen, nicht spielend leicht fertig werden? Wut überkam ihn.

»*Warum?*«, schrie er. »Warum bin ich nur von Idioten umgeben?« Er schäumte. Sein Blick fiel auf Marcia, in deren Gesicht sich Verachtung mit Erleichterung über das soeben Gehörte vermischte.

»Bringt die Gefangene weg«, brüllte er. »Sperrt sie ein und werft den Schlüssel weg. Die ist erledigt.«

»Noch nicht«, entgegnete Marcia ruhig und drehte DomDaniel absichtlich den Rücken zu.

In diesem Moment trat zu Jennas Schrecken Junge 412 hinter dem Fass hervor und schlich zu Marcia. Vorsichtig schlüpfte er zwischen dem Magog und den Matrosen durch, die Marcia zur Luke stießen. Aus der Verachtung in Marcias Augen wurde Erstaunen, dann gespielte Gleichgültigkeit, und da wusste Junge 412, dass sie ihn bemerkt hatte. Flugs zog er den Drachenring vom Finger und drückte ihn ihr in die Hand. Ihre grünen Augen fingen seinen Blick auf, und unbemerkt von den Wächtern steckte sie den Ring ein. Junge 412 verweilte nicht länger als nötig. Er wirbelte herum und rannte zu Jenna zurück, streifte in der Eile aber einen Matrosen.

»Halt!«, rief der Mann. »Wer da?«

Alle an Deck erstarrten. Nur Junge 412 nicht. Im Laufen ergriff er Jennas Hand. Höchste Zeit zu gehen.

»Eindringlinge!«, schrie DomDaniel. »Ich sehe ihre Schatten! Ergreift sie!«

Erschrocken blickten die Matrosen sich um. Sie konnten niemanden sehen. Hatte ihr Kapitän jetzt vollends den Verstand verloren? Überrascht hätte sie das jedenfalls nicht.

Im allgemeinen Durcheinander erreichten Jenna und Junge 412 unbehelligt die Strickleiter und kletterten schneller an ihr hinunter, als sie es jemals für möglich gehalten hätten. Nicko sah sie kommen. Es wurde auch höchste Zeit – der Unsichtbarkeitszauber verlor seine Wirkung.

Über ihnen auf dem Schiff war alles in heller Aufregung. Fackeln wurden entzündet und alle infrage kommenden Verstecke durchsucht. Jemand kappte die Strickleiter, und während die *Muriel ʒwei* und das Kanu des Jägers hinaus in den Nebel glitten, klatschte die Leiter ins dunkle Wasser der auflaufenden Flut.

# ★ 42 ★

## DER STURM

Fangt Sie! Ich möchte, dass sie gefasst werden!«, dröhnte DomDaniels wütendes Bellen durch den Nebel.

Jenna und Junge 412 paddelten mit der *Muriel zwei* so schnell sie konnten in Richtung Deppen Ditch, und Nicko folgte im Kanu des Jägers, von dem er sich nicht mehr trennen wollte.

Der nächste Befehl DomDaniels machte sie hellhörig. »Schickt die Schwimmer los. Sofort!«

Vorübergehend ließ das Geschrei, das von der *Vergeltung* zu ihnen drang, etwas nach. Die beiden einzigen Matrosen an Bord, die schwimmen konnten, wurden übers Deck gejagt und schließlich gefangen. Dann klatschte es zweimal laut. Sie waren über Bord geworfen worden, um die Verfolgung aufzunehmen.

Die Flüchtigen in den Kanus paddelten den rettenden Marram-Marschen entgegen, ohne sich um das Japsen im Wasser weit hinter ihnen zu kümmern. Von dem Sturz aus großer Höhe noch halb betäubt, schwammen die beiden Schwimmer im Kreis und mussten am eigenen Leib erfahren, dass die alte Seefahrerweisheit stimmte: Einem Seemann brachte es tatsächlich nur Unglück, wenn er schwimmen konnte.

An Deck der *Vergeltung* kehrte DomDaniel zu seinem Thron zurück. Die Matrosen waren durch die Luke verschwunden, nachdem sie ihre beiden Kameraden hatten über Bord werfen müssen, und so hatte DomDaniel das Deck wieder ganz für sich. Eine tiefe Kälte umgab ihn, als er sich, auf dem Thron sitzend, in seine schwarze Magie versenkte und eine lange und komplizierte Umkehrzauberformel herunterleierte.

DomDaniel rief die Gezeiten an.

Die auflaufende Flut gehorchte ihm. Sie sammelte sich draußen auf See und wälzte sich schäumend an Port vorbei den Fluss herauf. Was der Strömung nicht widerstand, wurde mitgerissen: Delfine und Quallen, Schildkröten und Seehunde. Das Wasser stieg. Immer höher und höher stieg es, und die Kanus kämpften sich mühsam über den wogenden Fluss. An der Einfahrt zum Deppen Ditch wurde das Steuern noch schwieriger. Die Strömung wurde immer stärker, und die Fluten füllten rasch den Kanal.

»Es wird zu gefährlich«, schrie Jenna gegen das Tosen des Wassers an und stach das Paddel in einen weiteren Strudel, der die *Muriel ʒwei* hin und her warf. Die Flut erfasste die Kanus und spülte sie mit halsbrecherischem Tempo in den Kanal. Hilflos schaukelten sie auf den Wellen. Wie Treibgut wurden sie fortgerissen, und Nicko sah, dass das Wasser bereits den oberen Rand des Kanals erreicht hatte. So etwas hatte er noch nie erlebt.

»Hier stimmt was nicht«, schrie er nach hinten zu Jenna. »Das geht nicht mit rechten Dingen zu.«

»Er steckt dahinter!«, rief Junge 412 und deutete mit dem Paddel in Richtung DomDaniel. Er bereute es schon in der nächsten Sekunde, denn die *Muriel zwei* geriet so heftig ins Schlingern, dass sich ihm beinahe der Magen umdrehte. »Horcht!«

DomDaniel hatte seine Befehle geändert, als die *Vergeltung* sich im Wasser zu heben begann und an ihrer Ankerkette zerrte. »Blase, blase, blase!«, brüllte er jetzt. »Blase, blase, blase!«

Der Wind wurde stärker und tat, wie ihm befohlen. Unter lautem Heulen wühlte er das Wasser auf und warf die Kanus heftig von einer Seite auf die andere. Er blies den Nebel fort, sodass Jenna, Nicko und Junge 412, die im randvollen Deppen Ditch wie in einem Ausguck saßen, die *Vergeltung* deutlich sehen konnten.

Und an Bord der *Vergeltung* konnte man sie sehen.

Im Bug des Schiffes griff DomDaniel zum Fernrohr und suchte, bis er entdeckte, wonach er suchte.

Kanus.

Er musterte die Insassen und sah seine schlimmsten Befürchtungen bestätigt. Das Mädchen mit den langen dunklen Haaren und dem goldenen Diadem, das vorn in dem merkwürdigen grünen Kanu saß, war nicht zu verwechseln. Es war das Königsbalg. *Das Königsbalg war auf seinem Schiff gewesen!* Hier, direkt vor seiner Nase, und er hatte sie entwischen lassen.

DomDaniel wurde seltsam still, dann nahm er seine ganze Kraft zusammen und beschwor den mächtigsten Sturm herauf, den er heraufbeschwören konnte.

Die schwarze Magie verwandelte das Heulen des Windes in ein ohrenbetäubendes Kreischen. Schwarze Gewitterwolken zogen auf und türmten sich über der kargen Fläche der Marram-Marschen. Das Licht des Spätnachmittags wurde trüb, und kalte schwarze Brecher brandeten gegen die Kanus.

»Wasser kommt über, ich bin klatschnass«, rief Jenna. Sie versuchte, die *Muriel zwei* zu steuern, während Junge 412 verzweifelt das eingedrungene Wasser ausschöpfte. Im Kanu des Jägers bekam Nicko Probleme – eine Welle schlug über ihm zusammen und setzte das Boot unter Wasser. Noch so eine Welle, dachte er, und ich finde mich auf dem Grund des Deppen Ditch wieder.

Und dann war plötzlich kein Deppen Ditch mehr da.

Unter lautem Getöse gab das Ufer des Kanals nach. Eine gewaltige Welle schoss durch die Bresche, donnerte über die Marram-Marschen und riss alles mit sich fort: Delfine, Schildkröten, Quallen, Seehunde, Schwimmer ... und zwei Kanus.

Nicko jagte in einem Tempo dahin, das er im Traum nicht für möglich gehalten hätte. Es war beängstigend und aufregend zugleich. Doch das Kanu des Jägers ritt so mühelos auf dem Kamm der Welle, als habe es nur auf diesen Augenblick gewartet.

Jenna und Junge 412 waren über die Wendung der Ereignisse längst nicht so begeistert wie Nicko. Die *Muriel zwei* war ein störrisches altes Kanu und für diese neue Art zu reisen nicht zu haben. Nur mit größter Mühe konnten sie verhindern, dass sie von der Welle, die über die Marschen toste, zum Kentern gebracht wurde.

Die Welle erlahmte etwas, als das Wasser sich über die Marschen verteilte, und die *Muriel zwei* ließ sich wieder leichter steuern.

Nicko manövrierte das Kanu des Jägers geschickt an der Welle entlang auf sie zu.

»Das ist das absolut Größte!«, rief er, das Tosen des Wassers übertönend.

»Du spinnst wohl!«, rief Jenna, die noch immer alle Hände voll zu tun hatte, um ein Kentern zu verhindern.

Die Welle wurde nun deutlich schwächer und langsamer und verlor den größten Teil ihrer Kraft. Das Wasser strömte in den Weiten der Marschen und füllte Gräben und Sümpfe. Bald war die Welle ganz verschwunden, und Jenna, Nicko und Junge 412 trieben auf einem offenen Meer, das bis zum Horizont reichte und das vereinzelte kleine Inseln sprenkelten.

Die Nacht brach an, als sie in die Richtung paddelten, in der sie die Hütte vermuteten. Über ihnen türmten sich dunkle Gewitterwolken. Die Temperatur sank beträchtlich, und die Luft lud sich elektrisch auf. Bald rollte warnend ein erster Donner über den Himmel, und große Regentropfen fielen. Jenna blickte über das graue Wasser und fragte sich, wie sie nach Hause finden sollten.

In der Ferne, auf einer der Inseln, die am weitesten weg waren, sah Junge 412 einen flackernden Lichtschein. Tante Zelda entzündete ihre Sturmkerzen und stellte sie in die Fenster.

Die Kanus nahmen Geschwindigkeit auf und hielten auf das Licht zu, als der nächste Donner grollte und ein Wetterleuchten den Himmel erhellte.

Tante Zeldas Tür stand offen. Sie erwartete sie.

Sie machten die Kanus am Schuhabkratzer neben der Vordertür

fest und gingen hinein. In der Hütte war es merkwürdig still. Tante Zelda war in der Küche beim Boggart.

»Wir sind wieder da!«, rief Jenna.

Tante Zelda kam aus der Küche und schloss leise die Tür hinter sich. »Habt ihr ihn gefunden?«, fragte sie.

»Gefunden? Wen denn?«

»Na, den Lehrling. Septimus.«

»Ach so, den.« Seit ihrem Aufbruch am Morgen war so viel geschehen, dass Jenna ganz vergessen hatte, warum sie eigentlich losgefahren waren.

»Gott sei Dank«, sagte Tante Zelda, »ihr habt es noch geschafft. Es wird schon dunkel.« Sie eilte zur Tür, um sie zu schließen.

»Ja, es ist …«

»Hilfe!«, schrie Tante Zelda, als sie das Wasser sah, das über ihre Türschwelle schwappte. Und die beiden Kanus, die draußen schaukelten.

»Alles ist überflutet! Die Tiere! Sie ertrinken.«

»Es geht ihnen gut«, versicherte ihr Jenna. »Die Hühner hocken alle oben auf dem Hühnerboot – wir haben sie gezählt. Und die Ziege ist aufs Dach geklettert.«

»Aufs Dach?«

»Ja, wir haben sie gesehen. Sie frisst das Dachstroh.«

»Oh. Oh, schön.«

»Die Enten sind wohlauf, und die Kaninchen, na ja, ich glaube, ich habe sie herumschwimmen sehen.«

»Herumschwimmen?«, rief Tante Zelda. »Kaninchen schwimmen nicht herum.«

»Die aber schon. Ich bin an einigen vorbeigekommen, die sich einfach auf dem Rücken treiben lassen. Als würden sie ein Sonnenbad nehmen.«

»Ein Sonnenbad?«, kreischte Tante Zelda. »In der Nacht?«

»Tante Zelda«, sagte Jenna streng, »vergiss die Kaninchen. Ein Unwetter zieht herauf.«

Tante Zelda beruhigte sich und musterte die drei durchnässten Gestalten. »Entschuldigt. Wo bin ich denn nur mit meinen Gedanken? Kommt, trocknet eure Sachen am Kamin.«

Als Jenna, Nicko und Junge 412 dampfend am Kamin standen, spähte Tante Zelda wieder hinaus in die Nacht. Dann schloss sie leise die Haustür.

»Da draußen sind dunkle Kräfte am Werk«, raunte sie. »Ich hätte es merken müssen, aber Boggart ging es schlecht, sehr schlecht … und dann die Vorstellung, dass ihr da draußen seid … ganz auf euch allein gestellt.« Tante Zelda erschauderte.

»Das war DomDaniel«, erklärte ihr Jenna. »Er ist …«

»Was ist er?«

»Furchtbar«, antwortete Jenna. »Wir haben ihn gesehen. Auf seinem Schiff.«

»Ihr habt was?«, rief Tante Zelda und sperrte den Mund auf. Sie traute ihren Ohren nicht. »Ihr habt DomDaniel gesehen? Auf der *Vergeltung?* Wo?«

»Am Deppen Ditch. Wir sind einfach raufgeklettert und …«

»Wo raufgeklettert?«

»Na, die Strickleiter. Wir sind auf das Schiff …«

»Ihr … ihr wart auf der *Vergeltung?*« Tante Zelda konnte es nicht fassen. Jenna bemerkte, dass ihre Tante erbleicht war und ihre Hände leicht zitterten.

»Kein gutes Schiff«, sagte Nicko. »Riecht schlecht und macht überhaupt einen schlechten Eindruck.«

»Du warst auch dabei?«

»Nein«, antwortete Nicko, der er es jetzt bereute, dass er nicht mitgegangen war. »Ich wollte, aber mein Unsichtbarkeitszauber war nicht gut genug, darum bin ich unten geblieben. Bei den Kanus.«

Tante Zelda brauchte ein paar Sekunden, um das alles zu verarbeiten. Sie sah Junge 412 an.

»Also, du und Jenna, ihr wart auf dem Schiff dieses Schwarzkünstlers ... ganz allein ... zwischen all dieser schwarzen Magie. Wozu denn?«

»Na ja, wir haben Alther getroffen, und ...«, versuchte Jenna zu erklären.

»Alther?«

»Ja, und er hat uns gesagt, dass Marcia ...«

»Marcia? Was hat denn Marcia damit zu tun?«

»Sie ist doch von DomDaniel gefangen genommen worden«, sagte Junge 412. »Und Alther meinte, sie sei vielleicht auf dem Schiff. Er hatte Recht. Wir haben sie gesehen.«

»Du liebe Zeit. Das wird ja immer schlimmer.« Tante Zelda sank in den Sessel vor dem Kamin. »Was ist nur in diesen alten Plagegeist gefahren?«, schimpfte sie. »Kinder auf das Schiff dieses Schwarzkünstlers zu schicken! Was hat er sich nur dabei gedacht?«

»Er hat uns nicht geschickt, ehrlich«, sagte Junge 412. »Er hat uns sogar davor gewarnt, aber wir mussten versuchen, Marcia zu retten. Leider ist es uns nicht gelungen ...«

»Marcia gefangen«, sagte Tante Zelda leise. »Was für ein Unglück.« Sie stocherte mit einem Schürhaken im Feuer, und Flammen loderten empor.

Ein lauter, lang anhaltender Donner grollte über der Hütte und erschütterte sie in ihren Grundfesten. Ein kräftiger Windstoß drückte zu den Fenstern herein und blies die Sturmkerzen aus, sodass nur noch das flackernde Kaminfeuer den Raum erhellte. Im nächsten Augenblick prasselten Hagelkörner gegen die Scheiben und durch den Schornstein in den Kamin. Das Feuer erlosch mit einem zornigen Zischen.

In der Hütte wurde es dunkel.

»Die Laternen!«, rief Tante Zelda, sprang auf und tastete sich zum Laternenschrank.

Maxie winselte, und Berta steckte den Kopf unter ihren unversehrten Flügel.

»Verflixt, wo habe ich denn nur den Schlüssel?«, murmelte Tante Zelda und wühlte in ihren Taschen, fand ihn aber nicht. »Verflixt und zugenäht.«

Es knallte.

Ein Blitzstrahl zuckte vor dem Fenster, beleuchtete die Umgebung und fuhr dicht neben der Hütte ins Wasser.

»Das war knapp«, sagte Tante Zelda grimmig.

Maxie kroch jaulend unter den Teppich.

Nicko spähte aus dem Fenster. Im grellen Schein des Blitzes hatte er etwas gesehen, was er eigentlich nie wieder sehen wollte.

»Er kommt«, sagte er ruhig. »Ich habe das Schiff gesehen. In der Ferne. Es segelt über die Marschen. Er kommt hierher.«

Alle drängten ans Fenster. Zunächst sahen sie nur das Dunkel des aufziehenden Unwetters, doch während sie noch in die Nacht hinausstarrten, huschte ein zuckender Blitz über den Himmel und enthüllte ihnen, was Nicko zuvor gesehen hatte.

Eine Silhouette vor dem erhellten Himmel. Noch weit entfernt, die Segel jedoch gebläht im heulenden Wind, schnitt das schwarze Schiff durch die Wellen und hielt auf die Hütte zu.

Die *Vergeltung* nahte.

# ★ 43 ★

## DAS DRACHENBOOT

Tante Zelda wurde von panischem Schrecken ergriffen.

»Wo ist nur der Schlüssel? Ich kann den Schlüssel nicht finden. Ah, da ist er ja.«

Mit zitternden Händen zog sie den Schlüssel aus einer ihrer Flickentaschen und schloss die Tür zum Laternenschrank auf. Sie nahm eine Laterne heraus und gab sie Junge 412.

»Du weißt doch, wohin ihr gehen müsst?«, fragte sie ihn. »Du kennst die Falltür im Tränkeschrank?«

Junge 412 nickte.

»Geht runter in den Gang. Dort seid ihr sicher. Dort findet euch niemand. Ich werde die Falltür verschwinden lassen.«

»Kommst du denn nicht mit?«, fragte Jenna.

»Nein«, antwortete Tante Zelda ruhig. »Boggart geht es sehr schlecht. Ich fürchte, er würde einen Transport nicht überleben. Aber macht euch um mich keine Sorgen. Von mir will er nichts. Ach, und Jenna, hier ist noch etwas für dich. Du kannst ihn genauso gut nehmen.« Aus einer anderen Tasche zog sie den zusammengerollten Panzerkäfer und gab ihn ihr. Jenna steckte ihn in die Jackentasche.

»Und jetzt geht!«

Junge 412 zögerte. Der nächste Blitz durchzuckte die Luft.

»Geht!«, kreischte Tante Zelda und ruderte mit dem Armen wie eine übergeschnappte Windmühle. *»Geht!«*

Junge 412 klappte die Falltür im Tränkeschrank auf und hielt die Laterne hoch. Seine Hand zitterte leicht, als Jenna die Leiter hinabkletterte. Nicko war zurückgeblieben und suchte Maxie. Er wusste, dass der Wolfshund große Angst vor Gewittern hatte, deshalb wollte er ihn mitnehmen.

»Maxie«, rief er laut. »Maxie, alter Junge!« Ein leises Winseln kam unter dem Teppich hervor.

Junge 412 war schon halb die Leiter hinunter. »Nun komm schon, Nicko«, rief er.

Nicko war in einen Ringkampf mit Maxie verwickelt. Der störrische Wolfshund wollte einfach nicht den Platz verlassen, den er für den sichersten auf der ganzen Welt hielt. Den Platz unter dem Kaminteppich.

»Beeil dich«, rief Junge 412 ungeduldig und streckte wieder den Kopf aus der Falltür. Er konnte nicht verstehen, was Nicko an diesem muffelnden Fellhaufen fand.

Nicko bekam das getüpfelte Tuch zu fassen, das der Hund um den Hals trug, zog ihn unter dem Teppich hervor und schleifte ihn über den Boden. Maxies Krallen kratzten mit einem grässlichen Geräusch über die Steinplatten, und als Nicko ihn in den dunklen Tränkeschrank schob, winselte er Mitleid erregend. Maxie fragte sich, womit er das verdient hatte. Er musste etwas sehr Ungezogenes getan haben. Aber was nur? Und warum hatte er es nicht noch mehr ausgekostet?

In einem Wirbel aus Fell und Sabber fiel Maxie durch die Falltür, landete auf Junge 412 und schlug ihm die Laterne aus der Hand. Die Laterne erlosch und kullerte den steilen Gang hinunter.

»Sieh nur, was du angerichtet hast«, fuhr Junge 412 den Hund an. Nicko hüpfte hinter ihnen von der Leiter. »Was?«, fragte er. »Was habe ich angerichtet?«

»Nicht du. *Er*. Die Laterne ist weg.«

»Die finden wir wieder. Keine Sorge. Jetzt sind wir in Sicherheit.« Nicko stellte Maxie auf die Füße, doch die Krallen des Wolfshunds fanden auf dem sandigen Felsboden keinen Halt. Er kam ins Rutschen und zog Nicko mit. Die beiden schlitterten den abschüssigen Gang hinunter, purzelten übereinander und blieben erst am Fuß einer kleinen Treppe liegen.

»Autsch!«, rief Nicko. »Ich glaube, ich habe die Laterne gefunden.«

»Fein!«, knurrte Junge 412. Er hob die Laterne auf, die sofort wieder zum Leben erwachte und die glatten Marmorwände des Tunnels beleuchtete.

»Da sind wieder diese Bilder«, sagte Jenna. »Sind sie nicht unglaublich?«

»Wie kommt es, dass jeder schon hier unten war, bloß ich nicht?«, beschwerte sich Nicko. »Kein Mensch hat mich gefragt, ob ich mir die Bilder auch gerne mal ansehen würde. He, auf dem da ist ja ein Boot, seht mal.«

»Wissen wir«, erwiderte Junge 412 kurz angebunden. Er stellte die Laterne ab und setzte sich auf den Boden. Er war müde und wünschte sich, Nicko würde den Mund halten. Doch Nicko war ganz aufgeregt über den Tunnel.

»Es ist fantastisch hier unten«, sagte er und bestaunte die Hieroglyphen, die die Wände von oben bis unten bedeckten, so weit man im Schein der Laterne sehen konnte.

»Ich weiß«, erwiderte Jenna. »Sieh mal, das hier gefällt mir besonders. Der Kreis mit dem Drachen drin.« Sie fuhr mit der Hand über das kleine blaue und goldene Bild an der Marmorwand. Plötzlich spürte sie, wie der Boden wackelte. Junge 412 schnellte in die Höhe.

»Was ist das denn?«, rief er und schluckte.

Ein anhaltendes dumpfes Rumpeln ließ ihre Füße erzittern und hallte durch den Gang.

»Sie bewegt sich!«, stieß Jenna hervor. »Die Tunnelwand bewegt sich!«

Die Wand teilte sich. Sie glitt schwerfällig zur Seite, und vor ihnen tat sich ein breiter Spalt auf. Junge 412 hielt die Laterne hoch. Sie erstrahlte in einem grellen weißen Licht und enthüllte ihren staunenden Blicken einen großen römischen Tempel. Unter ihren

Füßen war ein Mosaikfußboden mit verschlungenen Mustern, und vor ihnen ragten mächtige runde Marmorsäulen in die Dunkelheit. Aber das war noch nicht alles.

»Oh.«

»Wow.«

»Puh!« Nicko pfiff. Maxie setzte sich und hechelte respektvoll Hundeatemwolken in die kalte Luft.

Auf dem Mosaikboden mitten im Tempel stand das schönste Boot, das sie alle jemals gesehen hatten.

Das goldene Drachenboot des Hotep-Ra.

Vom Bug ragte der riesige grüne und goldene Kopf eines Drachen empor, dessen Hals sich anmutig bog wie der eines Schwans. Der Körper des Drachen war ein breites offenes Boot mit einem glatten Rumpf aus goldenem Holz. Außen am Rumpf lagen sauber zusammengefaltet die Flügel des Drachens. Die grünen Falten begannen in allen Regenbogenfarben zu schillern, als die unzähligen grünen Schuppen das Licht der Laterne einfingen. Und der grüne Schwanz am Heck des Drachenboots krümmte sich weit in den Tempel hinein, sodass seine mit Stacheln versehene goldene Spitze fast im Dunkeln verschwand.

»Wie kommt das denn hierher?«, flüsterte Nicko.

»Schiffbruch«, antwortete Junge 412.

Jenna und Nicko sahen ihn überrascht an. »Woher weißt du das?«, fragten sie beide.

»Habe ich in *Hundert merkwürdige und kuriose Geschichten für gelangweilte Jungen* gelesen. Tante Zelda hat es mir geliehen. Aber ich habe es für eine Legende gehalten. Ich hätte nie gedacht, dass es das Drachenboot wirklich gibt. Geschweige denn, dass es hier ist.«

»Und was hat es damit auf sich?«, fragte Jenna, die hingerissen war von dem Boot und das komische Gefühl hatte, es irgendwo schon einmal gesehen zu haben.

»Es ist das Drachenboot des Hotep-Ra. Der Legende nach war er der Zauberer, der den Zaubererturm erbaut hat.«

»Ach ja«, sagte Jenna. »Marcia hat mir davon erzählt.«

»Na, dann weißt du ja Bescheid. Wie es weiter heißt, soll Hotep-Ra ein mächtiger Zauberer in einem fernen Land gewesen sein und einen Drachen besessen haben. Aber dann geschah etwas, und er musste schnell fort. Da erklärte sich der Drache bereit, sein Boot zu werden, und brachte ihn sicher in ein neues Land.«

»Dann ist – oder war – dieses Boot ein richtiger Drache?«, flüsterte Jenna für den Fall, dass das Boot sie hören konnte.

»Das nehme ich an«, antwortete Junge 412.

»Halb Boot, halb Drache«, murmelte Nicko. »Komisch. Aber wie kommt es hierher?«

»Es ist beim Leuchtturm von Port auf Felsen gelaufen«, erklärte Junge 412. »Hotep-Ra schleppte es in die Marschen und zog es aus dem Wasser in einen römischen Tempel, den er auf einer heiligen Insel fand. Er wollte es reparieren, fand aber in Port keine geschickten Handwerker. Port war damals noch ein übles Kaff.«

»Das ist es noch heute«, brummte Nicko. »Und vom Bootsbau verstehen sie dort noch immer nichts. Wer einen anständigen Bootsbauer will, geht flussaufwärts in die Burg. Das weiß jeder.«

»Tja«, fuhr Junge 412 fort, »diesen Rat bekam auch Hotep-Ra.

Aber als der sonderbar gekleidete Mann in der Burg aufkreuzte und behauptete, er sei Zauberer, lachten ihn alle aus. Keiner glaubte seine Geschichte von dem sagenhaften Drachenboot. Bis eines Tages die Tochter der Königin krank wurde und er ihr das Leben rettete. Aus Dankbarkeit half ihm die Königin, den Zaubererturm zu bauen. Eines Sommers nahm er sie und ihre Tochter mit in die Marschen und zeigte ihnen das Drachenboot. Und sie verliebten sich in das Boot. Danach bekam Hotep-Ra so viele Bootsbauer für die Reparatur, wie er wollte, und weil die Königin das Boot liebte und auch Hotep-Ra gern hatte, fuhr sie mit ihrer Tochter von da an jeden Sommer hinaus, nur um zu sehen, wie die Arbeit vorankam. Der Legende nach tut es die Königin bis heute. Oh … äh, jetzt natürlich nicht mehr.«

Ein Schweigen trat ein.

»Tut mit Leid«, murmelte Junge 412. »Ich hab nicht dran gedacht.«

»Macht nichts«, sagte Jenna ein wenig zu heiter.

Nicko ging hinüber zum Boot und strich fachkundig mit der Hand über das glänzende goldene Holz des Rumpfs.

»Gut repariert«, sagte er. »Die haben etwas von ihrer Arbeit verstanden. Eine Schande, dass seit damals niemand mehr damit gesegelt ist. Es ist schön.«

Er kletterte die Holzleiter hinauf, die am Rumpf lehnte.

»Steht doch nicht so rum, ihr zwei. Kommt, sehen wir es uns an.«


Innen ähnelte das Boot keinem anderen, das sie jemals gesehen hatten. Es war in einem dunklen Lapislazuliblau gestrichen, und das

Deck war mit hunderten Hieroglyphen in goldener Farbe versehen.

Junge 412 schritt über die Planken und ließ die Finger über das polierte Holz gleiten. »Auf der alten Truhe in Marcias Turmzimmer sind dieselben Schriftzeichen.«

»Tatsächlich?«, fragte Jenna zweifelnd. Soweit sie sich erinnerte, hatte Junge 412 im Zaubererturm fast die ganze Zeit die Augen zugehabt.

»Ich habe sie gesehen, als die Mörderin hereinkam«, sagte Junge 412. »Ich sehe sie noch genau vor mir.« Er litt oft unter seinem fotografischen Gedächtnis, das die schlimmsten Augenblicke genau festhielt.

Sie schlenderten übers Deck, vorbei an aufgeschossenen grünen Tauen, goldenen Klampen und Schäkeln, silbernen Blöcken und Fallen und nicht enden wollenden Hieroglyphen. Sie kamen an einer kleinen Kajüte vorbei. Die dunkelblaue Tür war zu und mit demselben Drachensymbol in einem abgeflachten Oval geschmückt, das sie an der Tür im Tunnel gesehen hatten. Keiner traute sich, sie zu öffnen und nachzusehen, was dahinter war. Sie schlichen auf Zehenspitzen vorbei und gelangten schließlich ins Heck des Bootes.

Zum Schwanz des Drachen.

Unter dem mächtigen Schwanz, der sich hoch über ihnen krümmte und im Dunkel verschwand, fühlten sie sich alle sehr klein und auch ein wenig verwundbar. Der Drache brauchte nur seinen Schwanz niedersausen zu lassen, dachte Junge 412, und es war um sie geschehen.

Maxie gehorchte inzwischen aufs Wort und trottete mit eingezogenem Schwanz brav hinter Nicko her. Er hatte noch immer das Gefühl, etwas Verbotenes getan zu haben, und der Aufenthalt auf dem Drachenboot hatte nicht zu einer Verbesserung seines Befindens beigetragen.

Nicko stand im Heck und begutachtete mit Kennerblick die Ruderpinne. Sie fand seinen Beifall. Ein elegantes, sanft geschwungenes Stück Mahagoni, das so meisterhaft gearbeitet war, dass es wie maßgefertigt in der Hand lag.

Nicko beschloss, Junge 412 zu zeigen, wie man damit steuerte.

»Schau, so musst du sie halten«, sagte er und packte den Hebelarm der Pinne, »und dann drückst du nach rechts, wenn du willst, dass das Boot nach links fährt, und wenn das Boot nach rechts fahren soll, ziehst du nach links. Ganz einfach.«

»Klingt für mich überhaupt nicht einfach«, sagte Junge 412 unsicher. »Müsste es nicht umgekehrt sein?«

»Sieh her, so.« Nicko drückte die Pinne nach rechts. Sie ließ sich problemlos bewegen, und das große Ruder am Heck schwenkte in die entgegengesetzte Richtung.

Junge 412 spähte über die Seite des Bootes. »Ach so. Jetzt verstehe ich.«

»Versuch du mal«, sagte Nicko. »Es bringt mehr, wenn du es selber hältst.«

Junge 412 nahm die Pinne in die Rechte und stellte sich daneben, so wie Nicko es ihm gezeigt hatte.

Der Schwanz des Drachen zuckte.

Junge 412 erschrak. »Was war das?«

»Nichts«, sagte Nicko. »So, und jetzt drückst du es einfach von dir weg, und zwar so …«

Während Nicko seiner Lieblingsbeschäftigung nachging, nämlich einem anderen zu zeigen, wie Boote funktionierten, war Jenna nach vorn gegangen und sah sich den goldenen Drachenkopf an. Sie fragte sich, warum die Augen des Drachen geschlossen waren. Wenn ich ein so herrliches Boot hätte, so dachte sie, würde ich dem Drachen zwei große Smaragde als Augen geben. Das hätte er mehr als verdient. Und dann schlang sie, einer plötzlich Regung folgend, die Arme um den grünen Hals und lehnte ihren Kopf dagegen. Der Hals fühlte sich glatt und überraschend warm an.

Bei Jennas Berührung überfiel den Drachen ein Schauder. Ferne Erinnerungen stiegen in ihm hoch.

*Lange Tage der Genesung nach dem schrecklichen Unfall. Am Mittsommertag kommt Hotep-Ra mit der schönen jungen Königin aus der Burg zu Besuch. Aus Tagen werden Monate, aus Monaten Jahre, und das Drachenboot liegt im Tempel und wird von Hotep-Ras Bootsbauern langsam, viel zu langsam wieder in Stand gesetzt. Und jeden Mittsommertag besucht die Königin, nun in Begleitung ihrer kleinen Tochter, das Drachenboot. Viele Jahre gehen ins Land, und noch immer sind die Bootsbauer nicht fertig. Endlose einsame Monate, wenn die Bootsbauer verschwinden und es allein lassen. Und dann wird Hotep-Ra alt und gebrechlich, und als das Boot endlich wieder in altem Glanz erstrahlt, ist Hotep-Ra zu alt, um es zu besichtigen. Er befiehlt, den Tempel unter einem großen Haufen Erde zu begraben, um das Boot zu schützen bis zu dem Tag, an dem es wieder gebraucht wird, und Dunkelheit umfängt es.*

*Doch die Königin vergisst nicht, was Hotep-Ra ihr gesagt hat – dass sie das Drachenboot an jedem Mittsommertag besuchen müsse. Und so kommt sie jeden Sommer auf die Insel. Sie lässt für sich und ihre Damen eine einfache Hütte bauen, in der sie wohnen können, und an jedem Mittsommertag entzündet sie eine Laterne, steigt damit hinunter in den Tempel und besucht das geliebte Boot. Wieder verstreichen Jahre, und alle nachfolgenden Königinnen statten dem Drachen am Mittsommertag einen Besuch ab, auch wenn sie den Grund dafür nicht mehr kennen. Sie tun es, weil schon ihre Mütter es getan haben, aber auch, weil sich jede neue Königin in das Boot verliebt. Umgekehrt liebt der Drache jede Königin, und obwohl jede auf ihre Art anders ist, haben alle dieselbe sanfte Art, ihn zu berühren.*

*Und so vergehen Jahrhunderte. Der Mittsommerbesuch wird ein geheimer Brauch, über den Weiße Hexen wachen, die in der Hütte wohnen, das Geheimnis des Drachenboots hüten und die Laternen entzünden, um dem Drachen über die schwere Zeit hinwegzuhelfen. Unter der Insel begraben, verdöst der Drache die Jahrhunderte und wartet in der Hoffnung, eines Tages befreit zu werden, auf jeden magischen Mittsommertag, an dem die Königin persönlich mit einer Laterne kommt und ihm ihre Aufwartung macht.*

Bis zu jenem Mittsommertag, als die Königin nicht kam. Der Drache war in tiefer Sorge, doch er konnte nichts tun. Tante Zelda hielt sich in der Hütte bereit, falls die Königin doch noch kommen sollte, und der Drache wartete, von Tante Zeldas täglichen Besuchen mit einer frisch entzündeten Laterne bei Laune gehalten. Doch eigentlich wartete der Drache nur auf den Augenblick, da ihm die Königin wieder die Arme um den Hals legen würde.

*So wie sie es eben getan hatte.*

Der Drache öffnete überrascht die Augen. Jenna stockte der Atem. Ich muss träumen, sagte sie sich. Die Augen des Drachen waren tatsächlich grün, so wie Jenna sie sich vorgestellt hatte, aber sie waren keine Smaragde. Es waren lebendige, sehende Augen. Jenna ließ den Hals des Drachen los und wich vor ihm zurück. Die Augen des Drachen folgten ihren Bewegungen und ruhten lange auf der neuen Königin. Es ist eine junge, dachte der Drache, aber das schadet nichts. Er neigte respektvoll den Kopf.

Vom Heck aus sah Junge 412, wie der Drache den Kopf senkte, und *er* wusste genau, dass er es sich nicht nur einbildete. Auch das Plätschern, das er hörte, war keine Einbildung.

»Seht doch!«, schrie Nicko.

Ein schmaler dunkler Riss zeigte sich in der Wand zwischen den beiden Marmorsäulen, die das Dach stützten. Ein Rinnsal sickerte daraus hervor, als ob ein Schleusentor geöffnet worden sei. Der Riss wurde immer breiter, und das Rinnsal schwoll zu einem Bach an. Bald stand der Mosaikfußboden des Tempels unter Wasser, und der Bach wurde zum reißenden Strom.

Unter lautem Getöse gab der Erdwall draußen nach, und die Mauer zwischen den Säulen stürzte ein. Braune Fluten ergossen sich in die Höhle, brodelten rings um das Drachenboot, hoben es in die Höhe und warfen es hin und her, bis es plötzlich schwamm.

»Es schwimmt!«, schrie Nicko aufgeregt.

Jenna blickte vom Bug in das schlammige Wasser, das unter ihnen wirbelte, und beobachtete, wie die schmale Holzleiter umfiel und fortgespült wurde. Weit über sich spürte sie eine Bewegung.

Langsam und mühsam, den Hals ganz steif von all den Jahren des Wartens, drehte der Drache den Kopf nach hinten, um zu sehen, wer am Ruder stand. Er heftete seinen dunkelgrünen Augen auf den neuen Kapitän, eine überraschend kleine Gestalt mit rotem Hut. Er hatte überhaupt keine Ähnlichkeit mit Hotep- Ra, seinem letzten Kapitän, der ein großer, dunkler Mann gewesen war, mit einem Gürtel aus Gold und Platin, der stets im Sonnenlicht geglänzt, und einem lila Umhang, der stets im Wind geflattert hatte, wenn sie zusammen über den Ozean segelten. Doch das Allerwichtigste erkannte der Drache: Die Hand, die das Steuer hielt, war eine magische Hand.

Es war so weit. Sie stachen wieder in See.

Der Drache hob den Kopf, und die beiden mächtigen ledernen Flügel, die zusammengefaltet an den Längsseiten des Boots lagen, lockerten sich.

Maxie knurrte und sträubte das Nackenfell.

Das Boot setzte sich in Bewegung.

»Was tust du denn?«, schrie Jenna Junge 412 an.

Junge 412 schüttelte den Kopf. *Er* tat überhaupt nichts. Das Boot war schuld. »Lass los!«, schrie Jenna gegen das Heulen des Sturms draußen an. »Lass das Ruder los! Das geschieht deinetwegen. Lass los!«

Aber Junge 412 konnte nicht loslassen. Etwas hielt seine Hand an der Pinne fest und steuerte das Boot mit seiner neuen Besatzung – Jenna, Nicko, Maxie und ihm – zwischen den beiden Marmorsäulen hindurch.

Kaum war der mit Stacheln bewehrte Schwanz des Drachen vom

Tempel freigekommen, ertönte von beiden Seiten des Boots ein lautes Knarren. Der Drache hob die Flügel und entfaltete jeden wie eine riesige, mit Schwimmhäuten versehene Hand, indem er die langen knochigen Finger streckte und knackend und knirschend die Lederhaut straffte. Die Besatzung starrte in den Nachthimmel, verblüfft über den Anblick der mächtigen Flügel, die wie zwei gigantische grüne Segel das Boot überragten.

Der Kopf des Drachen reckte sich in die Nacht, seine Nüstern blähten sich und sogen den Geruch ein, von dem er all die Jahre geträumt hatte. Den Geruch des Meeres.

Endlich frei.

# ★ 44 ★

## AUF SEE

Du musst in die Wellen hineinsteuern!«, rief Nicko, als ein Brecher seitlich gegen das Boot klatschte, über ihnen zusammenschlug und sie mit eiskaltem Wasser übergoss. Mit aller Kraft versuchte Junge 412, das Ruder gegen den Druck von Wind und Wellen herumzuwerfen. Der Sturm heulte in seinen Ohren, und der Regen, der ihm ins Gesicht peitschte, war auch nicht gerade hilfreich. Nicko stemmte sich mit seinem ganzen Gewicht gegen das Ruder, und gemeinsam drückten sie es von sich weg. Der Drache spannte die Flügel, um den Wind einzufangen, und der Bug schwang langsam herum und drehte in die herannahenden Wellen.

Vorn im Bug klammerte sich Jenna, vom Regen durchnässt, am Hals des Drachen fest. Das Boot hob und senkte sich bei seinem Ritt über die Wogen und warf sie unablässig hin und her.

Der Drache reckte den Kopf, hielt die Nase in den Sturm und genoss jede Sekunde. Es war der Beginn einer Reise, und ein Sturm am Beginn einer Reise war immer ein gutes Vorzeichen. Aber wohin sollte die Reise gehen? Er drehte den langen grünen Hals und blickte zu seinem neuen Kapitän, der sich mit seinem Schiffskameraden am Ruder mühte. Sein roter Hut war vom Regen durchweicht, und Wasser lief ihm übers Gesicht.

*Wohin soll ich fahren?*, fragten die grünen Augen des Drachen.

Junge 412 verstand den Blick.

»Marcia?«, schrie er so laut er konnte Jenna und Nicko zu.

Beide nickten. Diesmal wollten sie es tun.

»Marcia!«, rief Junge 412 zum Drachen hinauf.

Der Drache blinzelte verständnislos. Wo lag Marcia? Von dem Land hatte er noch nie gehört. War es weit weg? Die Königin würde es wissen.

Er senkte den Kopf und schleuderte Jenna in die Höhe, so wie er es im Lauf der Jahrhunderte im Spaß mit vielen Prinzessinnen getan hatte. Doch im heulenden Wind machte das Jenna eher Angst. Ehe sie sich's versah, flog sie über den wogenden Wellen durch die Luft und landete, von Gischt durchnässt, ganz oben auf dem goldenen Kopf des Drachen, und zwar direkt hinter den Ohren. Sie hielt sich an ihnen fest, als hänge ihr Leben davon ab.

*Wo liegt Marcia, meine Königin? Ist es eine lange Fahrt?*, hörte Jenna den Drachen hoffnungsvoll fragen, als freue er sich schon darauf, mit der neuen Besatzung monatelang auf der Suche nach dem Land Marcia über die Ozeane zu segeln.

Jenna ging das Wagnis ein, eines der beiden überraschend weichen Ohren loszulassen, und deutete auf die rasch näher kommende *Vergeltung*.

»Marcia ist dort. Sie ist unsere Außergewöhnliche Zauberin und wird auf dem Schiff da gefangen gehalten. Wir wollen sie wiederhaben.«

Wieder drang die Stimme des Drachen zu ihr, wenn auch ein wenig enttäuscht, dass sie keine größere Reise unternahmen. *Ihr Wunsch ist mir Befehl, meine Königin.*

Tief im Bauch der *Vergeltung* lauschte Marcia Overstrand dem Sturm, der über ihr tobte. Der Ring, den ihr Junge 412 gegeben hatte, steckte am kleinen Finger ihrer rechten Hand, weil er auf keinen anderen passte. Sie saß im dunklen Laderaum und sann darüber nach, wie der Junge den lange vermissten Drachenring des Hotep-Ra gefunden haben konnte. Es gab verschiedene Möglichkeiten, doch keine hielt sie für wahrscheinlich. Und doch hatte er ihn gefunden, und der Ring hatte ihr, wie früher schon Hotep-Ra, einen wunderbaren Dienst erwiesen: Er hatte sie von ihrer Seekrankheit geheilt. Und er stellte langsam ihre magischen Kräfte wieder her. Sie spürte, wie sie nach und nach zurückkamen und wie gleichzeitig die Schatten, die sie im Verlies Nummer eins gepeinigt hatten und seitdem verfolgten, von ihr wichen. DomDaniels Wirbel des Schreckens verlor seine Wirkung. Marcia wagte ein schwaches Lächeln. Es war das erste Mal seit vier langen Wochen, dass sie lächelte.

Neben ihr lagen in sich zusammengesackt ihre drei seekranken Wächter und stöhnten Mitleid erregend. Sie bereuten, dass sie nicht schwimmen gelernt hatten. Dann hätte man sie längst über Bord geworfen.

Oben an Deck saß DomDaniel kerzengerade auf seinem Eben-holzthron. Rings um ihn wütete der Sturm, den er heraufbeschwo-ren hatte, und neben ihm schlotterte sein unglücklicher Lehrling. Eigentlich sollte der Junge ihm bei der Vorbereitung des letzten Blitzschlags helfen, doch er war so seekrank, dass er nur mit glasi-gen Augen vor sich hinstierte und von Zeit zu Zeit ein Stöhnen von sich gab.

»Ruhe, Junge!«, blaffte DomDaniel, der sich darauf konzen-trierte, die elektrischen Kräfte zu dem mächtigsten Blitz, den er jemals erzeugt hatte, zu bündeln. Bald, so dachte er triumphie-rend bei sich, würde nicht nur die schäbige kleine Hütte dieser lästigen Hexe, sondern die ganze Insel in einem blendenden Blitz verdampfen. Er spielte mit dem Amulett des Außergewöhn-lichen Zauberers, das nun wieder dort hing, wo es hingehörte, näm-lich um *seinen* Hals und nicht um den dürren Hals einer Boh-nenstange von Zauberin, die von Tuten und Blasen keine Ahnung hatte.

DomDaniel lachte. Alles war so einfach.

»Schiff ahoi!«, rief eine schwache Stimme aus dem Ausguck. »Schiff ahoi!«

DomDaniel fluchte.

*»Stör mich nicht!«,* brüllte er, das Heulen des Winds übertönend, nach oben und sprach einen Zauber, der den Matrosen mit einem Schrei in die brodelnden Fluten stürzen ließ.

Aber seine Konzentration war dahin. Und als er versuchte, die Elemente für den letzten entscheidenden Schlag wieder in seine Gewalt zu bringen, stach ihm etwas ins Auge.

Ein schwaches goldenes Glimmen näherte sich aus der Dunkelheit seinem Schiff. Er tastete nach seinem Fernrohr und setzte es ans Auge. Er konnte nicht glauben, was er sah.

Das ist unmöglich, sagte er sich, völlig unmöglich. Das Drachenboot des Hotep-Ra gibt es nicht wirklich. Nur in der Legende. Er blinzelte die Regentropfen aus seinen Augen und sah noch einmal hin. Das vermaledeite Boot kam direkt auf ihn zu. Das Funkeln der grünen Drachenaugen schoss durch die Dunkelheit und traf das Auge des Fernrohrs. Ein kalter Schauder überfiel den Schwarzkünstler. Das konnte nur das Werk Marcia Overstrands sein. Eine Projektion ihres fiebrigen Gehirns. Noch im Bauch seines eigenen Schiffes schmiedete sie Pläne gegen ihn. Hatte sie denn nichts gelernt?

DomDaniel wandte sich an seine Magogs.

»Tötet die Gefangene«, bellte er. »Auf der Stelle!«

Die Magogs klappten ihre schmutzigen gelben Klauen auf und zu, und wie immer, wenn sie erregt waren, bildete sich auf ihren Blindschleichenköpfen ein dünner Schleimfilm. Sie richteten eine Frage an ihren Herrn.

»Wie es euch beliebt«, antwortete er. »Ist mir egal. Tut, was ihr wollt, aber tut es, und zwar schnell!«

Triefend vor Schleim kroch das grässliche Paar davon und verschwand unter Deck. Sie waren froh, dem Sturm zu entrinnen, und freuten sich auf den bevorstehenden Spaß.

DomDaniel legte das Fernrohr weg. Er brauchte es nicht mehr. Das Drachenboot war mittlerweile so nahe, dass er es mit bloßem Auge sehen konnte. Ungeduldig mit dem Fuß wippend, wartete er darauf, dass Marcias Projektion verschwand. Doch zu seinem Schrecken verschwand sie nicht. Das Boot kam immer näher, und der Drache durchbohrte ihn mit hasserfülltem Blick.

Nervös ging der Schwarzkünstler auf und ab. Er achtete weder auf den Regenschwall, der sich plötzlich über ihn ergoss, noch auf das laute Schlackern der letzten verbliebenen Segelfetzen. Das Einzige, was er jetzt hören wollte, war Marcia Overstrands Todesschrei unten im Laderaum.

Er lauschte aufmerksam. Wenn ihm etwas Freude bereitete, dann der Todesschrei eines Menschen. Da war ihm jeder recht, aber auf den Todesschrei der ehemaligen Außergewöhnlichen Zauberin freute er sich besonders. Er rieb sich die Hände, schloss die Augen und wartete.

Unten im Bauch der *Vergeltung* leuchtete der Drachenring des Hotep-Ra hell an Marcias kleinem Finger. Ihre Zauberkräfte waren schon so weit zurückgekehrt, dass sie ihre Ketten hatte abstreifen können. Sie hatte sich von ihren halb bewusstlosen Wächtern weggeschlichen und kletterte nun die Leiter empor, die aus dem Laderaum führte. Als sie von der Leiter sprang und die nächste erklimmen wollte, rutschte sie beinahe auf einer gelben Schleimspur aus. Ein hämisches Zischen ertönte. Aus dem Halbdunkel kamen die Magogs auf sie zu. Sie drängten sie in eine Ecke und klapperten dabei aufgeregt mit ihren spitzen gelben Zähnen. Dann fuhren sie mit einem lauten Schnalzen ihre Krallen aus und züngelten schadenfroh mit ihren kleinen Schlangenzungen. Sie kamen immer näher.

Jetzt muss sich zeigen, ob meine Zauberkräfte tatsächlich zurückkehren, dachte Marcia.

»Erstarrt und vertrocknet. Werdet fest!«, murmelte Marcia und deutete mit dem Finger, an dem der Drachenring steckte, auf die Magogs.

Wie zwei Nacktschnecken, die mit Salz bestreut wurden, schrumpelten die Magogs zischend zusammen. Dann erfüllte ein widerliches Knistern die Luft. Ihr Schleim wurde fest und trocknete zu einer dicken gelben Kruste. Sekunden später waren von ihnen nur noch zwei ausgedorrte schwarz-gelbe Klumpen übrig, die vor Marcias Füßen fest an den Planken klebten. Sie stieg verächtlich über sie hinweg, ohne sich die Schuhe zu beschmutzen, und setzte ihren Weg nach oben fort.

Sie wollte ihr Amulett wiederhaben, und sie würde es auch bekommen.

Unterdessen war DomDaniel mit seiner Geduld am Ende. Er schimpfte über sich selbst, weil er angenommen hatte, die Magogs würden mit Marcia kurzen Prozess machen. Er hätte es besser wissen müssen. Magogs ließen sich mit ihren Opfern gerne Zeit, aber Zeit hatte er jetzt nicht. Das Drachenboot kam bedrohlich nahe, und er spürte, dass Marcias verflixte Projektion seine Zauberkräfte schwächte.

Marcia stieg gerade die letzte Leiter hinauf, da hörte sie von oben ein lautes Bellen: »Hundert Kronen!«, brüllte DomDaniel. »Nein, tausend Kronen. Tausend Kronen für den Mann, der mich von Marcia Overstrand befreit! *Jetzt sofort!*«

Marcia hörte über sich das Getrampel nackter Füße. Die Matrosen, die an Deck weilten, rannten zu der Luke und der Leiter, auf der sie gerade stand. Mit einem Satz war sie wieder unten und drückte sich in den Schatten. Gleich darauf stürmte die gesamte Besatzung des Schiffes an ihr vorbei. Die Männer schlugen um sich und stießen sich gegenseitig. Jeder wollte als Erster bei der Gefangenen sein und sich die Belohnung verdienen. Kaum war die wilde Horde in den unteren Decks verschwunden, raffte Marcia ihre feuchten Kleider und erklomm die Leiter zum Deck.

Der kalte Wind nahm ihr den Atem, doch nach der stinkenden Schwüle im Laderaum war die Luft hier draußen herrlich frisch. Sie versteckte sich hinter einem Fass und überlegte, was sie als Nächstes tun sollte.

Nicht weit entfernt stand DomDaniel. Er sah krank aus, wie sie zu ihrer Freude feststellte. Sein Gesicht, das sonst grau war, hatte eine grünliche Farbe, und seine vorquellenden schwarzen Augen starrten an ihr vorbei in die Luft. Aber warum war er nur so grün im Gesicht? Sie drehte sich um.

Und erblickte das Drachenboot des Hotep-Ra.

Es flog hoch über der *Vergeltung* im strömenden Regen und strahlte mit seinen leuchtend grünen Augen das bleiche Gesicht DomDaniels an. Mit ruhigen, kraftvollen Schlägen trugen die riesigen Flügel das Boot und seine vor Schreck wie gelähmte Besatzung durch den heulenden Sturm. Marcia Overstrand konnte nicht glauben, was sie sah.

Auch auf dem Drachenboot konnte keiner glauben, was er sah. Nicko war entsetzt gewesen, als der Drache sich flügelschlagend aus dem Wasser erhoben hatte. Wenn er eines mit Sicherheit wusste, dann, dass Boote nicht flogen. Niemals.

»Hör auf damit«, brüllte er Junge 412 ins Ohr, um das Knarren der mächtigen Flügel zu übertönen, die langsam an ihnen vorbeistrichen und einen Ledergeruch verströmten, der ihnen ins Gesicht wehte. Aber Junge 412 war begeistert. Er hielt die Ruderpinne fest umklammert und vertraute darauf, dass das Drachenboot alles richtig machte.

»Womit denn aufhören?«, brüllte er zurück und blickte mit leuchtenden Augen und einem breiten Grinsen zu den Flügeln hinauf.

»Es liegt an dir«, schrie Nicko. »Ich weiß es genau. Du bringst es dazu, dass es fliegt. Hör auf. Hör sofort damit auf. Das Boot ist außer Kontrolle.«

Junge 412 schüttelte den Kopf. Mit ihm hatte es überhaupt nichts zu tun. Das Drachenboot flog von ganz alleine.

Jenna saß auf dem Kopf des Drachen und krallte die Finger so fest in die Ohren, dass die Knöchel weiß anliefen. Weit unter sich sah sie, wie die Wellen gegen die *Vergeltung* brandeten, und als das Drachenboot tiefer ging und das Deck des Schiffes anflog, entdeckte sie DomDaniel. Sein gespenstisch grünes Gesicht blickte zu ihr herauf. Sie sah schnell weg – sein böser Blick ließ ihr das Blut in den Adern gefrieren und ein Gefühl der Verzweiflung in ihr aufsteigen. Sie schüttelte den Kopf, um dieses düstere Gefühl loszuwerden, doch ein Zweifel blieb. Wie sollten sie Marcia denn finden? Sie sah nach hinten zu Junge 412. Er hatte die Ruderpinne losgelassen und spähte über die Seite auf die *Vergeltung* hinunter. Dann, als das Drachenboot noch tiefer ging und einen Schatten auf den Schwarzkünstler unten warf, begriff Jenna mit einem Mal, was Junge 412 vorhatte. Er wollte von Bord gehen. Er nahm all seinen

Mut zusammen, um auf die *Vergeltung* zu springen und Marcia zu holen.

»Nein!«, schrie Jenna. »Spring nicht. Ich kann Marcia sehen!«

Marcia war aufgestanden. Sie starrte immer noch entgeistert auf das Drachenboot. Es war doch nur eine Legende! Doch als das Boot zu ihr herabstieß, die grünen Augen des Drachen blitzten und aus seinen Nüstern herrliche orangefarbene Feuerstrahlen schossen, spürte sie die Hitze der Flammen. Da wusste sie, dass alles echt war.

Die Flammen umzüngelten DomDaniels nasse Kleider, und ein beißender Geruch nach verbrannter Wolle erfüllte die Luft. Vom Feuer angesengt, wich der Schwarzkünstler zurück, und ein schwacher Hoffnungsstrahl durchzuckte sein Inneres – vielleicht war alles nur ein schrecklicher Albtraum. Denn was er sah, konnte unmöglich wahr sein: Auf dem Kopf des Drachen saß das *Königsbalg*.

Jenna ließ ein Drachenohr los und fasste in ihre Jackentasche. DomDaniel starrte immer noch zu ihr herauf, und sie wollte, dass er damit aufhörte, ja, sie wollte ihn dazu zwingen. Ihre Hand zitterte, als sie den Panzerkäfer aus der Tasche zog und hochhob. Im nächsten Moment schoss etwas aus ihrer Hand hervor, das DomDaniel für eine große grüne Wespe hielt. Er hasste Wespen und taumelte rückwärts. Das Insekt stürzte sich mit einem schrillen Kreischen auf ihn, landete auf seiner Schulter und stach ihm in den Hals. Ganz fest.

DomDaniel schrie, und der Panzerkäfer stach ein zweites Mal zu. Er legte seine Hand auf den Käfer, der sich verwirrt zu einer

Kugel zusammenrollte, aufs Deck fiel und in eine dunkle Ecke kullerte. DomDaniel brach zusammen.

Marcia packte die Gelegenheit beim Schopf. Im Schein der Flammen, die aus den Nüstern des Drachen schossen, warf sie sich auf den Schwarzkünstler. Mit zitternden Fingern tastete sie die Falten an seinem schneckenartigen Hals ab und fand, was sie suchte. Althers Schnürsenkel. Ihr wurde speiübel, doch sie kämpfte dagegen an und zerrte an dem Schnürsenkel. Der Knoten ging nicht auf. DomDaniel röchelte und griff sich an den Hals.

»Sie schnüren mir die Luft ab«, keuchte er und packte den Schnürsenkel am anderen Ende.

Althers Schnürsenkel hatte viele Jahre lang gute Dienste geleistet, doch den Kräften zweier mächtiger Zauberer, die um ihn kämpften, vermochte er nicht zu widerstehen, und so tat er, was Schnürsenkel häufig tun. Er riss.

Das Amulett fiel aufs Deck. Marcia griff blitzschnell zu und hob es auf. DomDaniel hechtete verzweifelt danach. Zu spät. Marcia hatte sich den Schnürsenkel bereits um den Hals gelegt. Kaum saß der Knoten fest, erschien der Gürtel aus Gold und Platin an ihrer Taille, und ihr Umhang begann im Regen zu glitzern. Marcia richtete sich auf und blickte mit einem triumphierenden Lächeln in die Runde – sie hatte ihren rechtmäßigen Platz in der Welt zurückerobert. Sie war wieder die Außergewöhnliche Zauberin.

Zornig rappelte sich DomDaniel auf und schrie: »Wache! Wache!« Es kam keine Antwort. Die gesamte Mannschaft war unter Deck und jagte einem Phantom nach.

Gerade als Marcia einen Feuerblitz nach dem immer wütender

brüllenden DomDaniel schleudern wollte, rief eine vertraute Stimme von oben: »Komm, Marcia. Beeil dich. Komm herauf zu mir.«

Der Drache senkte den Kopf aufs Deck, und ausnahmsweise einmal tat Marcia, was man ihr sagte.

## EBBE

Das Drachenboot schwebte, die *Vergeltung* machtlos zurücklassend, langsam über die überfluteten Marschen. Als der Sturm abflaute, neigte der Drache die Flügel und landete mit einem mächtigen Spritzer unsanft wieder auf dem Wasser. Er war ein wenig aus der Übung.

Jenna und Marcia, die am Hals des Drachen hingen, wurden klatschnass.

Junge 412 und Nicko schlugen der Länge nach hin, rutschten übers Deck und blieben ineinander geknäult liegen. Sie rappelten sich auf, und Maxie schüttelte sich das Wasser aus dem Fell. Nicko seufzte erleichtert. Für ihn stand zweifelsfrei fest: Boote sollten nicht fliegen.

Bald zogen die Wolken aufs Meer hinaus, und der Mond kam heraus und leuchtete ihnen. Das Drachenboot, das grün und golden im Mondschein schimmerte, hob die Flügel, fing den Wind ein und segelte nach Hause.

Aus der Ferne beobachtete Tante Zelda die Szene von einem kleinen erleuchteten Fenster aus. Ihr Haar war etwas zerzaust, denn eben noch war sie jubelnd durch die Küche gehüpft und dabei gegen einen Stapel Kochtöpfe gestoßen.

Das Drachenboot wollte nur ungern in den Tempel zurückkehren. Nun, da es die Freiheit gekostet hatte, fürchtete es sich davor, wieder unter der Erde eingesperrt zu werden. Am liebsten wäre es umgekehrt und, solange es noch konnte, aufs Meer hinausgefahren, um mit der jungen Königin, seinem neuen Kapitän und der Außergewöhnlichen Zauberin durch die Welt zu segeln. Doch sein neuer Kapitän hatte andere Pläne. Er wollte es zurückbringen, zurück in sein trockenes, dunkles Gefängnis. Der Drache seufzte und ließ den Kopf hängen. Jenna und Marcia fielen fast herunter.

»Was ist denn da oben los?«, rief Junge 412.

»Der Drache ist traurig«, antwortete Jenna.

»Woher willst du das wissen?«, fragte Junge 412.

»Ich weiß es. Er spricht zu mir. In meinem Kopf.«

»Ach nee!«, lachte Nicko.

»Was heißt hier, ach nee? Er ist traurig, weil er zur See fahren will. Er will nicht in den Tempel zurück. Zurück in sein Gefängnis, wie er ihn nennt.«

Marcia konnte nachempfinden, wie dem Drachen zu Mute war. »Jenna, sag ihm, dass er wieder in See stechen wird. Aber nicht heute Nacht. Heute Nacht möchten wir alle nach Hause.«

Das Drachenboot streckte wieder den Kopf in die Höhe, und diesmal fiel Marcia wirklich herunter. Sie rutschte am Hals des Drachen entlang und landete mit einem Bums auf dem Deck. Aber sie machte sich nichts daraus, ja, sie beschwerte sich nicht einmal. Sie saß einfach nur da und sah sich die Sterne an, während das Drachenboot vergnügt über die Marram-Marschen segelte.

Nicko, der Ausschau hielt, sichtete in der Ferne ein kleines Fischerboot, das ihm merkwürdig bekannt vorkam. Es war das Hühnerboot, das in der Strömung trieb. Er machte Junge 412 darauf aufmerksam. »Das Boot habe ich schon mal gesehen. Das muss jemand aus der Burg sein, der hier fischt.«

Junge 412 grinste. »Die haben sich eine schöne Nacht zum Fischen ausgesucht.«

Die Flut ging rasch zurück, als sie die Insel erreichten, und das Wasser, das die Marschen bedeckte, wurde seicht. Nicko übernahm das Ruder und steuerte das Drachenboot in das Bett des überfluteten Mott, vorbei an dem römischen Tempel. Er bot einen großartigen Anblick. Der weiße Marmor strahlte im Mondschein, zum ersten Mal wieder, seit Hotep-Ra das Drachenboot in Tempel begraben hatte. Die Erdwälle und das Holzdach waren fortgespült worden, und nur die hohen Säulen ragten noch empor.

»Ich wusste nichts von dem Tempel«, staunte Marcia. »Nicht das Geringste. Man sollte eigentlich annehmen, dass in den vielen Büchern der Pyramidenbibliothek etwas über ihn steht. Und was das Drachenboot angeht ... nun, ich habe die Geschichte für eine bloße Legende gehalten.«

»Tante Zelda wusste Bescheid«, sagte Jenna.

»Tante Zelda?«, fragte Marcia. »Warum hat sie denn kein Wort gesagt?«

»Das durfte sie nicht. Sie ist die Hüterin der Insel. Die Königinnen, äh, meine Mutter und meine Großmutter und Urgroßmutter und alle anderen vor ihnen, mussten den Drachen besuchen.«

»Tatsächlich?«, fragte Marcia verdutzt. »Wieso?«

»Das weiß ich nicht«, antwortete Jenna. »Sie sagen es nicht.«

»Also mit mir hat niemand darüber gesprochen, und mit Alther auch nicht.«

»Oder mit DomDaniel«, unterstrich Jenna.

»Nein«, sagte Marcia nachdenklich. »Vielleicht ist es besser, wenn Zauberer gewisse Dinge nicht wissen.«

Sie machten das Boot am Landungssteg fest. Der Drache setzte sich in den Mott wie ein riesiger Schwan in sein Nest, ließ die mächtigen Flügel sinken und faltete sie sauber an den Rumpfseiten zusammen. Dann neigte er den Kopf, damit Jenna aufs Deck hinunterrutschen konnte, und blickte sich um. Die Marram-Marschen mochten nicht der Ozean sein, dachte er, aber mit ihrem weiten, flachen Horizont waren sie gar nicht so übel. Der Drache schloss die Augen. Die Königin war wieder da, und er konnte die See riechen. Er war zufrieden.

Jenna saß auf dem Rand des schlafenden Drachenboots, ließ die Beine baumeln und schaute sich um. Die Hütte sah so friedlich aus wie immer, auch wenn sie nicht ganz so gut in Schuss war wie bei ihrer Abfahrt, was daran lag, dass die Ziege das halbe Dach verspeist hatte und immer noch fröhlich weitermampfte. Der größte

Teil der Insel war mittlerweile aus den Fluten aufgetaucht, allerdings mit Schlamm und Seetang bedeckt. Jenna fürchtete, dass Tante Zelda über den Zustand ihres Gartens nicht gerade erfreut sein würde.

Als das Wasser auch den Landungssteg wieder freigegeben hatte, kletterten Marcia und die Besatzung aus dem Drachenboot und gingen den Weg hinauf zur Hütte. Drinnen war es verdächtig still, und die Vordertür war nur angelehnt. Hier stimmte etwas nicht. Sie spähten hinein.

*Braunlinge.*

Überall. Die Katzenklappe, deren Zauber aufgehoben war, stand offen, und drinnen wimmelte es von Braunlingen. Wie ein Heuschreckenschwarm waren sie in das Haus eingefallen, hockten an den Wänden, auf dem Fußboden, an der Decke und im Tränkeschrank, schmatzten und mampften, kauten, nagten und kackten. Beim Anblick der Menschen brachen zehntausend Braunlinge in ein schrilles Gekreische aus.

Tante Zelda kam aus der Küche gestürzt.

»Was ist denn hier los?«, stieß sie hervor und versuchte, alles mit einem Blick zu erfassen, sah aber nur eine ungewöhnlich strubbelige Marcia in einem wogenden Meer von Braunlingen stehen. Warum, so fragte sie sich, musste Marcia immer Schwierigkeiten machen? Warum um alles in der Welt hatte sie ein Horde Braunlinge mitgebracht?

»Diese verflixten Braunlinge!«, rief Tante Zelda und fuchtelte wild mit den Armen, womit sie aber gar nichts erreichte. »Raus mit euch! Raus hier!«

»Zelda«, rief Marcia, »wenn Sie erlauben, erledige ich das für Sie mit einem kleinen Aufräumzauber.«

»Nein!«, schrie Tante Zelda. »Das muss ich selbst tun, sonst verlieren sie den Respekt vor mir.«

»Also, Respekt würde ich das nicht nennen«, murmelte Marcia, hob ihre ruinierten Schuhe aus dem klebrigen Schleim und untersuchte die Sohlen. Sie mussten irgendwo ein Loch haben. Sie spürte, wie der Schleim schon zwischen ihre Zehen kroch.

Plötzlich verstummte das Gekreische, und tausende kleine rote Augen starrten auf das Wesen, das jeder Braunling am meisten fürchtete.

Der Boggart stand in der Küchentür.

Das Fell sauber und frisch gebürstet, um den Bauch einen weißen Verband und sichtlich abgemagert, war er noch nicht wieder ganz der Alte. Aber er hatte immer noch den Atem eines Boggart. Und Boggart-Atem ausstoßend, watete er nun durch das Meer aus Braunlingen und spürte dabei, wie er wieder erstarkte.

Die Braunlinge sahen ihn kommen, und in ihrer Verzweiflung flüchteten sie vor ihm in die hinterste Ecke neben dem Tränkeschrank. Einer kletterte auf den anderen, immer höher und höher, bis sich alle Wabberschlammbraunlinge zu einem schwankenden Turm gestapelt hatten, alle bis auf einen, einen jungen, der heute zum ersten Mal auf Raubzug war. Plötzlich schoss dieser junge Braunling unter dem Kaminteppich hervor. Seine roten Augen leuchteten ängstlich in seinem spitzen Gesicht, und seine knochigen Finger und Zehen klapperten auf dem Steinboden, als er unter den Blicken aller anderen quer durch den ganzen Raum zu den anderen flitzte, auf den schleimigen Haufen sprang und in der Masse der kleinen roten Augen, die den Boggart anstarrten, verschwand.

»Keine Ahnung, wieso die nich einfach verschwinden, diese verdammten Braunlinge«, sagte der Boggart zu jedem, der ihm sein Ohr lieh, und das waren alle. »Obwohl … Es hat 'n schlimmes Unwetter gegeben. Da wollen sie wohl lieber in der schönen warmen Stube bleiben. Habt ihr das große Schiff gesehen, das da draußen im Dreck steckt? Die können von Glück sagen, dass die Braunlinge hier sind und nich da draußen. Die würden das Schiff glatt in den Schlamm runterziehen.«

Alle tauschten Blicke aus.

»Was noch nicht ist, kann ja noch werden«, sagte Tante Zelda, die genau wusste, von welchem Schiff der Boggart sprach, denn sie hatte mit ihm zusammen vom Küchenfenster aus alles so gebannt beobachtet, dass sie den Einfall der Braunlinge gar nicht bemerkt hatte.

»Na, dann zieh ich mal los«, sagte der Boggart. »Ich halt das nich mehr aus, so sauber zu sein. Ich such mir 'n hübsches kleines Schlammloch.«

»Nun, daran herrscht da draußen kein Mangel, Boggart«, erwiderte Tante Zelda.

»Ja«, sagte der Boggart. »Äh, ich wollt mich noch bei Ihnen bedanken, Zelda, für … na ja, für die Pflege und alles. Danke. Die Braunlinge verschwinden, wenn ich weg bin. Falls sie noch mal Ärger machen, einfach schreien.«

Der Boggart watschelte zur Tür hinaus, um sich ein paar schöne

Stunden bei der Wahl des Schlammlochs zu machen, in dem er den Rest der Nacht verbringen wollte. Er hatte die Qual der Wahl.

Kaum war er fort, wurden die Braunlinge unruhig, sahen sich gegenseitig mit ihren roten Knopfaugen an und schielten zur Tür. Als sie davon überzeugt waren, dass der Boggart tatsächlich fort war, kreischten sie alle aufgeregt durcheinander, und der Turm fiel, braune Pampe verspritzend, in sich zusammen. Vor dem Boggart-Atem endlich sicher, rannte die Horde zur Tür hinaus, hinunter zum Mott, dann über die Brücke ans andere Ufer und quer durch die Marram-Marschen. Schnurstracks zur gestrandeten *Vergeltung*.

»Wisst ihr was?«, sagte Tante Zelda, als sie die Braunlinge in den dunklen Marschen verschwinden sah. »Ich habe beinahe Mitleid mit ihnen.«

»Mit wem? Mit den Braunlingen oder mit den Leuten auf der *Vergeltung*?«, fragte Jenna.

»Mit beiden«, antwortete Tante Zelda.

»Also, ich nicht«, sagte Nicko. »Die haben sich gegenseitig verdient.«

Dennoch wollte keiner mit ansehen, was mit der *Vergeltung* in dieser Nacht geschah. Und es wollte auch keiner darüber reden.


Später, nachdem sie die Hütte grob von dem braunen klebrigen Zeug gesäubert hatten, begutachtete Tante Zelda den Schaden. Sie hatte sich fest vorgenommen, die Sache von ihrer positiven Seite zu betrachten.

»Eigentlich ist es gar nicht so schlimm«, sagte sie. »Die Bücher sind in Ordnung – oder werden es zumindest wieder sein, wenn sie getrocknet sind, und die Tränke kann ich frisch brauen. Bei den meisten lief sowieso das Verfallsdatum ab. Und die wirklich wichtigen sind weggeschlossen. Die Braunlinge haben nicht *alle* Stühle gefressen wie beim letzten Mal, und sie haben nicht einmal auf den Tisch gekackt. Alles in allem hätte es schlimmer kommen können. Viel schlimmer.«

Marcia setzte sich, zog ihre ruinierten lila Pythonschuhe aus und stellte sie zum Trocknen an den Kamin. Sie überlegte, ob sie einen Schuhreparaturzauber sprechen sollte. Streng genommen durfte sie es nicht. Zauberer sollten ihre Kunst nicht zum Zwecke der eigenen Bequemlichkeit missbrauchen. Es war eine Sache, wenn sie sich ihren Zaubermantel vornahm, denn der gehörte gewissermaßen zu ihrem Handwerkszeug. Aber dass sie die spitzen Pythons zur Ausübung ihres Berufs brauchte, ließ sich schwerlich behaupten. Und so standen die Schuhe dampfend am Feuer und verströmten einen schwachen, aber unangenehmen Geruch nach verschimmelter Schlangenhaut.

»Sie können meine Ersatzgaloschen haben«, bot ihr Tante Zelda an. »Die sind hier sowieso viel praktischer.«

»Nein danke, Zelda«, sagte Marcia geknickt. Sie konnte Galoschen nicht ausstehen.

»Ach, Kopf hoch, Marcia«, sagte Tante Zelda ärgerlich. »Auf See passieren schlimmere Dinge.«

# ⋆ 46 ⋆

## EIN BESUCHER

Am nächsten Morgen war von der *Vergeltung* nur noch die Spitze des höchsten Mastes zu sehen, an dem noch das zerfetzte Marssegel flatterte. Wie eine einsame Fahnenstange ragte er aus der Marsch. Eigentlich hätte sie sich den Anblick lieber erspart, aber Jenna musste einfach mit eigenen Augen sehen, was aus dem schwarzen Schiff geworden war. Den anderen, die noch schliefen, sollte es später nicht anders gehen.

Jenna schloss den Fensterladen wieder und wandte sich ab. Sie wollte viel lieber ein anderes Boot sehen.

Das Drachenboot.

Sie trat aus der Hütte in den sonnigen Frühjahrsmorgen. Das Drachenboot unten im Mott bot einen majestätischen Anblick. Es lag hoch im Wasser und reckte den Hals und den goldenen Kopf der Sonne entgegen, um zum ersten Mal seit Jahrhunderten wieder ihre warmen Strahlen einzufangen. Die grünen Schuppen an Hals und Schwanz und der goldene Rumpf funkelten und leuchteten so grell, das Jenna die Augen zusammenkneifen musste. Auch der Drache hatte die Augen halb zu. Zuerst dachte Jenna, er schlafe noch, doch dann erkannte sie, dass er nur seine Augen vor der Helligkeit schützte. Seit er von Hotep-Ra lebendig begraben worden war, hatte er kein anderes Licht mehr gesehen als den matten Schein einer Laterne.

Jenna ging zum Steg hinunter. Das Boot war groß, viel größer, als sie es von der letzten Nacht in Erinnerung hatte, und nun, da das Flutwasser aus den Marschen abgeflossen war, lag es wie eingeklemmt im Mott. Jenna hoffte, dass der Drache sich nicht eingesperrt fühlte. Sie stellte sich auf die Zehenspitzen und legte ihm die Hand auf den Hals.

*Guten Morgen, königliche Hoheit,* vernahm sie die Stimme des Drachen.

»Guten Morgen, Drache«, flüsterte Jenna. »Ich hoffe, du hast es im Mott bequem.«

*Ich habe Wasser unter mir, und die Luft riecht nach Salz und Sonne. Was könnte ich mir mehr wünschen?,* fragte der Drache.

»Nichts«, stimmte ihm Jenna zu. »Gar nichts.« Sie setzte sich auf den Steg und beobachtete, wie sich die Kringel des Morgendunstes in der Sonne auflösten. Dann lehnte sie sich zufrieden mit dem Rücken gegen das Boot und lauschte dem Plantschen und Plätschern der verschiedenen Geschöpfe im Mott. Mittlerweile hatte sie sich an die Unterwasserbewohner gewöhnt. Sie ekelte sich nicht mehr vor den Aalen, die sich auf ihrer langen Reise in die Sargassosee durch den Mott schlängelten. Auch an den Wassernixen störte sie sich kaum noch, allerdings vermied sie es, mit nackten Füßen im Schlamm zu waten, seit sich eine an ihren großen Zeh gehängt und erst wieder losgelassen hatte, als Tante Zelda sie mit einer Röstgabel bedrohte. Sogar die Marschpython fand sie ganz sympathisch, aber das lag wahrscheinlich daran, dass sie seit dem großen Tauen nicht mehr zurückgekehrt war. Sie kannte die Geräusche, die jedes Geschöpf verursachte, aber wie sie so in der Sonne saß und verträumt dem Treiben einer Wasserratte und eines Schlammfischs lauschte, vernahm sie Laute, die sie nicht kannte.

Das Geschöpf, was immer es war, stöhnte und jammerte Mitleid erregend. Dann keuchte, platschte und jammerte es noch lauter. Jenna hatte so etwas noch nie gehört. Und es klang nach einem großen Geschöpf. Jenna versteckte sich hinter dem dicken grünen Schwanz des Drachen, der eingerollt auf dem Steg lag, und spähte hinter ihm hervor, um festzustellen, was das für ein Geschöpf war, das einen solchen Lärm machte.

Es war der Lehrling.

Er lag mit dem Gesicht nach unten auf einer geteerten Planke, die so aussah, als stamme sie von der *Vergeltung*, und paddelte mit bloßen Händen durch den Mott. Er sah erschöpft aus. Seine schmuddeligen grünen Kleider klebten ihm am Leib und dampften in der Morgensonne, und das glatte dunkle Haar hing ihm in Strähnen in die Augen. Er hatte anscheinend kaum noch Kraft, den Kopf zu heben und zu sehen, wo er hinpaddelte.

»He, du!«, rief Jenna. »Hau ab.« Sie hob einen Stein auf, um ihn nach ihm zu werfen.

»Nein. Bitte nicht«, flehte der Junge.

Nicko erschien. »Was ist los, Jen?« Er folgte Jennas Blick. *»He, verzieh dich!«*, schrie er.

Der Lehrling hörte nicht. Er paddelte mit seiner Planke bis zum Steg und blieb dort entkräftet liegen.

»Was willst du hier?«, fragte Jenna.

»Ich ... das Schiff ... es ist untergegangen. Ich bin davongekommen.«

»Der Abschaum schwimmt immer oben«, bemerkte Nicko.

»Wir sind überfallen worden. Von braunen, schleimigen ... Kreaturen.« Der Junge zitterte. »Sie haben uns in den Morast hinuntergezogen. Ich bekam keine Luft mehr. Alle sind tot. Bitte helft mir.«

Jenna sah ihn unschlüssig an. Sie war so früh aufgewacht, weil sie von kreischenden Braunlingen geträumt hatte, die sie in den Morast hinunterzogen. Ihr schauderte. Sie wollte nicht daran denken. Wenn sie nicht einmal den *Gedanken* daran ertragen konnte, wie schlimm musste es dann erst für den Jungen sein, der es tatsächlich erlebt hatte?

Der Lehrling merkte, dass Jenna unsicher wurde. Er versuchte es noch einmal.

»Was ... was ich eurem Tier angetan habe, tut mir Leid.«

»Der Boggart ist kein Tier«, erwiderte Jenna entrüstet. »Und er gehört nicht uns. Er ist ein Geschöpf der Marschen. Er gehört niemandem.«

»Oh.« Der Lehrling begriff, dass er einen Fehler begangen hatte. Er probierte es wieder mit der anderen Masche, die besser funktioniert hatte.

»Es tut mir Leid. Ich … ich hatte einfach so große Angst.«

Jenna wurde weich. »Wir können ihn doch nicht einfach auf der Planke liegen lassen«, sagte sie zu Nicko.

»Wieso denn nicht?«, erwiderte Nicko. »Außer vielleicht, weil er den Mott verschmutzt.«

»Wir bringen ihn besser rein«, sagte Jenna. »Komm, reich uns deine Hand.«

Sie halfen dem Lehrling von der Planke, und halb führten, halb trugen sie ihn zur Hütte hinauf.

»Was schleppt ihr denn da an?«, bemerkte Tante Zelda, als sie den Lehrling vor dem Kamin auf den Boden plumpsen ließen.

Junge 412 erwachte. Verschlafen stand er auf und entfernte sich ein paar Schritte. Beim Erscheinen des Lehrlings hatte er das Aufflackern schwarzer Magie bemerkt.

Der Lehrling saß bleich vor dem Kamin und schlotterte. Er sah krank aus.

»Lass ihn nicht aus den Augen, Nicko«, sagte Tante Zelda. »Ich hole ihm etwas Heißes zu trinken.«

Sie kam mit einem Becher Tee aus Kamille und Kohl wieder. Der Lehrling verzog das Gesicht, trank aber. Wenigstens war der Tee heiß.

Als er ausgetrunken hatte, sagte Tante Zelda zu ihm: »Ich rate dir, uns jetzt zu sagen, was du hier willst. Noch besser, du sagst es Madam Marcia. Marcia, wir haben Besuch.«

Marcia stand in der Tür. Sie kam soeben von einem Morgenspaziergang um die Insel zurück, den sie zum einen unternommen hatte, um nach der *Vergeltung* zu sehen, hauptsächlich aber, um die süße Frühlingsluft und den noch süßeren Duft der Freiheit zu atmen. Obwohl sie nach ihrer fünfwöchigen Gefangenschaft abgemagert war und noch dunkle Ringe unter den Augen hatte, sah sie schon viel besser aus als am Vorabend. Ihr lila Seidengewand war frisch und sauber dank einem Fünf-Minuten-Tiefenreinigungszauber, von dem sie hoffte, dass er auch alle Spuren schwarzer Magie beseitigt hatte. Schwarze Magie war ein klebriges Zeug, daher hatte sie besonders gründlich sein müssen. Ihr Gürtel funkelte nach einer Hochglanzpolitur, und an ihrem Hals baumelte das Echnaton-Amulett. Sie fühlte sich prächtig. Sie hatte ihre Zauberkräfte wiedererlangt, und sie war wieder Außergewöhnliche Zauberin. Ihre Welt war wieder in Ordnung.

Bis auf die Galoschen.

Marcia schleuderte die verhassten Überschuhe an der Tür von sich und spähte in die Hütte, die ihr nach der hellen Frühlingssonne düster vorkam. Am Kamin war es besonders dunkel, und Marcia brauchte einen Augenblick, ehe sie erkannte, wer dort saß. Ihre Miene verfinsterte sich.

»Ah, die Ratte vom sinkenden Schiff«, fauchte sie.

Der Lehrling sagte nichts. Er musterte Marcia verschlagen, und der Blick seiner kohlschwarzen Augen blieb am Amulett hängen.

»Berührt ihn nicht«, warnte Marcia. »Keiner.«

Jenna war verdutzt über Marcias Ton, entfernte sich aber vom Lehrling. Nicko folgte ihrem Beispiel. Junge 412 ging hinüber zu Marcia.

Der Lehrling blieb allein am Kamin zurück. Er blickte in die Runde. So hatte er sich das nicht vorgestellt. Sie sollten Mitleid mit

ihm haben. Wie das Königsbalg. Die hatte er bereits herumge-
kriegt. Und die verrückte Weiße Hexe. Zu dumm, dass die ehemalige Außergewöhnliche Zauberin im falschen Moment aufgetaucht war und ihm dazwischengefunkt hatte. Er blickte missmutig
drein.

Jenna sah den Lehrling forschend an. Er wirkte irgendwie anders als sonst, aber sie kam nicht dahinter, woran es lag. Wahrscheinlich hatte es damit zu tun, dass er auf dem Schiff eine furchtbare Nacht gehabt hatte. Jeder hätte diesen finsteren, gehetzten
Blick, wenn hunderte kreischende Braunlinge versucht hätten, ihn
in den Wabberschlamm hinunterzuziehen.

Doch Marcia wusste, warum der Junge anders aussah. Bei ihrem
Spaziergang um die Insel hatte sie nämlich eine Beobachtung gemacht, bei der ihr beinahe das Frühstück wieder hochgekommen
wäre, auch wenn zugegebenermaßen nicht viel passieren musste,
damit ihr Tante Zeldas Frühstück wieder hochkam.

Daher ließ sie sich nicht überrumpeln, als der Lehrling plötzlich
in die Höhe schnellte und ihr mit ausgestreckten Armen an die
Kehle sprang. Sie entwand das Amulett seinem gierigen Griff und
schleuderte ihn mit einem krachenden Feuerblitz zur Tür hinaus.

Der Lehrling blieb besinnungslos auf dem Weg liegen.

Die anderen umringten ihn.

Tante Zelda war entsetzt. »Marcia«, murmelte sie. »Ich fürchte,
Sie sind zu weit gegangen. Er mag der unausstehlichste Junge sein,
der mir je untergekommen ist, aber er ist trotzdem ein Kind.«

»Nicht unbedingt«, entgegnete Marcia grimmig. »Und ich bin
noch nicht fertig. Tretet bitte zurück, alle.«

»Aber«, hauchte Jenna, »er ist doch unser Bruder.«

»Ich glaube nicht«, sagte Marcia scharf.

Tante Zelda legte ihr die Hand auf den Arm. »Marcia, ich weiß, dass Sie wütend sind. Das ist nach Ihrer Gefangenschaft nur zu verständlich, aber Sie dürfen Ihre Wut nicht an einem Kind auslassen.«

»Ich lasse sie nicht an einem Kind aus, Zelda. Sie sollten mich besser kennen. Das ist kein Kind. Das ist *DomDaniel*.«

*»Was?«*

»Und ich bin keine Schwarzkünstlerin«, fuhr Marcia fort. »Ich vernichte niemals ein Leben. Ich kann ihn nur dorthin zurückbefördern, wo er war, als er diese abscheuliche Tat begangen hat, und dafür sorgen, dass er keinen Nutzen davon hat.«

»Nein!«, schrie DomDaniel in der Gestalt des Lehrlings.

Er fluchte mit der dünnen, schrillen Stimme, mit der zu sprechen er gezwungen war. Sie war ihm schon auf die Nerven gegangen, als sie noch diesem elenden Wicht gehört hatte, aber nun, da sie ihm gehörte, war sie ihm unerträglich.

DomDaniel rappelte sich auf. Er wollte nicht wahrhaben, dass sein Plan, sich das Amulett zurückzuholen, gescheitert war. Er hatte sie alle zum Narren gehalten. Sie hatten ihn aus falschem Mitleid aus dem Wasser gefischt, und sie hätten sich auch weiterhin um ihn gekümmert. Bei der ersten günstigen Gelegenheit hätte er sich das Amulett geschnappt und dann – ach, wie anders wäre alles gekommen. Verzweifelt unternahm er einen letzten Versuch. Er warf sich auf die Knie.

»Bitte«, flehte er. »Sie irren sich. Ich bin es nur. Ich bin nicht …«

»Hinweg mit dir!«, befahl ihm Marcia.

*»Nein!«*, schrie er.

Doch Marcia fuhr fort:

>»Hinweg mit dir.
>Dorthin, wo du warst,
>als du warst,
>was du warst!«

Und fort war er, wieder auf der *Vergeltung*, in der dunklen Tiefe aus Schlamm und Morast.

Tante Zelda blickte empört. Sie wollte noch immer nicht glauben, dass der Lehrling in Wahrheit DomDaniel war. »Sie haben etwas Furchtbares getan, Marcia«, sagte sie. »Der arme Junge.«

»Von wegen armer Junge«, raunzte Marcia. »Kommt mit, ich muss euch etwas zeigen.«

# ⋆ 47 ⋆

## Der Lehrling

Marcia legte trotz ihrer Galoschen ein flottes Tempo vor, und die anderen folgten ihr. Tante Zelda musste immer wieder in Laufschritt fallen, um mitzuhalten. Sie erschrak, als sie die Schäden sah, die das Hochwasser angerichtet hatte. Überall Schlamm, Seetang und Dreck. Letzte Nacht, im Mondschein, hatte alles halb so schlimm ausgesehen. Außerdem war sie erleichtert gewesen, dass alle noch lebten. Da hatte ihr ein bisschen Schlamm und Unordnung nichts ausgemacht. Doch jetzt, im unerbittlichen Licht des Morgens, bot sich ihr ein Bild der Verwüstung. Plötzlich stieß sie einen Schrei des Entsetzens aus.

»Das Hühnerboot ist fort! Meine Hühner, meine armen kleinen Hühner!«

»Es gibt Wichtigeres im Leben als Hühner«, sagte Marcia und marschierte ungerührt weiter.

»Die Kaninchen!«, jammerte Tante Zelda, als sie sah, dass die

Baue weggeschwemmt worden waren. »Meine armen Kaninchen! Alle fortgespült!«

»Ach, seien Sie doch endlich still, Zelda!«, sagte Marcia gereizt.

Wenn es nach mir geht, dachte Tante Zelda, und das nicht zum ersten Mal, kann Marcia gar nicht früh genug in den Zaubererturm zurückkehren.

Wie ein lila Rattenfänger von Hameln stapfte Marcia weiter durch den Schlamm und führte Jenna, Nicko, Junge 412 und eine aufgeregte Tante Zelda zu einer Stelle neben dem Mott gleich unterhalb des Entenhauses.

Kurz vor dem Ziel blieb Marcia stehen, drehte sich um und sagte: »Ich muss euch warnen. Es ist kein schöner Anblick. Vielleicht sollte sich das nur Tante Zelda ansehen. Ich möchte nicht, dass ihr Albträume bekommt.«

»Die haben wie eh schon«, erklärte Jenna. »Ich kann mir nichts Schlimmeres vorstellen als meine Albträume von letzter Nacht.«

Junge 412 und Nicko nickten beifällig. Sie hatten letzte Nacht beide sehr schlecht geschlafen.

»Na gut«, sagte Marcia. Sie stieg vorsichtig über den Schlamm hinter dem Entenhaus und blieb neben dem Mott stehen. »*Das* habe ich heute Morgen entdeckt.«

»Iiiiih!« Jenna schlug die Hände vors Gesicht.

»Oh, oh, oh«, entfuhr es Tante Zelda.

Junge 412 und Nicko blieben stumm. Beiden wurden schlecht. Nicko verschwand in Richtung Kanal. Er musste sich übergeben.

Im schmutzigen Gras neben dem Mott lag etwas, das auf den ersten Blick wie ein leerer grüner Sack aussah. Auf den zweiten Blick sah es aus wie eine Vogelscheuche, die nicht ausgestopft war. Doch auf den dritten Blick – Jenna spähte nur zwischen ihren Fingern hindurch – erkannten alle, was da vor ihnen lag.

Der leere Körper des Lehrlings.

Er sah aus wie ein Luftballon, aus dem man die Luft abgelassen hat, jeden Lebens und jeder Substanz beraubt. Seine leere, noch in das feuchte, salzfleckige Gewand gekleidete Haut lag im Schlamm wie eine weggeworfene Bananenschale.

»Das«, erklärte Marcia, »ist der richtige Lehrling. Ich habe ihn heute Morgen beim Spazierengehen entdeckt. Deshalb wusste ich mit Gewissheit, dass der ›Lehrling‹, der am Kamin saß, ein Schwindler war.«

»Was ist mit ihm geschehen?«, hauchte Jenna.

»Er ist verbraucht worden«, antwortete Marcia ernst. »Das ist ein alter und besonders gemeiner Trick. Einer aus den Geheimarchiven. Die alten Schwarzkünstler haben ihn ständig angewendet.«

»Können wir denn nichts für den Jungen tun?«, fragte Tante Zelda.

»Dazu ist es zu spät, fürchte ich«, antwortete Marcia. »Er ist jetzt nur noch ein Schatten. Bis Mittag wird er vollends verschwunden sein.«

Tante Zelda schniefte. »Er hatte es schwer im Leben. Armes Würmchen. Seiner Familie entrissen, und dann Lehrling bei diesem Scheusal. Ich weiß nicht, was Sarah und Silas sagen werden, wenn sie es erfahren. Es ist schrecklich. Der arme Septimus.«

»Ich weiß«, pflichtete Marcia ihr bei. »Aber wir können nichts mehr für ihn tun.«

»Ich bleibe hier bei ihm«, sagte Tante Zelda, »vielmehr bei dem, was noch von ihm übrig ist, bis er verschwindet.«

Bedrückt kehrten sie zur Hütte zurück, jeder mit seinen eigenen Gedanken beschäftigt. Tante Zelda kam wenig später nach, verschwand im Schrank für *Unbeständige Tränke und Spezialgifte* und eilte dann wieder zum Entenhaus. Die anderen brachten den restlichen Vormittag damit zu, Schlamm aufzuwischen und in der Hütte aufzuräumen. Junge 412 stellte erleichtert fest, dass der grüne Stein, den Jenna ihm geschenkt hatte, von den Braunlingen nicht angerührt worden war. Er lag noch dort, wo er ihn hingelegt hatte, in der warmen Ecke neben dem Kamin, sorgfältig in seine Bettdecke eingeschlagen.

Am Nachmittag, als es ihnen endlich gelungen war, die Ziege vom Dach zu locken – viel war von dem Dach nicht mehr übrig –, beschlossen sie, mit Maxie einen Spaziergang in die Marschen zu unternehmen. Sie wollten gerade aufbrechen, als Marcia aus dem Haus rief: »Junge 412, könntest du mir bei etwas behilflich sein?«

Junge 412 war nur zu froh, dass er dableiben konnte. Obwohl er sich inzwischen an Maxie gewöhnt hatte, fühlte er sich in seiner Gesellschaft nicht so recht wohl. Er konnte einfach nicht verstehen, was Maxie durch den Kopf ging, wenn er urplötzlich an ihm hochsprang und ihm das Gesicht leckte, und beim Anblick von Maxies feuchter schwarzer Nase und sabbernder Schnauze packte ihn immer das kalte Grausen. Sosehr er sich auch bemühte, er verstand Hunde einfach nicht. Deshalb winkte er Jenna und Nicko jetzt fröhlich nach, als sie in die Marschen aufbrachen, und ging ins Haus zu Marcia.

Marcia saß an Tante Zeldas kleinem Schreibtisch. Vor ihrem verhängnisvollen Ausflug in die Burg hatte sie die Schlacht um den Schreibtisch für sich entschieden, und jetzt, nach ihrer Rückkehr, war sie wild entschlossen, ihn wieder mit Beschlag zu belegen. Junge 412 bemerkte, dass fast alle Stifte und Notizbücher Tante Zeldas auf dem Boden lagen und Marcia im Augenblick eifrig damit beschäftigt war, die restlichen für ihren eigenen Gebrauch mit einem Zauber zu verschönern. Sie tat es reinen Gewissens, denn wenn alles so klappte, wie sie es geplant hatte, würden die Gegenstände bald einen neuen, magischen Verwendungszweck bekommen. Hoffte sie zumindest.

»Ah, da bist du ja«, sagte Marcia in diesem geschäftsmäßigen Ton, der Junge 412 stets das Gefühl gab, er habe etwas Unrechtes getan. Sie warf ein gammeliges altes Buch vor sich auf den Tisch.

»Was ist deine Lieblingsfarbe?«, fragte sie. »Blau? Oder Rot? Ich hätte auf Rot getippt, weil du ständig diesen grässlichen roten Hut aufhast, seit du hier bist.«

Junge 412 war überrascht. Bisher hatte sich noch nie jemand die Mühe gemacht, ihn nach seiner Lieblingsfarbe zu fragen. Und davon mal abgesehen, war er sich gar nicht sicher, ob er überhaupt eine hatte. Dann fiel ihm das schöne Blau auf dem Drachenboot ein.

»Äh, blau. Eine Art Dunkelblau.«

»Ah ja. Gefällt mir auch. Vielleicht mit ein paar goldenen Streifen? Was meinst du?«

»Doch, äh, ja, das ist schön.«

Marcia fuchtelte mit den Händen über dem Buch herum und

murmelte etwas. Ein lautes Rascheln ertönte, und alle Seiten ordneten sich neu. Alle Notizen, die Tante Zelda hineingekritzelt hatte, entfernten sich, darunter auch ihr Lieblingsrezept für Krauteintopf, und verwandelten sich in fabrikneues, glattes, cremefarbenes Papier, das ideal zum Beschreiben war. Dann banden sie sich selbst in lapislazuliblaues Leder ein, mit echten Goldsternen und einem lila Buchrücken, auf dem stand, dass das Buch dem Lehrling der Außergewöhnlichen Zauberin gehörte. Und als besondere Note fügte Marcia noch ein Schloss aus reinem Gold und einen kleinen silbernen Schlüssel hinzu.

Sie schlug das Buch auf, um nachzusehen, ob der Zauber funktioniert hatte. Befriedigt stellte sie fest, dass die ersten und die letzten Seiten des Buchs hellrot waren, in genau derselben Farbe wie der Hut von Junge 412. Auf der ersten Seite stand: LEHRLINGS-BUCH.

»Hier, bitte«, sagte Marcia, klappte den Deckel zu und drehte den silbernen Schlüssel im Schloss. »Ist schön geworden, findest du nicht?«

»Doch«, antwortete Junge 412 verwirrt. Warum fragte sie ihn das?

Marcia sah ihm in die Augen. »Jetzt muss ich dir etwas zurückgeben – deinen Ring. Danke. Ich werde dir nie vergessen, was du für mich getan hast.«

Marcia zog den Drachenring aus einer Tasche in ihrem Gürtel und legte ihn behutsam auf den Tisch. Der bloße Anblick des goldenen Drachen mit seinen strahlenden Smaragdaugen, der sich, den eigenen Schwanz im Maul, auf dem Tisch krümmte, machte

Junge 412 sehr glücklich. Aus irgendeinem Grund zögerte er, den Ring zu nehmen. Er spürte, dass Marcia noch etwas sagen wollte. Und sein Gefühl trog ihn nicht.

»Woher hast du den Ring eigentlich?«

Sofort bekam Junge 412 Schuldgefühle. Also hatte er doch etwas Unrechtes getan. Nur darum ging es.

»Ich ... ich habe ihn gefunden.«

»Wo?«

»Ich bin in den unterirdischen Gang gefallen. In den, der zum Drachenboot führte. Nur wusste ich das damals noch nicht. Es war dunkel. Ich konnte nichts sehen. Und da fand ich den Ring.«

»Hast du dir den Ring angesteckt?«

»Äh, ja.«

»Und was ist dann geschehen?«

»Er ... er hat geleuchtet. Und so konnte ich sehen, wo ich war.«

»Hat er dir gepasst?«

»Nein. Zuerst nicht. Aber dann schon. Er wurde kleiner.«

»Aha. Und er hat dir nicht zufällig etwas vorgesungen, oder?«

Bis jetzt hatte Junge 412 stur vor sich hingesehen. Nun aber schaute er zu Marcia auf und sah das Lächeln in ihren Augen. Machte sie sich über ihn lustig?

»Doch. Zufällig ja.«

Marcia überlegte. Sie schwieg so lange, dass Junge 412 glaubte, etwas sagen zu müssen. »Sind Sie mir böse?«

»Warum sollte ich dir böse sein?«, fragte sie.

»Weil ich den Ring genommen habe. Er gehört doch dem Drachen, oder nicht?«

»Nein, er gehört dem Drachenmeister«, schmunzelte Marcia.

Junge 412 blickte besorgt. Wer war der Drachenmeister? Würde er sich ärgern? War er sehr groß? Was würde er tun, wenn er dahinter kam, dass er seinen Ring hatte?

»Könnten Sie …«, fragte er zögernd, »… könnten Sie ihn dem Drachenmeister zurückgeben? Und ihm sagen, dass es mir Leid tut, dass ich ihn genommen habe.« Er schob den lapislazuliblauen Ring über den Tisch zurück zu Marcia.

»Also gut«, sagte sie feierlich und nahm den Ring. »Ich gebe ihn dem Drachenmeister zurück.«

Junge 412 seufzte. Er hatte den Ring geliebt, und seine bloße Nähe machte ihn glücklich, aber es überraschte ihn nicht, dass er einem anderen gehörte. Es war zu schön für ihn.

Marcia betrachtete den Ring eine Weile. Dann streckte sie ihn Junge 412 hin.

»Hier«, sagte sie lächelnd, »dein Ring.«

Junge 412 starrte sie verständnislos an.

»Du selbst bist der Drachenmeister«, sagte Marcia. »Der Ring gehört dir. Ach ja, und die Person, die ihn genommen hat, lässt dir ausrichten, dass es ihr Leid tut.«

Junge 412 war sprachlos. Er starrte den Ring in seiner Hand an. Er war sein.

»Du bist der Drachenmeister«, wiederholte Marcia, »weil der Ring dich ausgewählt hat. Er singt nämlich nicht für jeden, musst du wissen. Und er hat sich an deinen Finger geschmiegt, nicht an meinen.«

»Warum?«, hauchte Junge 412. »Warum gerade mich?«

»Du hast erstaunliche magische Kräfte. Das habe ich dir schon einmal gesagt. Vielleicht glaubst du mir jetzt.« Wieder lächelte sie.

»Ich … ich dachte, die Kräfte gehen von dem Ring aus.«

»Nein, sie gehen von dir aus. Vergiss nicht, der Drache hat dich auch ohne den Ring erkannt. Er wusste es. Schließlich wurde der Ring zuletzt von Hotep-Ra getragen, dem ersten Außergewöhnlichen Zauberer. Er hat lange gebraucht, um jemanden wie Hotep-Ra zu finden.«

»Aber doch nur, weil er jahrhundertelang in einem Geheimgang lag.«

»Nicht unbedingt«, erwiderte Marcia geheimnisvoll. »Gewöhnlich regeln sich die Dinge von selbst. Irgendwann.«

Allmählich glaubte Junge 412, dass Marcia Recht hatte.

»Lautet deine Antwort immer noch nein?«

»Nein?«, fragte Junge 412.

»Was die Lehre bei mir angeht. Hast du deine Meinung geändert, jetzt, wo du das alles weißt? Willst du mein Lehrling werden? Ich bitte dich.«

Junge 412 kramte in der Tasche seines Pullovers und zog den Charm hervor, den ihm Marcia gegeben hatte, als sie ihn das erste Mal gefragt hatte, ob er ihr Lehrling werden wolle. Er betrachtete die silbernen kleinen Flügel. Sie glänzten so hell wie immer, und noch immer war eingraviert: FLIEGE MIT MIR IN DIE FREIHEIT.

Junge 412 lächelte.

»Ja«, sagte er, »ich würde gern Ihr Lehrling werden. Sehr gern.«

# ★ 48 ★

## Das Lehrlingsessen

Es war nicht leicht gewesen, den Lehrling zurückzuholen. Aber Tante Zelda hatte es geschafft. Schon ihre hausgemachten Radikaltropfen und ihre Notsalbe hatten gewirkt, nur hatte die Wirkung nicht sehr lange angehalten. Bald war ihr der Lehrling wieder entglitten. Darauf hatte sie beschlossen, zum letzten Mittel zu greifen: Vital-Volt.

Die Verabreichung von Vital-Volt war riskant, denn Tante Zelda hatte den Trank nach einer abgewandelten Schwarzkünstlerrezeptur gebraut, die sie beim Einzug in der Dachstube gefunden hatte. Sie kannte die Wirkung seiner dunklen Seite nicht, aber eine innere Stimme sagte ihr, dass ein Schuss schwarze Magie in diesem Fall genau das Richtige war.

Mit einem bangen Gefühl hatte sie den Deckel aufgeschraubt. Ein grelles blauweißes Licht schoss aus der kleinen braunen Flasche hervor und hätte sie beinahe erblinden lassen. Sie wartete, bis das Flimmern vor ihren Augen verschwunden war, dann träufelte sie dem Lehrling einen Tropfen der elektrisch aufgeladenen blauen Paste auf die Zunge. Sie hielt den Atem an und drückte sogar die Daumen, was eine Weiße Hexe niemals leichtfertig tut. Eine Minute verging. Dann plötzlich setzte sich der Lehrling auf, glotzte sie mit so weit aufgerissenen Augen an, dass sie fast nur das Weiße darin sah, holte ganz tief Luft, sank ins Stroh zurück, rollte sich zusammen und schlief ein.

Vital-Volt hatte zwar gewirkt, doch Tante Zelda musste noch etwas anderes tun, damit der Lehrling wieder ganz gesund werden konnte. Sie musste ihn aus den Klauen seines Meisters befreien. Zu diesem Zweck hatte sie sich wieder an den Ententeich gesetzt, und als die Sonne am Horizont versank und der Mond dunkelorangerot über den Marram-Marschen aufging, warf sie noch einmal einen Blick in die Vergangenheit. Es gab da noch ein oder zwei Dinge, die sie wissen musste.

Die Nacht war hereingebrochen, und der Mond stand hoch am Firmament, als Tante Zelda sich langsam auf den Heimweg machte. Der Lehrling lag in tiefem Schlaf, und sie wusste, dass er im Entenhaus noch viele Tage durchschlafen musste, ehe er transportfähig war. Und auch danach würde er noch eine Weile bei ihr bleiben müssen. Nun, da sich Junge 412 so gut erholt hatte, wurde es auch Zeit, dass sie einen neuen Pflegling bekam, den sie umsorgen konnte.

Ihre blauen Augen funkelten im Dunkeln, als sie auf dem Uferweg am Mott entlangging, in Gedanken noch ganz bei den Bildern, die sie im Ententeich gesehen hatte und deren Bedeutung sie zu verstehen versuchte. Sie war so sehr damit beschäftigt, dass sie erst wieder aufschaute, als sie den Landungssteg vor der Hütte erreichte. Was sie dort sah, gefiel ihr nicht.

Im Mott herrschte ein schreckliches Durcheinander. Es lagen einfach zu viele Boote hier. Das widerliche Kanu des Jägers und die schmuddelige alte *Muriel zwei* waren schon schlimm genug. Aber jetzt lag hinter der Brücke auch noch ein altersschwacher Fischerkahn, mit einem ebenso altersschwachen Geist an Bord.

Tante Zelda marschierte auf den Geist zu und redete ihn mit sehr lauter und sehr langsamer Stimme an. Das tat sie immer, wenn sie mit Geistern sprach, besonders mit den alten. Der Geist reagierte erstaunlich freundlich, wenn man bedachte, dass sie ihn gerade mit einer sehr rüden Frage aufgeweckt hatte.

»Nein, Madam«, antwortete er höflich. »Es tut mir Leid, Sie enttäuschen zu müssen. Ich gehöre nicht zu den schrecklichen Seeleuten von dem Unglücksschiff. Ich bin oder, wie ich streng genommen wohl sagen sollte, war Alther Mella, Außergewöhnlicher Zauberer. Zu Ihren Diensten, Madam.«

»Ist das wahr?«, fragte Tante Zelda. »Ich hatte Sie mir ganz anders vorgestellt.«

»Ich nehme das als Kompliment«, erwiderte Alther charmant. »Verzeihen Sie meine Unhöflichkeit, aber leider kann ich nicht von Bord gehen, um sie zu begrüßen. Ich muss auf meiner guten alten *Molly* bleiben, sonst werde ich retourniert. Aber es ist mir ein Vergnügen, Ihre Bekanntschaft zu machen, Madam. Ich nehme an, Sie sind Zelda Heap.«

»Zelda!«, rief jemand von der Hütte herunter. Silas.

Tante Zelda blickte verwundert zur Hütte. Alle Laternen und Kerzen brannten, und wie es aussah, war sie voller Menschen.

»Silas?«, rief sie zurück. »Was machst du denn hier?«

»Bleib, wo du bist«, schrie er. »Komm nicht rein. Wir kommen gleich zu dir raus!« Er schlüpfte in die Hütte zurück, und Tante Zelda hörte ihn rufen: »Nein, Marcia, ich habe ihr gesagt, dass sie draußen bleiben soll. Außerdem würde es Zelda nicht im Traum einfallen, sich einzumischen. Nein, ich weiß nicht, ob noch mehr Kohl da ist. Wozu brauchst du denn zehn Kohlköpfe?«

Tante Zelda wandte sich wieder Alther zu, der es sich im Bug des Fischerkahns bequem machte. »Warum kann ich nicht hinein?«, erkundigte sie sich. »Was geht da vor? Und wie kommt Silas überhaupt hierher?«

»Das ist eine lange Geschichte«, antwortete der Geist.

»Dann erzählen Sie mal«, sagte Tante Zelda. »Die anderen scheinen es ja nicht für nötig zu halten. Die sind offenbar zu sehr mit meinem Kohlvorrat beschäftigt.«

»Also«, fing Alther an, »eines schönen Tages, als ich mich in … äh … in einer gewissen Angelegenheit in DomDaniels Turmzimmer aufhielt, kam plötzlich der Jäger und meldete, dass er euer Versteck gefunden habe. Ich wusste, dass ihr sicher wart, solange die große Kälte andauerte, aber als das große Tauen einsetzte, ahnte ich, dass Ärger ins Haus stand. Und tatsächlich. Kaum begann es zu tauen, brach DomDaniel eilends zur Miesbucht auf, machte sein grässliches Schiff flott und segelte mit dem Jäger hierher. Ich beauftragte meine liebe Freundin Alice in Port, ein Schiff zu besorgen, das euch in Sicherheit bringen konnte. Silas wollte unbedingt seine ganze Familie mitnehmen, deshalb stellte ich ihm für die Fahrt nach Port die *Molly* zur Verfügung. Jannit Maarten hatte sie eigentlich in der Werft überholen wollen, aber Silas ließ sie wieder klarmachen. Jannit war über den Zustand der *Molly* besorgt, aber wir konnten nicht warten, bis sie repariert war. Am Wald legten wir an und nahmen Sarah an Bord. Sie war verzweifelt, weil keiner ihrer Söhne mitkommen wollte. Wir fuhren ohne die Jungs weiter und machten viel Zeit gut, bis wir ein kleines technisches Problem bekamen – ein größeres technisches Problem, um genau zu sein. Silas brach mit dem Fuß durch den Schiffsboden. Während wir das Loch flickten, wurden wir von der *Vergeltung* überholt. Wir hatten großes Glück, dass sie uns nicht bemerkten. Sarah war mit den Nerven am Ende – sie dachte schon, alles sei verloren. Und dann gerieten wir zu allem Überfluss auch noch in den Sturm und wurden in die Marschen abgetrieben. Also ich habe schon vergnüglichere Fahrten mit der *Molly* erlebt. Aber jetzt sind wir hier, und während wir nur im Boot herumgeirrt sind, haben Sie, wie mir scheint, alle Probleme in höchst zufrieden stellender Weise gelöst.«

»Wenn man vom Schlamm absieht«, murrte Tante Zelda.

»Wohl wahr«, pflichtete Alther ihr bei. »Aber nach meiner Erfahrung hinterlässt schwarze Magie immer irgendeine Art von Schmutz. Es hätte schlimmer kommen können.«

Tante Zelda antwortete nicht. Der Lärm, der aus der Hütte drang, lenkte sie ab. Plötzlich ertönte ein Knall, gefolgt von lauten Stimmen.

»Alther, was geht da drin vor?«, erkundigte sie sich. »Ich bin kaum ein paar Stunden fort, und wenn ich wiederkomme, wird hier ein Fest gefeiert. Und man lässt mich nicht mal in mein eigenes Haus. Diesmal ist Marcia zu weit gegangen, wenn Sie mich fragen.«

»Es geht um das Lehrlingsessen«, erklärte Alther. »Für den Jungen von der Jungarmee. Er ist gerade Marcias Lehrling geworden.«

»Wirklich? Was für eine wunderbare Neuigkeit!«, rief Tante Zelda und strahlte. »Besser hätte es gar nicht kommen können. Darauf habe ich nämlich die ganze Zeit gehofft, müssen Sie wissen.«

»Tatsächlich?«, fragte Alther, der sich für Tante Zelda langsam erwärmte. »Ich auch.«

»Trotzdem«, seufzte Tante Zelda. »Die Sache mit dem Essen hätte nicht sein müssen. Ich hatte für heute Abend einen Bohneneintopf mit Aal geplant, einfach, aber lecker.«

»An dem Lehrlingsessen heute Abend führt kein Weg vorbei, Zelda«, sagte Alther. »Es muss an dem Tag stattfinden, an dem der Lehrling das Angebot des Zauberers annimmt. Sonst wird der Vertrag zwischen Zauberer und Lehrling ungültig. Und ein zweites Mal kann man ihn nicht schließen – man bekommt nur eine einzige Chance. Kein Essen, kein Vertrag, keine Lehre.«

»Oh, ich weiß«, sagte Tante Zelda zerknirscht.

»Ich kann mich noch erinnern, wie Marcia mein Lehrling wurde«, sagte Alther wehmütig. »An dem Abend ging es hoch her. Alle Zauberer waren da, und damals gab es noch viel mehr als heutzutage. Das Essen sorgte noch Jahre danach für Gesprächsstoff. Es fand in der Empfangshalle des Zaubererturms statt. Waren Sie schon einmal dort, Zelda?«

Tante Zelda schüttelte den Kopf. Sie hatten sich den Zaubererturm schon immer mal ansehen wollen, doch damals, als Silas vorübergehend bei Alther in die Lehre ging, hatte sie zu viel zu tun gehabt. Sie hatte gerade die Nachfolge der Weißen Hexe Betty Crackle angetreten, die ihre Pflichten als Hüterin des Drachenboots etwas vernachlässigt hatte.

»Na, dann hoffen wir, dass Sie ihn eines Tages zu sehen bekommen. Es ist ein herrliches Bauwerk«, sagte Alther in Erinnerung an den märchenhaften Luxus, der sie damals alle umgeben hatte. Das war schon etwas anderes als eine Verlegenheitsparty neben einem Fischerkahn.

»Ich bin zuversichtlich, dass Marcia sehr bald zurückkehren kann«, sagte Tante Zelda. »Jetzt, wo wir diesen grässlichen DomDaniel los sind.«

»Ich war Lehrling bei diesem grässlichen DomDaniel«, fuhr Alther fort, »und alles, was er mir bei meinem Lehrlingsessen vorsetzte, war ein Käsebrot. Und glauben Sie mir, Zelda, dass ich dieses Käsebrot gegessen habe, bereue ich mehr als sonst etwas in meinem Leben. Es hat mich für viele Jahre an diesen Mann gebunden.«

»Bis Sie ihn von der Pyramide gestoßen haben«, gluckste Tante Zelda.

»Ich habe ihn nicht gestoßen, er ist gesprungen«, protestierte Alther zum wiederholten und, wie er vermutete, auch nicht zum letzten Mal.

»Ist ja auch egal, für Sie war es jedenfalls gut so«, sagte Tante Zelda, die erneut von dem aufgeregten Geschnatter abgelenkt wurde, das aus den offenen Türen und Fenstern der Hütte drang. Am lautesten tönte Marcias unverkennbar herrische Stimme:

»Nein, Sarah soll das nehmen, Silas. Du lässt es nur fallen.«

»Gut, dann stell es eben hin, wenn es *so* heiß ist.«

»Würdest du gefälligst auf meine Schuhe Acht geben? Und nimm um Himmels willen den Hund weg.«

»Verflixte Ente. Turnt einem immer zwischen den Füßen herum. Igitt, ist das Entenschiet, wo ich eben reingetreten bin?«

Und schließlich: »Und jetzt möchte ich meinen Lehrling bitten voranzugehen.«

Im nächsten Moment trat Junge 412 aus der Tür, in der Hand eine Laterne. Ihm folgten Silas und Simon, die den Tisch und Stühle trugen, dann Sarah und Jenna mit Tellern, Gläsern und Flaschen und schließlich Nicko mit einem Korb, in dem sich neun Kohlköpfe auftürmten. Er hatte keine Ahnung, wozu er einen Korb mit Kohlköpfen schleppte, aber er wollte auch nicht fragen. Er war Marcia bereits auf die nagelneuen Pythonschuhe getreten (beim Lehrlingsessen Galoschen zu tragen kam für sie überhaupt nicht infrage), deshalb ging er ihr lieber aus dem Weg.

Den Schluss machte Marcia. Sie stieg vorsichtig über die Schlammpfützen und hielt das in blaues Leder gebundene Lehrlingsbuch in der Hand, das sie für Junge 412 gezaubert hatte.

Im selben Moment, als die Gruppe aus der Hütte erschien, verzog sich die letzte Wolke. Der Mond prangte am Himmel und tauchte die Prozession, die dem Landungssteg zustrebte, in ein silbernes Licht. Silas und Simon stellten den Tisch neben der *Molly* ab und breiteten eine weiße Tischdecke darüber, dann gab Marcia Anweisung, wie er gedeckt werden sollte. Nicko musste den Korb mit den Kohlköpfen mitten auf den Tisch stellen.

Marcia klatschte in die Hände und bat um Ruhe.

»Heute«, sagte sie, »ist für uns alle ein wichtiger Abend, und ich möchte meinen Lehrling willkommen heißen.«

Alle spendeten höflich Beifall.

»Ich bin keine Freundin von langen Reden«, fuhr Marcia fort.

»Das habe ich aber anders in Erinnerung«, raunte Alther Tante Zelda zu, die sich neben ihn aufs Boot gesetzt hatte, damit er sich nicht ausgeschlossen fühlte. Sie wollte ihn freundschaftlich stupsen, vergaß dabei aber, dass er ein Geist war, und so fuhr ihr Ellbogen durch ihn hindurch und knallte gegen den Mast der *Molly*.

»Autsch!«, jaulte Tante Zelda auf. »Oh, entschuldigen Sie, Marcia. Bitte fahren Sie fort.«

»Danke, Zelda, das werde ich. Ich möchte nur noch Folgendes sagen: Zehn Jahre lang habe ich nach einem Lehrling gesucht, und obwohl mir einige viel versprechende Talente unterkamen, fand ich doch nie, was ich suchte, bis heute.«

Sie wandte sich Junge 412 zu, der neben ihr saß, und lächelte. »Und so danke ich dir, dass du eingewilligt hast, sieben Jahre und einen Tag lang bei mir in die Lehre zu gehen. Dafür bin ich dir sehr dankbar. Wir werden eine wunderbare Zeit zusammen haben.«

Junge 412 lief knallrot an, als sie ihm das Lehrlingsbuch überreichte. Er ergriff das Buch mit schwitzenden Händen und hinterließ auf dem porösen blauen Leder zwei Flecken. Sie sollten nie wieder herausgehen und ihn stets an diesen Abend erinnern, der für immer sein Leben veränderte.

»Nicko«, sagte Marcia, »würdest du jetzt bitte die Kohlköpfe verteilen?«

Nicko sah Marcia mit demselben Gesichtsausdruck an, mit dem er Maxie ansah, wenn er etwas besonders Dummes angestellt hatte. Doch er verkniff sich eine Bemerkung. Er nahm den Korb mit den Kohlköpfen, ging um den Tisch herum und begann, sie zu verteilen.

»Äh, danke, Nicko«, sagte Silas, nahm den dargebotenen Kohlkopf, hielt ihn ungeschickt in den Händen und rätselte, was er damit anstellen sollte.

»Nicht doch!«, raunzte Marcia. »Du sollst sie ihnen nicht *geben*. Du sollst sie auf die Teller legen.«

Nicko bedachte sie mit einem weiteren Maxie-Blick (diesmal war es der Ich-wünschte-du-hättest-nicht-hierhin-gekackt-Blick), dann ließ er rasch auf jeden Teller einen Kohlkopf fallen.

»Heut Abend gilt das Motto: ›Iss, was du willst.‹ Jeder Kohlkopf ist so präpariert, dass er sich problemlos in das verwandelt, worauf ihr am meisten Appetit habt. Legt einfach nur die Hand auf den Kohlkopf und entscheidet euch, was ihr wollt.«

Alle plapperten aufgeregt durcheinander, als sie ihre Wahl trafen und ihren Kohlkopf verwandelten.

»Es ist ein wahres Verbrechen, den schönen Kohl so zu verschwenden«, flüsterte Tante Zelda Alther zu. »Ich nehme einen einfachen Kohleintopf.«

»Jetzt, wo alle ihre Wahl getroffen haben«, übertönte Marcia den Lärm, »noch eine letzte Bemerkung.«

»Aber Tempo, Marcia!«, rief Silas. »Mein Fischauflauf wird kalt.«

Marcia warf ihm einen vernichtenden Blick zu.

»Es ist Brauch«, fuhr sie fort, »dass der Zauberer dem Lehrling für die sieben Jahre und den einen Tag seines Lebens, die er ihm schenkt, seinerseits ein Geschenk macht.« Marcia wandte sich wieder Junge 412 zu, der hinter einem riesigen Teller Aalragout mit Knödeln nach Art von Tante Zelda fast verschwand.

»Was wünschst du dir von mir?«, fragte ihn Marcia. »Bitte mich um etwas, das du gern hättest. Ich werde alles tun, was in meinen Kräften steht, um dir den Wunsch zu erfüllen.«

Junge 412 starrte auf seinen Teller. Dann hob er den Kopf und sah die Menschen an, die um ihn herumsaßen. Er dachte daran, wie sehr sich sein Leben verändert hatte, seit er sie kannte. Er war so glücklich, dass er eigentlich keinen Wunsch mehr hatte. Bis auf einen. Einen großen Wunsch. Aber das war ausgeschlossen. Er wagte kaum, daran zu denken.

»Alles, was du magst«, sagte Marcia sanft. »Alles, was du willst.«

Junge 412 schluckte.

»Ich würde gerne wissen«, sagte er ruhig, »wer ich bin.«

# ★49★

## SEPTIMUS HEAP

Auf der Schornsteinkappe der Hüterhütte saß unbemerkt eine Sturmschwalbe. Sie war letzte Nacht vom Sturm hierher verschlagen worden und hatte das Lehrlingsessen mit großem Interesse verfolgt. Und nun beobachtete sie mit einem Gefühl der Zuneigung, wie Tante Zelda sich anschickte, etwas zu tun, wofür sie nach Meinung der Schwalbe seit jeher eine besondere Gabe hatte.

»Die Nacht ist dafür ideal«, sagte Tante Zelda, die auf der Brücke stand, die über den Mott führte. »Wir haben einen herrlichen Vollmond, und ich habe den Mott noch nie so ruhig gesehen. Passen alle auf die Brücke? Rücken Sie doch etwas auf, Marcia, damit Simon noch Platz hat.«

Simon sah nicht so aus, als lege er großen Wert darauf, dass man für ihn Platz machte.

»Oh, kümmert euch nicht um mich«, grummelte er. »Warum mit einer lebenslangen Gewohnheit brechen?«

»Was meinst du damit?«, fragte Silas.

»Nichts.«

»Lass ihn, Silas«, sagte Sarah. »Er hat in letzter Zeit viel durchgemacht.«

»Wir haben alle in letzter Zeit viel durchgemacht, Sarah. Aber *wir* laufen nicht herum und jammern.«

Tante Zelda klopfte gereizt auf das Brückengeländer.

»Wenn alle Streitigkeiten beigelegt sind, möchte ich daran erinnern, dass wir versuchen wollen, eine Antwort auf eine wichtige Frage zu bekommen. Sind alle bereit?«

Stille senkte sich über die Gruppe. Neben Tante Zelda drängten sich Junge 412, Sarah, Silas, Marcia, Jenna, Nicko und Simon auf der kleinen Brücke. Hinter ihnen lag das Drachenboot, das den Kopf hoch in die Luft über ihnen reckte und mit seinen dunkelgrünen Augen gespannt auf das Spiegelbild des Mondes blickte, das im ruhigen Wasser des Mott schwamm.

Vor ihnen lag, etwas zurückgesetzt, damit das Spiegelbild des Mondes zu sehen war, die *Molly* mit Alther, der im Bug saß und das Geschehen mit Interesse beobachtete.

Simon hielt sich etwas abseits am Rand der Brücke. Er verstand die ganze Aufregung nicht. Wen interessierte es schon, wo so ein Dreikäsehoch von der Jungarmee herkam? Zumal dieser Dreikäsehoch seinen Lebenstraum zerstört hatte. Die Herkunft von Junge 412 war das Letzte, was ihn interessierte oder jemals interessieren könnte. Und so drehte er sich absichtlich weg, als Tante Zelda den Mond anrief.

»Bruder Mond, Bruder Mond«, sprach Tante Zelda leise, »zeige uns, wenn du magst, die Familie von Junge 412 von der Jung-armee.«

Genau wie schon am Ententeich wurde das Spiegelbild des Mondes immer größer und größer, bis eine riesige runde Scheibe den Mott ausfüllte. Dann zeigten sich verschwommene Schatten, die allmählich immer deutlicher wurden, bis jeder ... in sein eigenes Spiegelbild blickte.

Alle murrten enttäuscht, alle bis auf Marcia, die etwas bemerkt hatte, was den anderen entgangen war, und Junge 412, der keinen Ton herausbrachte. Das Herz klopfte ihm bis zum Hals, und seine Knie fühlten sich an wie Pudding. Hätte er doch nur nicht wissen wollen, wer er war. Eigentlich wollte er es gar nicht mehr wissen. Was, wenn er eine schreckliche Familie hatte? Was, wenn die Jung-armee tatsächlich seine Familie war, wie man ihm gesagt hatte? Oder sogar DomDaniel selbst? Gerade als er Tante Zelda sagen wollte, dass er es sich anders überlegt habe und dass es ihn nicht mehr interessiere, wer er sei, erhob sie die Stimme.

»Die Dinge«, rief sie jedem auf der Brücke in Erinnerung, »sind nicht immer so, wie sie scheinen. Denkt daran, dass der Mond uns immer die Wahrheit zeigt. Wie wir die Wahrheit sehen, hängt von uns ab, nicht vom Mond.«

Sie wandte sich an Junge 412, der neben ihr stand. »Sag mir: Was genau möchtest du sehen?«

Er war über seine Antwort selbst überrascht.

»Ich möchte meine Mutter sehen«, hauchte er.

»Bruder Mond, Bruder Mond«, sagte Tante Zelda leise, »zeige uns, wenn du magst, die Mutter von Junge 412 von der Jungarmee.«

Die weiße Scheibe des Mondes nahm den ganzen Mott ein. Wieder erschienen vage Schatten, bis sie … in ihre eigenen Spiegelbilder blickten. Schon wieder! Ein allgemeines Murren erhob sich, verstummte aber sofort. Etwas anderes geschah. Ein Anwesender nach dem anderen verschwand aus dem Spiegelbild.

Zuerst verschwand Junge 412 selbst. Dann verschwanden Simon, Jenna, Nicko und Silas und schließlich Marcia und Tante Zelda.

Sarah Heap blickte in ihr Spiegelbild und wartete darauf, dass es wie alle anderen verblasste. Doch es verblasste nicht. Es wurde größer und deutlicher, bis sie ganz allein mitten in der weißen Mondscheibe stand. Jeder konnte sehen, dass es nicht mehr nur ein Spiegelbild war. Es war die Antwort.

Junge 412 starrte wie versteinert auf Sarahs Bild. Wie konnte Sarah Heap seine Mutter sein? *Wie?*

Sarah hob den Blick vom Wasser und sah Junge 412 an.

»Septimus?«, fragte sie, halb flüsternd.

Aber Tante Zelda wollte Sarah noch etwas zeigen.

»Bruder Mond, Bruder Mond«, sprach sie, »zeige uns, wenn du magst, den siebten Sohn von Sarah und Silas Heap. Zeige uns Septimus Heap.«

Langsam verblasste das Bild Sarah Heaps und wurde ersetzt durch …

Junge 412.

Allen stockte der Atem, selbst Marcia, die seit ein paar Minuten ahnte, wer Junge 412 war. Nur ihr war aufgefallen, dass ihr Spiegelbild aus dem Bild der Familie Heap verschwunden war.

»Septimus?« Sarah kniete neben Junge 412 nieder und sah ihn forschend an. Er machte große Augen, und Sarah sagte: »Weißt du, ich habe das Gefühl, dass deine Augen langsam grün werden, wie die deines Vaters. Und meine. Und die deiner Brüder.«

»Wirklich?«, fragte Junge 412.

Sarah legte die Hand auf seinen roten Hut.

»Würde es dir etwas ausmachen, den abzunehmen?«, fragte sie.

Junge 412 schüttelte den Kopf. Dafür waren Mütter ja da. Dass sie einem am Hut rumfummeln.

Behutsam nahm sie ihm den Hut ab. Es war das erste Mal, seit ihm Marcia den Hut in Sally Mullins Schlafbaracke aufgesetzt hatte. Strohblonde Locken quollen darunter hervor, als Septimus den Kopf schüttelte, so wie ein nasser Hund, der das Wasser abschüttelt, oder wie ein Junge, der sein altes Leben, seine alten Ängste und seinen alten Namen abschüttelt.

Er wurde der, der er in Wirklichkeit war.

Septimus Heap.

# WAS TANTE ZELDA IM
# ENTENTEICH SAH

Wir sind wieder in der Kinderkrippe der Jungarmee.
Im halbdunklen Zimmer legt die Oberhebamme den neugeborenen Septimus in ein Kinderbettchen und setzte sich müde hin. Immer
wieder blickt sie nervös zur Tür, als erwarte sie jemanden. Es kommt
niemand.

Nach ein oder zwei Minuten stemmt sie sich aus dem Stuhl, geht hinüber zu dem Bettchen, in dem ihr eigener Sohn schreit, und hebt ihn
heraus. Im selben Augenblick fliegt die Tür auf, und die Oberhebamme
fährt erschrocken herum, ganz weiß im Gesicht.

Eine große, schwarz gekleidete Frau steht in der Tür. Über ihrem
schwarzen, tadellos gebügelten Kleid trägt sie den gestärkten weißen
Kittel einer Krankenschwester, doch auf ihrem blutroten Gürtel pran-
gen die drei schwarzen Sterne DomDaniels.

Sie kommt, um Septimus Heap zu holen.

Die Krankenschwester hat sich verspätet. Auf dem Weg zur Krippe
hat sie sich verirrt. Sie hat Angst. DomDaniel duldet keine Verspätung.
Sie sieht die Oberhebamme mit dem Säugling, so wie man ihr gesagt
hat. Sie weiß nicht, dass die Oberhebamme ihren eigenen Sohn im Arm

*hält und Septimus Heap in einem Bettchen schläft. Sie stürzt zu ihr und nimmt ihr das Kind weg. Die Hebamme protestiert. Verzweifelt versucht sie, der Schwester das Kind wieder zu entreißen, doch die Schwester will unbedingt vor Einsetzen der Flut wieder auf dem Boot sein.*

*Die größere und jüngere Schwester behält die Oberhand. Sie wickelt das Kind in ein langes rotes Tuch, das drei schwarze Sterne schmücken, und eilt hinaus, verfolgt von der schreienden Hebamme, die jetzt am eigenen Leib erfährt, was Sarah Heap wenige Stunden zuvor durchgemacht haben muss. Die Verfolgung endet am Kasernentor. Die Schwester zeigt der Wache ihre drei schwarzen Sterne, lässt die Oberhebamme festnehmen und verschwindet triumphierend in der Nacht, um den Sohn der Hebamme zu DomDaniel zu bringen.*

*Unterdessen erwacht in der Krippe die alte Kinderfrau. Hustend und schnaufend steht sie auf und bereitet die Fläschchen für ihre vier Schützlinge vor. Jeweils eines für die Drillinge – Junge 409, 410 und 411 – und eines für den neuesten Rekruten der Jungarmee, den zwölf Stunden alten Septimus Heap, der in den nächsten zehn Jahren den Namen Junge 412 tragen wird.*

Tante Zelda seufzte. Damit hatte sie gerechnet. Als Nächstes bat sie den Mond, dem Sohn der Hebamme zu folgen. Da war noch etwas, was sie wissen musste.

*Die Schwester erreicht das Boot noch rechtzeitig. Eine Kreatur steht im Heck des Boots und setzt sie, nach alter Fischerart nur mit einem Ruder rudernd, über den Fluss. Am anderen Ufer wartet ein schwarzer Reiter auf einem Rappen. Er zieht die Schwester mit dem Kind hinter sich aufs Pferd und galoppiert hinaus in die Nacht. Vor ihnen liegt ein langer und beschwerlicher Ritt.*

*Als sie endlich in DomDaniels Versteck hoch oben in den alten Schie-*
*ferbrüchen der Ödlande ankommen, schreit das Kind der Hebamme,*
*und die Schwester hat heftige Kopfschmerzen. DomDaniel wartet*
*schon. Er will sich den entführten Knaben ansehen, den er für Septi-*
*mus Heap hält, den siebten Sohn eines siebten Sohns. Den Lehrling,*
*von dem jeder Zauberer und jeder Schwarzkünstler träumt. Den Lehr-*
*ling, der ihm die Macht verleihen wird, um in die Burg zurückzukehren*
*und wieder den ihm gebührenden Platz einzunehmen.*

*Mit Widerwillen betrachtet er das schreiende Kind. Von dem Gebrüll*
*bekommt er Kopfweh und Ohrensausen. Für ein Neugeborenes ist das*
*Kind groß, denkt DomDaniel, und hässlich obendrein. Er mag es nicht*
*besonders. Mit enttäuschtem Gesicht sagt der Schwarzkünstler der*
*Schwester, dass sie das Kind wegbringen solle.*

*Die Schwester legt das Kind in die bereitstehende Wiege und geht zu*
*Bett. Tags darauf fühlt sie sich so krank, dass sie nicht aufsteht, und*
*bis zum nächsten Abend macht sich niemand die Mühe, dem Sohn der*
*Hebamme das Fläschchen zu geben. Für diesen Lehrling gibt es kein*
*Lehrlingsessen.*

Tante Zelda saß am Ententeich und lächelte. Der Lehrling war
seinem Meister, dem Schwarzkünstler, entkommen. Septimus Heap
war am Leben und hatte seine Familie gefunden. Die Prinzessin
war außer Gefahr. Tante Zelda musste an etwas denken, was Marcia häufig sagte: Gewöhnlich regeln sich die Dinge von selbst. Irgendwann.

# SPÄTER ...

*Was aus ... wurde:*

## Gringe, der Torwächter

Gringe blieb während der turbulenten Ereignisse in der Burg die ganze Zeit Torwächter am Nordtor. Auch wenn er lieber in einen Kessel mit siedendem Öl gesprungen wäre, als zuzugeben, dass er seinen Beruf liebte, dem seine Familie ein sorgloses Leben im Torhaus verdankte, nachdem sie jahrelang am Fuß der Burgmauern ihr Dasein gefristet hatte. Jener Tag, an dem er von Marcia eine halbe Krone bekommen hatte, erwies sich für ihn als ein wichtiger Tag. Zum ersten und letzten Mal behielt er einen Teil des Brückengelds für sich – Marcias halbe Krone, um genau zu sein. Die dicke Münze aus reinem Silber lag so warm und schwer in seiner Hand, dass es ihm widerstrebte, sie in die Zollbüchse zu werfen. Er steckte sie in die Hosentasche und nahm sich vor, sie am Abend zu den Tageseinnahmen zu legen. Doch er brachte es einfach nicht fertig, sich von der halben Krone zu trennen. Und so blieb sie viele Monate lang in seiner Tasche, bis er sie als sein Eigentum betrachtete.

Und dort wäre die halbe Krone wohl auch geblieben, hätte Gringe an einem kalten Morgen ein knappes Jahr später am Nordtor nicht einen Anschlag vorgefunden:

VERORDNUNG ZUR EINBERUFUNG IN DIE JUNGARMEE!
ALLE JUNGEN IM ALTER ZWISCHEN ELF
UND SECHZEHN JAHREN,
DIE KEIN ANERKANNTES GEWERBE ERLERNEN,
HABEN SICH MORGEN FRÜH UM 6 UHR IN DER
KASERNE DER JUNGARMEE ZU MELDEN.

Gringe war entsetzt. Sein Sohn Rupert hatte am Vortag seinen elften Geburtstag gefeiert. Mrs Gringe bekam einen Schreikrampf, als sie den Anschlag sah. Auch Gringe selbst hätte am liebsten geschrien, doch als er sah, wie Rupert beim Lesen des Anschlags kreidebleich wurde, sah er ein, dass er ganz ruhig bleiben musste. Er steckte die Hände in die Hosentaschen und überlegte. Aus Gewohnheit schloss er die Hand um Marcias halbe Krone, und da wusste er, was er zu tun hatte.

Als die Bootswerft an jenem Morgen öffnete, hatte sie einen neuen Lehrling: Rupert Gringe, dessen Vater dem Heringsbootbauer Jannit Maarten die stolze Summe von einer halben Krone bezahlt und ihm damit eine siebenjährige Lehre gesichert hatte.

## Die Oberhebamme

Nach ihrer Festnahme wurde die Oberhebamme in die Anstalt für geistesgestörte und Not leidende Personen eingeliefert. Grund war ihr verwirrter Gemütszustand und ihre krankhafte Angst vor Kindsraub, die weit über das hinausging, was bei einer Hebamme als normal gelten konnte. Nach mehrjährigem Aufenthalt wurde sie wegen Überfüllung der Anstalt entlassen. Seit der Machtübernahme des Obersten Wächters war die Zahl der geistesgestörten und Not leidenden Menschen in der Burg enorm gestiegen, und die Oberhebamme war weder so geistesgestört noch so Not leidend, dass sie Anspruch auf einen Platz hatte. Und so schnürte Agnes Meredith, ehemals Oberhebamme und jetzt Wohnsitzlose ohne feste Arbeit, ihr Bündel und begab sich auf die Suche nach ihrem verlorenen Sohn Rodney.


## Der Nachtdiener

Der Nachtdiener des Obersten Wächters wurde in den Kerker geworfen, als er die Krone fallen ließ und ihr dabei eine weitere Delle beibrachte. Nach einer Woche wurde er irrtümlich entlassen und nahm in den Palastküchen eine Stelle als Unterkoch fürs Kartoffelschälen an. Er war darin so gut, dass er bald zum Oberkartoffelschäler aufstieg. Die Arbeit gefiel ihm. Niemanden störte es, wenn er mal eine Kartoffel fallen ließ.

## Richterin Alice Nettles

Alice Nettles war Referendarin am Burggericht, als sie Alther Mella kennen lernte. Alther ging zu der Zeit noch nicht bei Dom-Daniel in die Lehre, aber Alice spürte, dass er etwas Besonderes war. Selbst als er Außergewöhnlicher Zauberer wurde und als »dieser furchtbare Lehrling, der seinen Meister vom Turm gestoßen hat«, ins Gerede kam, traf sie sich noch mit ihm. Sie wusste, dass er kein Mörder war und keiner Fliege etwas zu Leide tun konnte. Wenig später ging für Alice ein Traum in Erfüllung: Sie wurde Richterin. Bald waren sie in ihren jeweiligen Berufen sehr eingespannt und konnten sich längst nicht mehr so häufig sehen, wie sich beide gewünscht hätten, was Alice immer bedauerte.

Für Alice war es ein schwerer Schlag, als die Gardewächter innerhalb weniger Tage nicht nur ihren liebsten Freund ermordeten, sondern auch ihre berufliche Existenz zerstörten, indem sie Frauen aus dem Gerichtsgebäude verbannten. Alice kehrte der Burg den Rücken und zog zu ihrem Bruder nach Port. Nach einiger Zeit hatte sie sich von dem Schock über Althers Tod so weit erholt, dass sie eine Stelle als Rechtsberaterin beim Zollamt annehmen konnte.

Eines Abends nach einem langen anstrengenden Tag, an dem sie einen kniffligen Fall bearbeitet hatte, der sich um ein geschmuggeltes Kamel und einen Wanderzirkus drehte, kehrte Alice nicht gleich ins Haus ihres Bruders zurück, sondern begab sich in die Schänke *Zum Blauer Anker*. Dort war es, wo sie zu ihrer großen Freude dem Geist Althers Mellas begegnete.

## Die Mörderin

Die Mörderin erlitt einen totalen Gedächtnisverlust, als sie von Marcias Feuerblitz getroffen wurde. Überdies trug sie schwere Verbrennungen davon. Der Jäger fand sie bewusstlos auf Marcias Teppich und nahm die Pistole an sich. DomDaniel warf sie später in den Schnee hinaus. Nachtstraßenkehrer fanden sie und brachten sie ins Nonnenhospiz. Sie wurde wieder gesund und blieb nach ihrer Genesung als Hilfskraft in dem Hospiz. Glücklicherweise erlangte sie ihr Gedächtnis nie wieder.


## Linda Lane

Linda Lane hatte die Prinzessin ausfindig gemacht und erhielt als Belohnung dafür eine neue Identität und eine Luxuswohnung mit Blick auf den Fluss. Einige Monate später wurde sie jedoch von den Angehörigen eines ihrer früheren Opfer erkannt, und eines späten Abends, als sie auf ihrem Balkon saß und ein Glas ihres Lieblingsweins trank, den ihr der Oberste Wächter zukommen ließ, erhielt sie einen Stoß und stürzte in den reißenden Fluss. Sie wurde nie gefunden.

## Das jüngste Küchenmädchen

Das jüngste Küchenmädchen hatte Albträume von Wölfen und schlief deshalb so schlecht, dass sie bei der Arbeit häufig einnickte. Eines Tages döste sie, als sie den Bratspieß drehen sollte, und ein ganzes Schaf ging in Flammen auf. Nur dem geistesgegenwärtigen Eingreifen des Oberkartoffelschälers war es zu verdanken, dass ihr das Schicksal des Schafes erspart blieb. Das jüngste Küchenmädchen wurde zur Hilfskartoffelschälerin degradiert, doch drei Wochen später brannte sie mit dem Oberkartoffelschäler durch, um in Port ein neues Leben anzufangen.

## Die fünf Nordhändler

Nach ihrem überstürzten Aufbruch aus Sally Mullins Tee- und Bierstube verbrachten die fünf Nordhändler die Nacht auf ihrem Schiff, verstauten ihre Waren und trafen alle Vorkehrungen, um am nächsten Morgen mit der Flut auszulaufen. Es war nicht das erste Mal, dass sie in einen unerfreulichen Machtwechsel verwickelt wurden, und sie verspürten kein Verlangen, zu bleiben und abzuwarten, was diesmal passierte. Nach ihrer Erfahrung kam dabei nie etwas Gutes heraus. Als sie an den schwelenden Überresten von Sally Mullins Tee- und Bierstube vorbeifuhren, fühlten sie sich bestätigt. An Sally selbst verschwendeten sie jedoch kaum einen Gedanken. Auf der Fahrt flussabwärts planten sie ihre Reise nach Süden, um der großen Kälte zu entrinnen, und freuten sich schon auf die wärmeren Gefilde in den Fernlanden. Die Nordhändler hatten das alles schon einmal mitgemacht, und sie hatten keinen Zweifel, dass sie es wieder mitmachen würden.


## Der Spüljunge

Der Spüljunge, der bei Sally Mullin arbeitete, war davon überzeugt, dass die Tee- und Bierstube durch sein Verschulden abgebrannt war. Er war sich sicher, dass er die nassen Geschirrtücher zu nahe ans Feuer gehängt hatte, wie zuvor schon einmal. Doch er war nicht der Mensch, der sich über solche Dinge lange grämte. Er glaubte, dass jeder Fehlschlag auch eine Chance barg. Und so baute er sich eine kleine Hütte auf Rädern, schob sie jeden Tag hinunter zur Kaserne der Gardewache und verkaufte Fleischpasteten und Würste an die Gardisten. Die Füllung seiner Pasteten und Würste variierte je nachdem, was er ergatterte, doch er arbeitete hart, buk bis spät in die Nacht Pasteten und verkaufte den ganzen Tag. Als die Leute bemerkten, dass in alarmierender Zahl Katzen und Hunde verschwanden, kam keiner auf die Idee, dies mit dem plötzlichen Auftauchen des Spüljungen und seines Fleischpastetenkarrens in Verbindung zu bringen. Und als eine Lebensmittelvergiftung die Reihen der Gardewächter lichtete, gab man dem Koch in der Kasernenkantine die Schuld. Der Spüljunge kam zu Wohlstand und aß nie, aber auch gar nie eine von seinen Würsten oder Fleischpasteten.

## Rupert Gringe

Rupert Gringe war der beste Lehrling, den Jannit Maarten jemals hatte. Jannit baute Heringsboote mit geringem Tiefgang, mit denen man in küstennahen Gewässern fischen und Heringsschwärme auf die Sandbänke vor Port treiben konnte. Einem Heringsfischer, der ein Boot von Maarten besaß, war ein gutes Einkommen sicher, und bald galt es als besonderer Glücksfall, wenn Rupert Gringe an dem Boot mitgearbeitet hatte – es lag gut im Wasser und fuhr schnell wie der Wind. Jannit merkte, wenn jemand Talent hatte, und so ließ er Rupert bald selbstständig arbeiten. Das erste Boot, das Rupert ganz allein baute, war die *Muriel*. Er strich es in einem Grün, das so dunkel war wie der Fluss an seinen tiefen Stellen, und versah es mit dunkelroten Segeln, die an spätsommerliche Sonnenuntergänge über dem Meer erinnerten.

## Lucy Gringe

Lucy Gringe hatte Simon Heap in einem Tanzkurs für junge Damen und Herren kennen gelernt, als sie beide vierzehn waren. Mrs Gringe hatte Lucy hingeschickt, damit sie im Sommer nicht auf dumme Gedanken kam. (Simon besuchte den Kurs irrtümlich. Silas, der mit dem Lesen seine liebe Mühe hatte und häufig Buchstaben verwechselte, hatte angenommen, es handele sich um einen Trancekurs, und dummerweise hatte er Sarah am Abend davon erzählt. Simon hatte es zufällig gehört und Silas danach so lange in den Ohren gelegen, bis er ihn für den Kurs anmeldete.)

Lucy gefiel, dass Simon unbedingt der beste Tänzer im Kurs werden wollte, wie er überhaupt immer in allem der Beste sein wollte. Und seine grünen Zaubereraugen und seine blonden Locken gefielen ihr auch. Simon hatte keine Ahnung, wieso er sich plötzlich für ein Mädchen interessierte, aber aus irgendeinem Grund musste er unablässig an Lucy denken. Die beiden trafen sich, sooft sie konnten, hielten ihre Verabredungen aber geheim. Sie wussten, dass ihre Familien es nicht gebilligt hätten.

Der Tag, an dem Lucy durchbrannte, um Simon Heap zu heiraten, war der schönste und zugleich der schlimmste Tag in ihrem Leben. Der schönste war er bis zu dem Augenblick, als Gardisten in die Kapelle stürmten und Simon verschleppten. Danach war es Lucy gleich, was mit ihr geschah. Ihr Vater kam und brachte sie nach Hause. Er sperrte sie oben im Torhaus ein, damit sie nicht noch einmal davonlief, und flehte sie an, sich Simon Heap aus dem Kopf zu schlagen. Lucy weigerte sich und sprach mit ihrem Vater kein Wort mehr. Gringe war untröstlich. Er hatte doch nur das Beste für seine Tochter gewollt.

### Jennas Panzerkäfer

Nachdem der Ex-Tausendfüßler von DomDaniels Schulter gefallen war, hüpfte er übers Deck und landete auf einem Fass. Das Fass ging über Bord, als die *Vergeltung* in den Wabberschlamm hinuntergezogen wurde. Es trieb nach Port und wurde an den Strand der Stadt gespült. Der Panzerkäfer trocknete seine Flügel und flog zu einer nahen Wiese, wo gerade ein Wanderzirkus seine Zelte aufschlug. Aus irgendeinem Grund fasste er eine tiefe Abneigung gegen einen harmlosen Clown, und das Publikum amüsierte sich jeden Abend köstlich, wenn er den Clown durch die Manege jagte.

## Die Schwimmer und das Hühnerboot

Jack und Barry Parfitt, die beiden Schwimmer, die von Bord der *Vergeltung* geworfen wurden, hatten Glück und überlebten. Ihre Mutter hatte darauf bestanden, ihnen das Schwimmen beizubringen, bevor sie zur See fuhren, doch besonders gute Schwimmer waren sie nicht. In dem tosenden Sturm konnten sie gerade so den Kopf über Wasser halten. Sie wollten schon jede Hoffnung aufgeben, als plötzlich ein Fischerboot nahte. Sie sahen keinen Menschen an Bord, doch an der Seite des Bootes hing ein ungewöhnliches Fallreep. Mit letzter Kraft kletterten sie daran hinauf, und als sie an Deck zusammenbrachen, sahen sie nur Hühner um sich herum. Doch es war ihnen gleich, was sie um sich herum sahen, Hauptsache, es war kein Wasser.

Als sich die Fluten aus den Marram-Marschen wieder zurückzogen, legten Jake, Barry und die Hühner an einer Marschinsel an. Sie beschlossen, zu bleiben und DomDaniel künftig zu meiden, und bald entstand ein paar Meilen von der Insel Draggen entfernt eine blühende Hühnerfarm.

## Die Botenratte

Stanley wurde von einer Ratte der alten Rattenzentrale, die erfahren hatte, was ihm zugestoßen war, aus seinem Gefängnis unter den Dielen der Damentoilette befreit. Er erholte sich einige Zeit im Nest der Ratte oben im Torhaus am Nordtor, wo Lucy Gringe ihn mit Keksen aufpäppelte und ihm ihren Kummer anvertraute. In Stanleys Augen war Lucy Gringe noch einmal glimpflich davongekommen. Hätte ihn jemand gefragt, so hätte er ihm geantwortet, dass man mit Zauberern im Allgemeinen und mit Zauberern namens Heap im Besonderen nichts als Ärger hatte. Aber ihn fragte ja keiner.

# INHALT

Miesbucht

DER WALD

DIE BURG

Sams Strand

DER FLUSS

Die Anwanden

ZUG-BRÜCKE

NORD-TOR

Jannit Maartens Werft

Loch in der Mauer Schänke

ZAUBERER-TURM

Müllschlucker Rutsche

SÜDTOR

Silberner Torbogen

RABEN-STEIN

Müllkippe Schönblick

Das Schloss

Sally Mullins Tee- und Bier-stube

DIE BURG

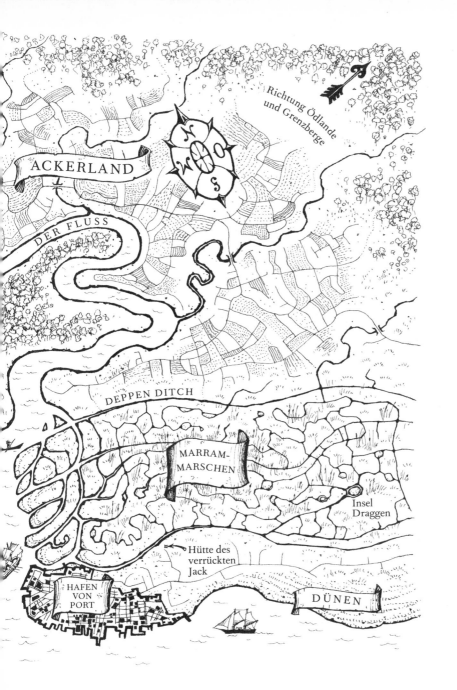

# Das große Fantasy-*Finale* der *Septimus-Heap*-Reihe – voller Abenteuer und Zauberei

Aus dem Englischen von Reiner Pfleiderer
Illustriert von Mark Zug. 592 Seiten. Gebunden

Endlich sind Septimus, Jenna und Beetle 14 Jahre alt und nehmen wichtige Rollen in ihrer magischen Welt ein: Beetle ist Obermagieschreiber, Jenna wird zur Königin gekrönt, und Septimus kämpft entschlossen gegen die Überreste der dunklen Sphäre. Um die Macht des doppelgesichtigen Ringes zu zerstören, entfesselt er die Magie aller Magien: Fyre. Nur wenn er seine Fähigkeiten und seine Loyalität gegenüber der Außergewöhnlichen Zauberin Marcia Overstrand und dem Alchemisten Marcellus Pye beweisen kann, wird er der 777. Außergewöhnliche Zauberer.

www.septimusheap.de
HANSER

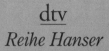